Cerddi Alltudiaeth

Y MEDDWL A'R DYCHYMYG CYMREIG

Golygydd Cyffredinol
John Rowlands

Mae teitl y gyfres hon o astudiaethau beirniadol ar lenyddiaeth yn fwriadol eang ac annelwig, oherwydd gobeithir cynnwys ynddi ymdriniaethau amrywiol iawn â lluosogedd o bynciau a themâu. Bu tuedd hyd yn hyn i ysgolheigion a beirniaid Cymraeg ganolbwyntio ar gyhoeddi testunau a'u hesbonio, neu ysgrifennu hanes llenyddiaeth, ac fe fydd sefydliadau megis y Ganolfan Uwchefrydiau Cymreig a Cheltaidd a'r Academi Gymreig yn sicrhau bod y gweithgareddau sylfaenol hynny yn parhau. Ond daeth yn bryd hefyd inni drafod a dehongli'r themâu sy'n ymwau trwy'n llenyddiaeth, ac edrych yn fanylach ar y meddwl a'r dychymyg Cymreig ar waith. Wrth gwrs fe wnaed rhywfaint o hynny'n barod gan feirniaid mor wahanol â Saunders Lewis, Bobi Jones a Hywel Teifi Edwards, ond mae yna agweddau lu ar ein dychymyg llenyddol sydd naill ai heb eu cyffwrdd neu'n aeddfed i gael eu trafod o'r newydd.

Y gyfrol hon yw'r drydedd yn y gyfres, yn dilyn *DiFfinio Dwy Lenyddiaeth Cymru* (gol. M. Wynn Thomas, 1995) a *Tir Neb* (Gerwyn Wiliams, 1996) a ddyfarnwyd yn Llyfr y Flwyddyn gan Gyngor Celfyddydau Cymru yn 1997. Yn *Cerddi Alltudiaeth* y mae Paul W. Birt yn trafod thema ymddieithrwch mewn barddoniaeth Gymraeg ochr yn ochr â llenyddiaethau Québec a Chatalunya. Dangosir fel y mae nifer o nodweddion yn gyffredin i lenyddiaethau dan warchae. Yn ogystal â thrafodaeth gyffredinol, ceir yma hefyd ddadansoddiad manylach o waith tri llenor blaenllaw – Gaston Miron o Québec, Salvador Espriu o Gatalunya a Gwenallt o Gymru. Dyma astudiaeth gymharol sy'n torri tir newydd mewn beirniadaeth Gymraeg.

Bydd cyfrolau pellach yn y gyfres yn ymdrin â phynciau mor amrywiol â'r arwrgerdd Gymraeg, y Gymraes yn llenyddiaeth y ganrif ddiwethaf, merched yn llenyddiaeth yr Oesoedd Canol, y dychymyg hoyw mewn llenyddiaeth Gymraeg, themâu yn y ddrama Gymraeg, a meddwl y Cywyddwyr.

Y MEDDWL A'R DYCHYMYG CYMREIG

Cerddi Alltudiaeth

Thema yn llenyddiaethau Québec, Catalunya a Chymru

Paul W. Birt

GWASG PRIFYSGOL CYMRU
CAERDYDD
1997

Cedwir pob hawl. Ni cheir atgynhyrchu unrhyw ran o'r cyhoeddiad hwn na'i gadw mewn cyfundrefn adferadwy na'i drosglwyddo mewn unrhyw ddull na thrwy unrhyw gyfrwng electronig, mecanyddol, ffotogopïo, recordio, nac fel arall, heb ganiatâd ymlaen llaw gan Wasg Prifysgol Cymru, 6 Stryd Gwennyth, Cathays, Caerdydd, CF2 4YD.

ISBN 0-7083-1425-2

Mae cofnod catalogio'r gyfrol hon ar gael gan y Llyfrgell Brydeinig.

Cyhoeddwyd gyda chymorth ariannol Cyngor Celfyddydau Cymru.

Llun y clawr: *Tirwedd Mewnol* gan Iwan Bala (ffotograff gan Pat Aithie)
Dyluniwyd y clawr gan Steve Macallister

Cysodwyd yng Ngwasg Prifysgol Cymru, Caerdydd
Argraffwyd yng Nghymru yng Ngwasg Dinefwr, Llandybïe

Pour Céline

Il nous reste un pays à comprendre
Il nous reste un pays à changer

(Gilles Vigneault)

Rhagair

Yn ei ddrama enwog sy'n trafod y berthynas anodd rhwng y gymuned leiafrifol a'r wladwriaeth fwy, datganodd Salvador Espriu, un o feirdd mwyaf Catalunya, fod llwyddo i ddeall y berthynas honno'n gofyn am ddod o hyd i hen wirionedd coll. Dywedodd fod y gwirionedd hwnnw ers tro wedi cael ei ddryllio'n ddarnau mân, ac eto, meddai, mae pob un o'r darnau hyn yn meddu ar gyfran o'r gwir oleuni. Ymgais i gasglu rhyw ychydig bach o'r drylliau hyn a welir yn y gyfrol hon gan obeithio dangos, er gwaethaf eu treftadaeth wahanol, fod llenyddiaethau'r gwledydd bach ac anhanesiol yn wironeddol debyg yn y ffordd y datblygir themâu i fynegi gwewyr a loes argyfwng diwylliannol ac ieithyddol. Yn yr ystyr honno, mae llenyddiaeth Gymraeg yn peidio â bod yn rhywbeth o ddiddordeb i bobl Cymru'n unig, a chaiff ymfalchïo yn y ffaith fod ei goleuni arbennig hi yn cael ei rannu gan lenyddiaethau Québec, Catalunya a nifer o wledydd eraill a welodd wasgfa ddiwylliannol gyffelyb ac a fu'n byw alltudiaeth genedlaethol.

Mae'r gyfrol hon yn seiliedig yn rhannol ar waith ymchwil a gyflwynwyd ar gyfer gradd doethur Prifysgol Cymru. Yn yr astudiaeth honno cafwyd cymhariaeth o themâu'n ymwneud ag argyfwng diwylliannol yn llenyddiaethau Cymru, Catalunya, Québec, Ocsitania a Llydaw. I bwrpas y gyfrol hon, canolbwyntiwyd ar lenyddiaeth Catalunya, Québec a Chymru. Yn rhan gyntaf y gyfrol ceir trafodaeth ar gefndir hanesyddol a diwylliannol y gwledydd dan sylw ac wedyn yn yr ail ran ceir astudiaeth o dri bardd, sef Gaston Miron (Québec), Salvador Espriu (Catalunya), a D. Gwenallt Jones (Cymru). Fel y gwelir, mae'r gyfrol yn cynnwys dyfyniadau mewn Cymraeg, Ffrangeg, Catalaneg a Sbaeneg. Cyfieithir y dyfyniadau Catalaneg i gyd yn ogystal â barddoniaeth Ffrangeg Gaston Miron. Myfi sy'n gyfrifol am y cyfieithiadau oni nodir yn wahanol.

Tra oeddwn i'n gweithio ar y traethawd gwreiddiol, cefais gymorth parod a chyngor fy nghyfarwyddwr, y diweddar Athro Bedwyr Lewis Jones, a da gennyf gydnabod ei gefnogaeth i mi yn y fan hon. Rwyf yn ddyledus i'r bardd Gaston Miron am drafod rhai agweddau o'i waith gyda mi, a hefyd i Céline am aml i drafodaeth ysbrydoledig. Cafodd y rhan fwyaf o'r gyfrol hon ei sgrifennu y tu allan i Gymru – yn bennaf yn Québec – ac o ganlyniad mae i leoedd hefyd eu cyfraniad at ei gwead, felly ni ddylid synnu os yw Sinera, Gwynedd a Montréal yn taflu eu cysgod dros y cyfan. Mawr yw fy nyled i'r Athro John Rowlands am gynnwys y gyfrol hon yng nghyfres Y Meddwl a'r Dychymyg Cymreig ac am lawer cyngor praff wrth imi droi'r traethawd yn llyfr. Hoffwn hefyd ddiolch yn fawr i Wasg Prifysgol Cymru am gyhoeddi'r gyfrol, ac yn fwyaf arbennig i Susan Jenkins am ei llywio'n hynod fedrus trwy'r wasg.

Paul W. Birt   Québec, Tachwedd 1997

Cynnwys

Rhagymadrodd

Pe bai rhywun heddiw yn medru edrych ar fap yn dangos ffiniau ieithyddol Ewrop ar gyfer y cyfnod o gwmpas 1700, does dim amau y byddai'n rhyfeddu a dotio at yr amrywiaeth o ieithoedd a thafodieithoedd o flaen ei lygaid. Rhywsut byddai'r ffiniau gwleidyddol yn ymddangos yn od o anghymwys wrth weld yr amrywiaeth o bobloedd weithiau'n ffitio'n braf ac weithiau'n gorlifo'n drwsgl dros y ffiniau hynny. Pe bai rhywun yn mynd ati i astudio map cyffelyb am y cyfnod tua 1920 byddai'n gorfod synnu o weld cymaint fu'r dirywiad a'r crebachu. Byddai gweld yr un map yn ein dyddiau ni yn peri mwy o ddychryn byth pan sylweddolir bod rhai o'r ffiniau wedi mynd yn gwbl simsan ac yn annelwig. Sôn yr ydym, wrth gwrs, nid am ffiniau'r ieithoedd mawr ond am yr ieithoedd llai-eu-defnydd, ac yn y gyfrol hon ceir astudiaeth o rai o'r themâu sy'n codi yn llenyddiaeth y math hwn o gymuned dan fygythiad: 'Yr ydym ninnau'n bobl sydd wedi rhedeg oddi ar ein mapiau'[1] oedd cri un hanesydd o Gymro tua diwedd yr ugeinfed ganrif. Ond, er gwaethaf ymdeimlad o chwalfa, nid yw mapiau'n cofnodi holl ruddin cenedl mewn argyfwng. Yn *Translations*, drama gan Brian Friel sy'n ymdrin â thynnu mapiau a bygythiad i ddiwylliant yn ymladd am ei einioes yng Ngaeltacht Dún na nGall (Donegal), Iwerddon, awgrymir sut mae map yn cofnodi trais un genedl yn erbyn cenedl arall:

> Ond cofiwch mai arwyddion yn unig yw geiriau. Nid oes anfarwoldeb iddynt. Ac mi all ddigwydd . . . bod diwylliant cyfan

yn cael ei gyfyngu o fewn map ieithyddol nad yw bellach yn cyd-fynd â ... realiti'r tirlun.[2]

Map o fath gwahanol a geir yn y gyfrol hon lle bydd cyfle i ddilyn rhai o'r cyfliniau llenyddol a geir mewn cymunedau ieithyddol lle wynebir cwestiynau yn ymwneud â hunaniaeth a pharhad y gymuned honno. I ba raddau y gallwn ddeall goblygiadau trai a llanw yn y cymunedau ieithyddol hyn drwy astudio eu llenyddiaeth? Er y ceir astudiaethau clodwiw mewn meysydd fel cymdeithaseg ieithyddol a daearyddiaeth ieith-yddol sydd yn dangos y crebachu sydd wedi bod yng ngofod daearyddol iaith arbennig[3] neu agweddau meddwl pobl tuag at iaith ar adegau gwahanol, neu'n wir hanes mudiadau iaith, ni roddwyd y sylw dyladwy efallai i'r modd yr adlewyrchir y tueddiadau hyn yn y maes llenyddol.

Yn y gyfrol hon rhoir pwyslais ar astudio'r hunaniaeth ethnig mewn cyd-destun llenyddol ar adegau pan fo'r hunaniaeth honno yn wynebu argyfyngau diwylliannol ac ieithyddol. Wrth ddefnyddio'r term 'ethnig', byddaf yn golygu cymuned ieithyddol a hanesyddol sydd yn byw o fewn gwladwriaeth lle mae iaith a diwylliant gwahanol yn tra-arglwyddiaethu. A defnyddir y gair argyfwng yma i olygu bygythiad sy'n llesteirio a pheryglu datblygiad y diwylliant hwnnw fel cyfanwaith organig. Gall ddigwydd fel canlyniad i amryw o brosesau hanesyddol,[4] er enghraifft darostyngiad gwleidyddol bwriadol, fel proses o argymathiad graddol (*acculturation*), neu yn sgil newidiadau demograffaidd mawr. Gall fod yn gyfuniad o bwysau amrywiol yn cynnwys yr elfennau hyn. Cyfyngir trwch yr astudiaeth i'r ugeinfed ganrif gyda chyfeiriadau at y ganrif flaenorol. Un o nodau pennaf y gyfrol fydd edrych ar lenyddiaeth Gymraeg yng nghyd-destun llenyddiaethau llai, a chydio mewn themâu sydd yn cynnig cyfle i ystyried rhai o dueddiadau llenyddiaeth Gymraeg mewn golygwedd ehangach.

Dichon y gellir haeru fod pob diwylliant lleiafrifol yn byw mewn cyflwr o argyfwng, o'r eiliad y mae'n gorfod byw yng nghysgod diwylliant mwy, neu o fewn gwladwriaeth lle ceir un diwylliant llywodraethol. Gellir honni, ar ben hynny, fod un-rhyw lenyddiaeth sydd yn cymryd y gymuned ieithyddol, yr uned genedlaethol fel pwnc ei myfyrdod, yn dangos fod y gymuned yn ymboeni am ddyfodol y gymuned honno. Nid cwestiwn a gyfyngir i'r cymunedau 'lleiafrifol' mohono bellach. Daeth trafodaethau am barhad diwylliant brodorol a hyd yn oed ieithoedd arbennig yn wyneb yr unffurfiaeth yn sgil yr ymglosio economaidd a'r chwyldro mewn cyfathrebu electronig, ac yn Ynysoedd Prydain bu'r holl ddadl ynglŷn ag Ewrop yn rhan o'r drafodaeth ehangach. Codwyd lleisiau gwrthwynebus o bob cwr.[5] Gwelwyd arwyddion bod hyd yn oed hyder pobl Lloegr yn nyfodol eu diwylliant yn gwanychu fwyfwy ar ddiwedd yr ugeinfed ganrif.[6] Yn Ffrainc hefyd sylweddolir nad yr un peth o anghenraid yw hunaniaeth ddiwylliannol Ffrengig ac Ewropeaidd.[7] Yn y gyfrol hon, rwyf wedi canolbwyntio ar agweddau ar lenyddiaeth lle pwysleisir argyfwng hunaniaeth a dyfodol y gymuned ethnig ac ieithyddol. Mae'r tair llenyddiaeth a drafodir yma yn deillio o bobloedd sydd yn byw bellach o fewn ffiniau dwy wladwriaeth Ewropeaidd, sef Prydain a Sbaen, ac un wladwriaeth Ogledd-Americanaidd, sef Québec, sydd yn rhan o ffederaliaeth Canada. Bu'r ymwybyddiaeth 'genedlaethol' a ddaeth yn sylfaen Ffrainc ar ôl y Chwyldro Ffrengig yn seiliedig ar amodau ieithyddol a hanesyddol, yn hytrach na'r Hen Drefn a'i phwyslais ar frenhiniaeth a dosbarthiadau cymdeithasol. Yn ôl y patrwm Ffrengig, y werin bobl oedd i lunio'r wladwriaeth o hynny allan (fel y gwelir yn llun enwog Delacroix, *La liberté guidant le peuple*), ond er allforio'r syniad i'r Eidalwyr a'r Almaenwyr, nid oedd bob amser yn amlwg fod y Llydawyr a'r grwpiau ethnig eraill yn Ffrainc yn rhan o'r werin honno. Creu gwerin Ffrangeg fu'r bwriad, ac ni ellir gwadu mai llwyddiant a gafwyd i bob pwrpas erbyn hyn. Os oedd Chwyldro Gogoneddus Lloegr yn 1688 i ffurfio'r sefydliadau cyfarwydd yn y wladwriaeth Brydeinig, ni olygodd hyn chwaith fod y wladwriaeth honno'n gallu gwahaniaethu rhwng Prydain a Lloegr, a diffinnid hunaniaeth ac iaith y wladwriaeth honno yn nhermau pennaeth cyfansoddiadol y wladwriaeth honno.

I bob pwrpas rhennir y gyfrol hon yn ddwy ran. Yn y tair pennod gyntaf cyfyngir y drafodaeth i ddwy gymuned ieithyddol 'anhanesiol' o orllewin Ewrop ac un o ogledd America, yn bennaf er mwyn gweld sut y mae nifer o argyfyngau penodol yn cael eu hadlewyrchu yn eu llenyddiaethau. Wrth 'anhanesiol', defnyddir term a fabwysiadwyd gan Karl Marx yn ei ddisgrifiad o'r diwylliannau a'r isddiwylliannau yng nghanolbarth a deddwyrain Ewrop. Adferwyd y term yn fwy diweddar gan yr hanesydd John Davies yn ei gyfrol *Hanes Cymru* (1990) fel disgrifiad o bobl sydd yn berchen ar nifer helaeth o agweddau cenedlaethol fel iaith, profiad cyffredin, traddodiadau diwylliannol, ond yn byw mewn gwladwriaeth 'estronol', a heb y rhyddid i greu eu dyfodol eu hunain fel pobl ar wahân.

Awgrymir bod modd adnabod tri chyfnod arbennig o argyfwng ers tua dechrau'r bedwaredd ganrif ar bymtheg hyd at ddiwedd yr ugeinfed ganrif. O fewn y cyfnodau hyn honnir bod themâu pendant a ailadroddir yng nghyd-destun nifer o lenyddiaethau ethnig yng ngorllewin Ewrop a gogledd America. Ceisiaf ddangos fod i'r tri argyfwng eu hamodau a'u nodweddion pendant eu hunain.

Yn y bedwaredd ganrif ar bymtheg, drwy ddeffro i ymwybyddiaeth ethnig, dechreuodd sawl cenedl fach sylweddoli eu bod yn wynebu argyfwng o safbwynt eu dyfodol, er bod 'gwanwyn y bobl' wedi cyrraedd. Golygai'r ymchwydd a'r asbri newydd yn yr ymwybyddiaeth genedlaethol ymhlith y cenhedloedd mawrion fel Ffrainc a Phrydain fod gwir berygl i'r cenhedloedd anhanesiol gael eu gwasgu allan o fodolaeth yn y brwdfrydedd imperialaidd newydd. Ymateb y cenhedloedd bychain oedd turio'n ddyfnach byth i sylfeini eu bodolaeth am sail a chyfiawnhad eu diwylliant. Dyma gyfnod ailddarganfod caneuon gwerin a llên gwerin. Daeth iaith a thafodiaith gwerin a fu'n ddianrhydedd ac yn ddi-dras yng ngolwg y byd yn bynciau o ddiddordeb ysgolheigaidd a gwleidyddol.

Y broblem a'r argyfwng, wrth gwrs, oedd y gwrthdaro uniongyrchol rhwng yr hunaniaethau newydd hyn. Diffinnid hunaniaeth Ffrengig bellach mewn termau cenedlaethol, a chyplyswyd hyn hefyd â thwf cyfalafiaeth ac imperialaeth, fel ag y gwnaed hefyd ym Mhrydain a Sbaen yn gyffredinol. Y canlyniad oedd mygu pob agwedd ar hunaniaeth ethnig yn rhannau eraill y gwladwriaethau newydd hyn; er mwyn i economi imperialaidd a chyfalafol ffynnu, rhaid oedd i bawb goleddu ac arddel yr un hunaniaeth genedlaethol ac unplyg. Dyna'n gryno natur yr argyfwng a fu'n fygythiad cynyddol i'r 'cenhedloedd' llai fel y Cymry, y Catalaniaid, a thros y môr ymhlith y Canadiaid Ffrengig yng Nghanada a'r Afrikaners yn Ne Affrica.

Ar un wedd, gellir gweld ymateb deublyg ymhlith y cenhedloedd llai yn y bedwaredd ganrif ar bymtheg. Yn gyntaf, ymunasant yn yr ewfforia Rhamantaidd cenedlaethol a roes hwb i'r balchder yn nhraddodiadau'r hil, ond ar yr un pryd, ond yn sicr yn fwy byth ar ôl canol y ganrif, bu raid wynebu her a bygythiad addysg ac iaith ddominyddol orfodol a dueddai i danseilio'r cyfan a enillwyd. Wrth i'r ganrif ddatblygu, y duedd oedd elwa ar y gwersi a ddysgwyd yn heulwen Rhamantiaeth er mwyn gwrthweithio pwysau anorfod yr hunaniaeth imperialaidd. Teimlid yr angen dybryd am sicrhau fod sylfeini cenedlaethol cadarn ar gael i alluogi'r gymuned i barhau. Roedd yn gyfnod o hogi arfau er mwyn wynebu'r argyfwng a throi'r ymwybod â hanes yn falm i enaid yr hen genhedloedd. Un ymateb a welir mewn rhai cymunedau yn ystod yr argyfwng cyntaf, ond un sydd yn ailgodi ei ben yn achlysurol, yw'r dymuniad cymunedol i encilio rhag dylanwadau estron. Weithiau mae hyn yn enciliad corfforol yng ngwir ystyr y gair, fel yn achos yr Afrikaners yn y 1830au. Arhosodd *trekgees* (ysbryd encilgar) yn ymateb greddfol bron yn eu plith hyd heddiw. Roedd yn ymateb i'r bygythiad i'w hunaniaeth yn wyneb twf dylanwad y Prydeinwyr.[8] Yng Ngwlad Pwyl, cafwyd yr *emigracja wewnetrza* (allfudiad mewnol) mewn cyfnodau o wasgfa pan nad oedd Pwyl yn bodoli'n wlad swyddogol,[9] a cheisio byw fel petai'r wlad yn bodoli. Bron na ellid haeru fod yr un ymateb i'w weld yng ngwleidyddiaeth Cymru ac yn llenyddiaeth Gymraeg yr ugeinfed ganrif ar adegau o argyfwng. Bu adeg pan welwyd ysbryd encilgar cyffelyb yn rhai o'r ysgrifau a'r areithiau a gysylltir â'r mudiad Adfer, yn enwedig lle cysylltir Cymreictod â'r Fro Gymraeg yn y gorllewin.[10] Hefyd gall ffarm Lleifior yn nofelau Islwyn Ffowc Elis (*pace* yr awdur) ymddangos ar dro fel enciliad delfrydol a symbolaidd rhag pwerau cymathiadol y byd Seisnig. Mae *trekgees* yn ymateb ysbrydol gan sawl pobl ar adegau arbennig o argyfyngus, fel Québec ar ôl Deddf Uno Canada yn 1840, pan fu perygl y byddai polisïau a geisiai eu cymathu.

Yn llenyddiaeth y cymunedau ethnig yn y ganrif ddiwethaf, y ffurf 'epig' yn aml iawn fu mynegiant llenyddol yr ymchwil am sicrwydd gwreiddiau cenedlaethol. Yn fynych iawn yr epig a geir yw'r math o epig a grëwyd gan Fferyll yn Rhufain gynt lle pwysleisir chwedlau tarddiannol yr hil ac weithiau, yn ysbryd optimistaidd y ganrif, dychmygir dyfodol disglair. Un o'r rhai cyntaf oedd *Barzaz Breizh* gan Villemarqué yn Llydaw, lle defnyddiwyd drylliau o ganeuon gwerin o wahanol ardaloedd yn Llydaw Isel yn ogystal â phenillion gwreiddiol gan Villemarqué ei hun er mwyn creu epig hanesyddol, lle gwelir gwreiddiau'r Llydawiaid yn y cyfnod Brythonig, colled eu sofraniaeth yn yr Oesoedd Canol, eu rhan yn y Chwyldro Ffrengig ac yn olaf sefyllfa druenus Llydaw ei gyfnod ef. Hefyd yn Ffrainc, ymatebodd Mistral yn y Deheubarth drwy atgyfodi barddoniaeth i radd uchel yn yr iaith Ocsitaneg drwy ganu nifer o gerddi epig hir yn yr iaith, y cyfan oll yn folawd i fywyd gwerinol a cheidwadol Deheubarth Ffrainc. Yng Nghatalunya, yn rhannol fel adwaith i lwyddiant ysgubol Mistral, aeth yr offeiriad Jacint Verdaguer ati i greu dwy epig mewn Catalaneg. Profwyd unwaith ac am byth yno fod modd defnyddio'r iaith at ddibenion llenyddiaeth aruchel. Llawn cyn bwysiced oedd neges un o'i gerddi epig, *Canigó*, sef bod creu Catalunya yn rhan o ragluniaeth Duw, ac yn fodd i ledaenu'r ffydd Gristionogol. Yr awgrym ymhlyg yn hyn oedd fod i Gatalunya ran i'w chwarae o hyd yn y cynllun hanesiol hwnnw. Er bod yr ymchwil i wreiddiau a chyfiawnhad cenedl yn agwedd ar sawl llenyddiaeth leiafrifol yn y cyfnod, nid oedd o anghenraid yn arwain at ddadl dros annibyniaeth neu ymreolaeth. Gellir tybio mai rhywbeth yn perthyn i'r bedwaredd ganrif ar bymtheg yn arbennig yw'r awydd am greu epig genedlaethol. Ar un wedd, byddai'n anodd anghytuno â hyn, ond ceir enghreifftiau o gymunedau sydd megis yn dechrau ennyn ymwybod ethnig mor ddiweddar â'r ugeinfed ganrif. Pan ddigwydd hyn, nid yw'n anghyffredin gweld ymgais mewn llenyddiaeth i osod sylfaen hanesyddol ar gyfer yr hunaniaeth honno. Enghraifft o hyn yw'r Acadiaid yn New Brunswick, Canada. Ni chychwynnodd eu llenyddiaeth Ffrangeg o ddifrif tan chwedegau'r ugeinfed ganrif.[11] Gellir gweld gwaith eu prif lenor, Antonine Maillet, fel un a fapiodd hanes cythryblus ac alltudiol y gymuned honno mewn nofelau epig eu naws megis *Pélagie la Charrette*[12] a gyhoeddwyd yn 1979. Gellir edrych ar lenyddiaeth ddiweddar mewn Cernyweg adferedig yn yr un modd. Mae gwaith A. S. D. Smith, *Trystan hag Ysolt*,[13] yn ymgais i godi Cernyweg yr Oesoedd Canol i lefel aruchel mewn termau celfyddydol, tra ar yr un pryd yn adrodd un o chwedlau enwocaf Cernyw i bobl Cernyw. Yn bennaf, bu'r epig ethnig yng Nghymru yn gynnyrch yr Eisteddfod. Cafwyd awdlau, er enghraifft, i destunau fel Owain Glyndŵr neu Fadog, ond rhaid gweld y rhain yn erbyn cefndir testunau eraill fel 'Brwydr Trafalgar', 'Ymweliad Siôn IV ag Ynys Môn', 'Maes Bosworth' a'r llu testunau crefyddol. Mae'n amlwg fod amwysedd yn y cymhelliad y tu ôl i rai o'r testunau gwladgarol a olygai na fedrid cynhyrchu gwir arwrgerdd genedlaethol Gymreig. Ond mewn oes ddiweddarach, bu awdl R. Bryn Williams 'Patagonia' yn barhad o draddodiad yr epig ethnig lle mawrygir tarddiad a phrofiadau arwrol y bobl.[14]

Agwedd arall ar yr ymarferion epig hyn oedd y diddordeb newydd mewn hanes cenedlaethol. Gellir darllen *Barzaz Breizh* fel llyfr hanes, ond roedd yn well gan rai ysgrifennu hanes mewn modd mwy rhyddieithol. Bu'r hanesydd Llydewig Arthur de la Borderie yn gyfrifol am lunio saith cyfrol o hanes Llydaw a gyhoeddwyd yn 1899. Ar ochr arall yr Iwerydd, pan ddanododd yr Arglwydd Durham i'r Canadiaid Ffrengig nad oedd ganddynt na hanes na llenyddiaeth yn ei adroddiad enwog yn 1839 yn dilyn gwrthryfel Canada Isaf, un ymateb oedd brwdfrydedd sydyn yn y byd llenyddol, a chyfres o lyfrau hanes ar y Canadiaid Ffrengig gan François-Xavier Garneau, a barddoniaeth wlatgar ac arwrol ei naws gan feirdd fel Louis Fréchette ac Octave Crémazie. Gellir gweld yr hinsawdd o argyfwng diwylliannol a fodolai eisoes yng nghanol y gymuned Ffrengig yn Québec wrth wrando ar argymhellion Durham i gymathu'r boblogaeth Ffrengig â'r Saeson:

> I should be indeed surprised if the more reflecting part of the French Canadians entertained at present any hope of continuing to preserve their nationality. Much as they struggle against it, it is obvious that the process of assimilation to English habits is already commencing . . . But I repeat that the alteration of the character of the Province ought to be immediately entered on, and firmly, though cautiously, followed up; that in any plan, which may be adopted for the future management of Lower Canada, the first object ought to be that of making it an English Province; . . .[15]

Prif amcan y gweithgaredd yn y cyfnod cyntaf hwn o argyfwng oedd dangos nad oedd y cenhedloedd hyn yn ategion dihanes i wladwriaeth genedlaethol fwy, ond yn hytrach fod iddynt hanes yn tarddu mewn cyfnod mwy llewyrchus a bod modd i hanes y gymuned ddilyn trywydd pendant unwaith yn rhagor.

Mae'r ail fath o argyfwng, y gellir ei alw'n 'argyfwng alltudiol', yn ddatblygiad o'r cyntaf. Mewn geiriau eraill, ni ellir yr ail heb y cyntaf, oherwydd canlyniad yr argyfwng gwreiddiol oedd rhyddhau ton o gregarwch a arweiniodd at gampau diwylliannol pwysig mewn nifer o'r cenhedloedd anhanesiol, er enghraifft yng Nghatalunya a Chymru. Dinistriwyd 'dinas' glasurol a chenedlaethol y *Noucentistes* yng Nghatalunya gan y rhyfel cartref a buddugoliaeth Franco, ac aeth holl greadigaeth cenhedlaeth y 1930au'n sarn. Mae'n rhyfedd fod diwylliant Catalunya wedi gallu wynebu'r fath argyfwng dinistriol ac eto dod allan yn weddol lwyddiannus. Adeiladodd Cymru hithau ar seiliau cadarn yn dilyn diwygiad John Morris-Jones a'r llenorion a'i dilynodd. Ond rhoddwyd ergyd arall i Gymreictod cenedlaethol yn dilyn 1936 a'r Ail Ryfel Byd nes creu hinsawdd o ansicrwydd dwys ynglŷn â dyfodol diwylliannol Cymru. Yn wir, fel y sylwodd Kenneth Morgan, ar ôl 1945, ymddangosai fod cenedlaetholdeb Cymreig mor farw â'r Derwyddon.[16]

Er mai bychan oedd nifer y rhai a ysgrifennai mewn Llydaweg, a nifer y darllenwyr yn brin, mae llwyddiant y deffroad llenyddol yn Llydaw yn dipyn o ryfeddod, nid oherwydd maint y cynnyrch efallai, ond yn bennaf oherwydd safon yr ysgrifennu. Yma hefyd, gellir olrhain ymdeimlad o chwalfa hyd yn oed tua diwedd y 1930au yng ngwaith rhai fel Youenn Drezen, ond daeth y *débâcle* yn derfynol ar ôl yr Ail Ryfel Byd, a bwgan y cydweithrediad honedig â'r Nazïaid yn hongian yn fygythiol uwchben yr holl fudiad Llydewig, nes ei chwalu a'i erlid dros dro i bellafoedd daear. Mae nofel Roparzh Hemon, *Mari Vorgan* (1947), yn adlais o'r chwalfa dros-dro a ddaeth i'r mudiad Llydewig, ond hefyd yn dangos sut roedd delfryd Llydaw Lydaweg a llenyddiaeth ffyniannus yn yr iaith wedi troi'n hunllef i'r sawl a'i harddelai.

O gofio sut yr ymatebodd nifer o'r gwladwriaethau mawr Ewropeaidd i'w cymunedau bychain yn y cyfnod wedi'r Rhyfel, rhai'n fwriadol ormesgar, a rhai'n ddilornus ddifater yn eu hawydd i ailorseddu cyfundrefn gref, ganolog, nid yw'n syndod yn y byd mai un o nodweddion amlycaf llenyddiaeth y gwledydd anhanesiol yn y cyfnod hwnnw yw'r ymdeimlad o 'alltudiaeth fewnol'. Weithiau, ac nid yn hollol annisgwyl, ysbrydolwyd awduron o wledydd tra gwahanol, megis Saunders Lewis, a Salvador Espriu o Gatalunya, gan ddelweddau cyffelyb fel, er enghraifft, eu dewis o hanes Esther i'w dramâu; y naill fel y llall yn ymdrin â gormes un genedl ar genedl arall, a'r driniaeth a gawsai'r Iddewon yn gysgod dros y cyfan. Defnyddir y ddelwedd gyfarwydd o'r Beibl am gaethiwed yr Iddewon naill ai yn yr Aifft neu Fabilon, fel delwedd gyfleus a chymorth hawdd ei gael am 'alltudiaeth' genedlaethol. O fabwysiadu'r ddelwedd Feiblaidd a'i fframwaith, yr awgrym bob amser yw fod gobaith i'r alltudiaeth ddod i ben ac y daw tro ar fyd. Mae hyn ymhlyg yng nghanu Gwenallt fel Cristion o argyhoeddiad, yn ogystal â rhywun fel Salvador Espriu a oedd yn hoff o ddefnyddio nifer o fytholegau yn ei farddoniaeth. Mae hefyd yn wir yng ngwaith Gaston Miron o Québec sydd yn defnyddio elfennau o 'fyth yr alltudiaeth' wrth obeithio am 'ailgyfannu' ei bobl, er nad yw'n arddel Cristnogaeth fel y cyfryw. Gall yr alltudiaeth fewnol hon ymrithio mewn nifer o wahanol ffyrdd, ac nid bob amser mewn ffurf grefyddol. Yng ngwaith Miron, pwysleisir yr elfen o beidio â pherthyn i'r hanesyddol, ac o fod yn afreal, ac yn ansylweddol a heb lais. Mae'n ddiddorol nodi'r un pwyslais ar fyd y breuddwydiol a'r chwedlonol yn nifer o storïau a nofelau Roparzh Hemon yn Llydaw. Cofiwn fod Roparzh Hemon yn byw gwir alltudiaeth yn Iwerddon ar ôl yr Ail Ryfel Byd. Mae'r alltudiaeth hon yn ymrithio mewn sawl ffurf, ac nid bob amser mewn ffurf fythig amlwg. Tybed a yw'r gwallgofrwydd a ddisgrifir yn weddol aml yn ymateb i'r ymdeimlad o fod yn 'alltud' o realiti na ellir ond ei ddychmygu ar y pryd. Dyna a welir yn sicr yn nofel Roparzh Hemon o Lydaw, *Mari Vorgan* (sydd yn ymdrin yn drosiadol â'r mudiad Llydewig); ceir enghraifft ddiddorol yn nofel Gwenallt, *Plasau'r Brenin*, am garcharor o Gymro sydd yn colli ei bwyll nes anghofio'r Gymraeg. Mae barddoniaeth Wyddeleg Cathal Ó Searcaigh o Donegal â'i chyfeiriadau at wallgofrwydd Suibhne ac alltudiaeth y bardd yn Llundain hefyd yn fynegiant o fardd wyneb yn wyneb â difodiant diwylliant y Gael.

Mae'r tyndra aruthrol a grëir gan argyfwng diwylliannol weithiau'n esgor ar banic a gyfieithir i dermau apocalyptaidd. Mae'r ymateb hwn yn nodwedd sicr ar lenyddiaeth Gymraeg ar ôl yr Ail Ryfel Byd. Fe'i gwelwn yn arbennig yng nghanu Waldo Williams, yn ogystal â Saunders Lewis, Gwenallt a Phennar Davies. Cwyd yr apocalyps mewn llenyddiaeth pan yw'n ymddangos bod yr argyfwng hwnnw yn un 'diwrthdro a thu hwnt i reolaeth dynion'.[17] Ceir sawl ffurf ar yr alltudiaeth hon; ac mewn llenyddiaeth Gymraeg datblygir y syniad yn drosiadol gelfydd, neu ar dro ceir darlun hynod drawiadol megis hwnnw a geir yn llyfr Gwenallt, *Ffwrneisiau*, lle sonnir am y 'ffwrnais danllyd greulon' lle ceir, serch popeth, 'heddwch, mwyneidddra a thiriondeb'. Mae trosgynoldeb yn agwedd ar apocalyps, ac yn gysylltiedig â syniad llywodraethol, yn arbennig mewn cymdeithas lle mae dylanwad y Beibl a'i olygwedd yn dderbyniol gan drwch y gymdeithas. Pan gyplysir argyfwng crefyddol â'r argyfwng cenedlaethol, fel y gwneir yng ngwaith Ambrose Bebb a Phennar Davies, mae dwyster y profiad yn wirioneddol apocalyptaidd. Chwilir am loches yn y trosgynnol yn aml, ac erys elfen o obaith y daw gwaredigaeth drwy gyfrwng ffigur meseianaidd neu'n syml drwy obaith 'pryderus' megis eiddo Waldo.

Credaf fod modd adnabod trydydd argyfwng yn yr ugeinfed ganrif, un a wynebwyd eisoes gan nifer o'r cymunedau ieithyddol. Mae'r ffin rhwng yr ail a'r trydydd yn denau weithiau, a gall sefyllfa fodoli lle mae gwahanol lenorion yn ysgrifennu o fewn cyd-destun y naill neu'r llall yr un pryd. Galwaf yr argyfwng hwn yn gyfnod y dadelfennu, oherwydd, fel yr awgryma'r enw, tuedd llenyddiaeth yn yr argyfwng hwn yw disgrifio'n drosiadol ddirywiad pur ddifrifol yn y gymuned ieithyddol mewn termau lle ceir naws bensyfrdanol y dibyn a'r diwedd yn llywodraethu. O bosibl nad yw hyn yn argyfwng diwrthdro, ond cydnabyddir na ddefnyddir yr iaith yr ysgrifennir y llenyddiaeth ynddi bellach fel iaith trwch mawr y boblogaeth. Dyma'r llenor yn ysgrifennu mewn cymdeithas sydd wrthi'n cael ei chymathu â diwylliant y wladwriaeth genedlaethol. Cawn fynegiant o'r argyfwng anobeithiol hwn yn llenyddiaeth Ocsitaneg a Llydaweg y 1960au a'r 1970au, ac nid yw'n gwbl absennol o lenyddiaeth Gymraeg. Mae tuedd eto i ddefnyddio delwedd yr alltudiaeth fewnol, ond heb allu cynnig llawer o obaith. Gellir dweud wedyn fod y fframwaith alltudiol wedi chwalu. Mae hanes fel petai wedi cyrraedd pen ei dennyn. Weithiau mae'r hunaniaeth ethnig yn encilio i un agwedd ar yr hunaniaeth honno, sef yr iaith, a welir wedyn yn bodoli'n endid digymdeithas, alltudiedig. Dyna a welir, er enghraifft, ym marddoniaeth Per-Jakez Hélias o Lydaw. Nid sôn am Lydaw fel y famwlad a wneir ganddo ond am yr iaith Lydaweg yn crisialu'r hyn a fu'n nodweddu holl weddau'r bod cenhedlig. Mae hyn yn arwydd allweddol a diamwys sy'n golygu fod y 'gofod diwylliannol' wedi crebachu nes peidio â bod mewn gwirionedd yn beth naturiol a bywiol i'r gymdeithas. Mewn sefyllfa felly, mae'r iaith yn mynd yn 'weddw', neu'n symbol o botensial cymdeithas. Yng ngwaith Paol Keineg, eto o Lydaw, mae'r dadelfeniad yn fwy amlwg. Mae ei gerddi yn sôn yn llythrennol am ddadelfeniad ei gorff, sy'n ffordd ddelweddol o fynegi'r chwalfa sydd wedi digwydd i'r hunaniaeth Lydewig. Mae llenyddiaeth dan yr amgylchiadau hyn yn amddifad o strwythur gobaith; nid yw'n ystyrlon mewn cymdeithas ddrylliedig, a'r unig obaith, os gobaith hefyd, yw potensial hanes fel rhywbeth haniaethol, annelwig a phell. Ym marddoniaeth yr Ocsitanwr Robert Lafont, fe bair y sylweddoliad o'r potensial hwn mewn hanes iddo ddychmygu'r cyfarfyddiad rhwng pobl a hanes mewn termau real a chnawdol er mwyn tanlinellu realaeth y potensial, yn hytrach na'i weld yn ddelfryd nad oes fawr o obaith ei wireddu.

Un o nodweddion y rhai sy'n byw mewn cymuned ethnig o fewn gwladwriaeth fwy, lle hybir y wladwriaeth honno fel prif hunaniaeth genedlaethol y wladwriaeth, yw creu'r hyn y gellir ei alw'n 'hunaniaeth amwys'. Hybwyd yr hunaniaeth gyffredinol hon drwy system addysgol ac economaidd yn wreiddiol, ac wedyn ymhellach yn yr ugeinfed ganrif drwy'r cyfryngau torfol. Gall cydymdreiddiad addysg ac economi a chyfryngau'r wladwriaeth genedlaethol brysuro'r broses o argymathiad tuag at gymathiad llwyr.

Ni ellir amau nad oes ym mhob un sawl math ar hunaniaeth, rhai teuluol, ymlyniad wrth fro ac wedyn hunaniaeth genedlaethol. Ceir ymdriniaeth â hyn gan rai llenorion, fel yng ngwaith Gaston Miron a Hubert Aquin o Québec. Fel y gwyddys, ceir cyfyng-gyngor difrifol pan geir hunaniaeth arall yn cystadlu am le un o'r rhai hyn. Rhan bwysig arall o'r gyfrol hon fydd ymgais i weld canlyniadau'r hunaniaeth amwys sy'n digwydd pan fydd dwy hunaniaeth genedlaethol yn dod i wrthdrawiad. Mae'n anodd deall yn gyfan gwbl oblygiadau'r pryder seicolegol isymwybodol sy'n ffrwyth y cyfyng-gyngor hwn, ond cawn gyfle i godi cwr y llen ar y modd yr adlewyrchir hyn mewn llenyddiaeth ethnig.

Gwelwn ymwybyddiaeth o'r hunaniaeth amwys hon yng ngwaith y llenorion a astudir yn y gyfrol hon. Yn ystod yr argyfwng cyntaf, prin yw'r llenorion sydd yn amau nad yw eu hunaniaeth ethnig yn rhan o hunaniaeth fwy 'cenedlaethol'. Er enghraifft, bu'r bardd Louis Fréchette yn Québec yn ysgrifennu cerddi i ddathlu jiwbilî'r Frenhines Victoria, ac O. M. Edwards yn edrych ymlaen at gyfraniad Cymru i'r Ymerodraeth, ac ni ddaeth i feddwl gwleidyddion Catalunya fel Francesc Pi i Margall beidio â chymryd rhan lawn ym mywyd politicaidd Sbaen (ac felly y bu ym myd gwleidyddiaeth Sbaen hyd heddiw). Mae gan Wenallt gyfeiriad smala at y duedd hon yn ei gyfrol hunangofiannol *Ffwrneisiau*, lle sonnir am un cymeriad yn sôn am y Frenhines Victoria fel 'yr hen Gymrâs'. Er hynny, mae'n digwydd weithiau fod cydymdreiddiad hanesyddol rhwng dwy neu ragor o bobloedd yn creu hunaniaeth amwys na ellir (ac na fynnir yn aml) ei diwreiddio'n llwyr. Ni fyddai Salvador Espriu (gw. Pennod 5) am weld Catalunya ond fel un o frodyr (*germans*) yr orynys Iberaidd. Mae gormod o hanes ar y cyd wedi asio'r bobloedd Iberaidd yn un cwlwm iddo ef. Eto i gyd, mae grym yr ymddieithrio a ddaw yn sgil y fath hunaniaeth amwys neu ddwbl i'w deimlo hyd heddiw. Penderfynodd y bardd blaenllaw Pere Gimferrer o Gatalunya, a enillodd fri fel bardd yn cyfansoddi mewn Castileg, droi yn ôl at ei famiaith, y Gatalaneg, oherwydd yn yr iaith honno'n unig y gallai ddefnyddio'r gair 'fi' mewn ystyr ddilys:

> Tot i escrivint sovint en primera persona, era un altre qui parlava, i no jo mateix . . . ara, amb el català, m'he trobat una llengua que, essent la meva, m'és útil com a eina de treball, com a instrument de treball poètic. Una llengua amb la qual ja m'és possible expressar-me en primera persona.[18]
>
> (Er imi ysgrifennu'n aml yn y person cyntaf, rhywun arall oedd yn siarad, ac nid fi . . . yn awr gyda'r Gatalaneg, rwyf wedi dod o hyd i iaith, gan mai fy iaith i yw hi, y gallaf ei defnyddio fel offeryn gwaith, fel cyfrwng gwaith barddonol. Mae'n iaith sy'n fy ngalluogi i'm mynegi fy hun yn y person cyntaf go-iawn.)

Yng Nghymru, bu Emrys ap Iwan gyda'r rhai cyntaf i nodi effeithiau'r hunaniaeth amwys. Gwelai ef 'daeogrwydd', 'Sais-addoliad a 'gwaseidd-dra', yn tanseilio Cymreictod iach, ond ni ellir honni fod ei safbwynt ef yn cael croeso tan ddechrau'r ugeinfed ganrif o leiaf. Nid ystyrid hunaniaeth amwys yn hollt neu'n beth rhanedig yn ei hanfod. Gwelid yr hunaniaeth honno'n rhan o gyfanrwydd gwahanol lle gallai'r ddwy hunaniaeth gydfodoli. Ar y lefel bersonol byddai modd boddi'r naill hunaniaeth dan wyneb yr un newydd, neu'r un sy'n economaidd ffafriol. Yn yr ugeinfed ganrif, gwelwn adwaith mwy cadarnhaol i broblem hunaniaeth amwys. Yn 1961, rhoddai Frantz Fanon, yn un o glasuron llenyddiaeth wrth-drefedigaethol, *Les Damnés de la terre*, ei chwydd-wydr ar yr un ffenomen mewn sefyllfa Affricanaidd. Soniodd am bobl o Algeria neu wledydd Affricanaidd eraill yn sôn amdanynt eu hunain yn nhermau hunaniaeth ddwbl, peth sy'n gyfarwydd yng Nghymru neu Québec, dyweder:

C'est en tant qu'Algérien et Français . . . que je parle. Butant sur la nécessité, s'il veut être véridique, d'assumer deux nationalités, deux déterminations, l'intellectuel arabe et français, l'intellectuel nigérien et anglais choisit la négation de l'une de ces déterminations.[19]

Yn Québec gwelai sawl beirniad a llenor effeithiau'r hollt yn y cymeriad Canadaidd-Ffrengig. I Hubert Aquin roedd y rhai a dderbyniai hunaniaeth Ffederalaidd (h.y., Canadaidd), gan geisio bod yn Québécois yr un pryd, yn 'agents doubles'. Dyma derm, wrth gwrs, sydd yn dod o fyd y nofel ysbïwyr, lle awgrymir rhywun sy'n ceisio gwasanaethu dau feistr. Mae'n arwyddocaol fod llenor arall o Québec, Jacques Ferron, wedi enwi un o'i gyfrolau yn y chwedegau yn *Contes d'un pays incertain*, lle pwysleisir yn gellweirus ansicrwydd bodolaeth y wlad y mae ei gymeriadau'n byw ynddi. I nofelydd mwy diweddar, Jacques Godbout, mae Québec fel plentyn deuben na all oroesi heb dorri un o'r pennau. Mewn gwirionedd mae ei nofel, *Les Têtes à Papineau*, yn rhagflas o'r ddadl gyfoes ynglŷn â sofraniaeth Québec.

Yn Ffrainc, bu gorchymyn A. de Monzie yn 1925 yn enwog: 'Pour l'unité linguistique de la France, la langue bretonne doit disparaître', a phen draw'r polisi oedd nid hunaniaeth amwys ond cymathiad gyda'r mwyafrif, fel y soniodd Morvan Lebesque yn *Comment peut-on être breton?*. Nid oedd ef yn ymwybodol o fod yn Llydawr ar ddechrau'i oes, ac felly mae hunaniaeth genedlaethol iddo ef yn beth bregus a simsan sy'n gallu diflannu:

J'ai longtemps ignoré que j'étais breton. Je l'ai par moments oublié. Français sans problème, il me faut donc vivre la Bretagne en surplus ou, pour mieux dire, en conscience: si je perds cette conscience, la Bretagne cesse d'être en moi; si tous les Bretons la perdent, elle cesse absolument d'être.[20]

Yng Nghymru, cafwyd dadansoddiad trylwyr ond anorffenedig efallai, ar hunaniaeth amwys yn *Prydeindod* gan J. R. Jones. Mae J. R. Jones fel pe bai'n dilyn y cyfliniau a geir mewn gwledydd eraill cyffelyb wrth bwysleisio natur friwedig yr ethos genedlaethol. Diffiniasai genedligrwydd yn nhermau'r tri chwlwm sydd yn cydio pobl wrth ei gilydd a gwneud cenedl ohonynt, sef tiriogaeth ddiffiniedig, iaith, a chyd-fyw mewn gwladwriaeth sofran. Gwahaniaethai J. R. Jones wrth gwrs rhwng 'pobl' a 'chenedl'. Cymundod deuglwm (heb wladwriaeth) yw pobl, ond cymundod yn cyfuno'r tri yw cenedl. Ni ddatblygodd J. R. Jones ei syniad o 'gydymdreiddiad' ymhellach na thir ac iaith, ond fel y noda R. Tudur Jones, gellir ei gymhwyso at yr economi a'r wladwriaeth y mae Cymru'n byw ynddi. Dywed fel hyn:

Ni chydymdreiddiodd y Wladwriaeth â thir ac iaith y Cymry. Effaith y cwlwm gwladwriaethol oedd nid cyfannu bywyd Pobl Cymru a gwneud cenedl ohonynt ond llindagu'r arwahanrwydd Cymreig.[21]

Os oedd yr athronydd J. R. Jones yn chwilio am 'gyfanrwydd bodolaeth', agwedd ar hyn, mae'n siŵr, oedd yr ymgais i fynnu hunaniaeth gyfan a diamwys i'w gyd-Gymry. Mae chwilio am fodd i adfer hen undod yn rhan anhepgor o'r gwaith a wneir o ddipyn i beth gan lenorion y llenyddiaethau ethnig drwy'r tri argyfwng. Rhan yn unig o'r gwaith ydyw adfer hanes ac iaith. Treiddir at graidd y broblem sut i adfer cyfanrwydd hunaniaeth genedlaethol yng ngwaith y rhan fwyaf o'r llenorion yn ysgrifennu o fewn cyd-destun yr ail argyfwng, a rhoddir sylw arbennig i hyn yn y penodau sy'n trafod gwaith Miron, Espriu a Gwenallt. Daw hyn i'r amlwg, er enghraifft, yng ngwaith Gaston Miron o Québec sydd wedi plymio i waelodion enaid ei bobl yn eu hymddieithrwch a'u halltudiaeth fewnol. Mae teitl ei brif gyfrol o farddoniaeth, *L'Homme rapaillé*, yn awgrym o'r hyn a drafodir mor drylwyr ganddo yn ei farddoniaeth; sonia ef am air arbennig a ddefnyddir ganddo yn y Ffrangeg, sef *rapaillé*, gair sydd yn y bôn yn golygu 'lloffion', ond yng ngwaith Miron yn awgrymu 'ail-greu' neu 'ailgyfannu' cenedl a aeth ar ddisberod.[22]

Gwelir ymgais debyg ym marddoniaeth Waldo Williams lle mae'n gweld Cymru'n un, ond estynnir y syniad yn ddiweddarach fel modd i 'gasglu' a 'chyfannu' y ddynoliaeth oll, yn enwedig pan fydd dynion mewn gwrthdaro fel mewn cyfnod o ryfela. Weithiau canfyddwn ymdrech fwy diriaethol i adfer undod, fel gwaith beirdd y *Félibrige* yn Neheubarth Ffrainc yn creu llenyddiaeth Ocsitanaidd sy'n awgrymu undod yr holl ardaloedd lle siaredid ffurfiau'r iaith, a hynny am y tro cyntaf ers yr Oesoedd Canol. Ymgais fwy llwyddiannus ond parhaol yw'r hyn a wneir o hyd yng Nghatalunya i ennyn ymwybyddiaeth o undod ieithyddol *a* gwleidyddol yn y Broydd Catalaneg. Gwêl rhai dywysogaeth Catalunya fel eu 'gwlad', ond nid pawb sydd yn byw yn Valencià, lle mae'r ymlyniad wrth Sbaen yn gryfach, a hynny er gwaethaf y ffaith mai'r un iaith yn y bôn a siaredir yn y ddau ranbarth.[23]

Gellir cyplysu hyn hefyd ag agwedd arall sydd yn ymwneud â chymeriad llenyddiaeth leiafrifol, sef dylanwad gan waith llenorion y wladwriaeth ddominyddol – peth na ddylid synnu ato, mae'n siŵr, o gofio fod y rhan fwyaf o lenorion yn y maes hwn yn ddwyieithog. Mae ffurfiau a themâu'n debyg o gael dylanwad yn y modd hwn. Mae'r llenor Catalaneg yn sicr o fod yn ymwybodol o'r hyn sy'n digwydd yn y byd cyhoeddi Sbaeneg. Mewn gwirionedd, mae nifer o lenorion Catalunya wedi dechrau eu gyrfaoedd llenyddol mewn Sbaeneg (Castileg), megis Pere Gimferrer, er enghraifft. Cyfrol fechan o straeon mewn Sbaeneg fu gwaith cyhoeddedig cyntaf Salvador Espriu a nododd unwaith y bu'r cyfieithiad Sbaeneg o'r Beibl yn ddylanwad go fawr arno erioed, heb sôn am ddylanwad cenhedlaeth y 1920au ar ei waith cynnar. Nid rhywbeth pur a dilychwin ydyw llenyddiaeth unrhyw wlad, yn enwedig yn y cymunedau lle'r arferir iaith leiafrifol. Fe ellir crybwyll Cymru a beirdd Seisnig y tridegau a'r pedwardegau o safbwynt dylanwad yr olaf ar lenyddiaeth Gymraeg a diau fod y broses yn parhau, weithiau'n anymwybodol. A yw arddull neu anian esthetig, felly, yn gallu cael eu trawsgludo o ddiwylliant i ddiwylliant fel hyn? Mae llenyddiaethau lleiafrifol Ffrainc yn anochel yn ddyledus i ffurfiau ac arddull Ffrengig yn ddiarwybod bron. Yn aml mae cyw-artist yn gorfod bwrw ei brentisiaeth drwy efelychu ffurfiau sy'n gyfarwydd iddo/i yn yr iaith a fu'n fwyaf ei dylanwad yn ystod y broses addysg. Yn achos bardd fel Pere Gimferrer gall hyn arwain at yrfa gynnar yn yr ail iaith nes creu tensiynau emosiynol a arweinia yn y pen draw at broses o 'ddychwelyd' at y famiaith fel cyfrwng llenydda. Mae'n bur debyg fod tebygrwydd ieithyddol weithiau'n hwyluso benthyciadau ffurfiol fel a geir yn achos Afrikaans ac Is-Almaeneg. Bu'r pumdegau a'r chwedegau yn gyfnod pan fu'r farddoniaeth newydd yn yr Iseldiroedd yn sbardun i'r awen Afrikaans yn yr un cyfnod. Hyn hefyd sy'n hyrwyddo'r ymglosio esthetig rhwng y Gatalaneg a'r Sbaeneg. Ac eto, mae'n arwyddocaol fod llenyddiaeth Gatalaneg y Rosselló (Roussillon yn ne-orllewin Ffrainc) wedi manteisio ar ffurfiau a modelau Ffrengig yn ystod cyfran o'r ugeinfed ganrif. Tybed mewn gwirionedd a ellir honni fod tebygrwydd ieithyddol yn debyg o fod yn elfen bendant yn y broses barhaol o fenthyca a mabwysiadu ffurf ac estheteg? Ymddengys ar y cyfan fod y dylanwad mwyaf ffurfiannol yn dod o du'r wladwriaeth lle lleolir y diwylliant lleiafrifol. Onid yw'n debycach y byddai llenor Gàidhlig o'r Alban yn tynnu mwy o'i faeth o'r de Saesneg nag oddi wrth waith y llenorion Gwyddeleg? Yn y pen draw bu pob llenyddiaeth leiafrifol ynghlwm wrth 'ddwy ffolen Mamon', chwedl Gwenallt. Roedd yn bur anodd os nad yn amhosibl i'r artist llenyddol yn y cymunedau lleiafrifol yn yr ugeinfed ganrif ddianc rhag y dylanwad hwn. Er bod llenyddiaeth Québec yn cael ei hysgrifennu yn un o ieithoedd mwyaf y byd nid yw chwaith yn dianc rhag yr un prosesau. Bu cryn drafod ar un adeg ynglŷn â'r elfennau Americanaidd yn y llenyddiaeth honno. Nid llenyddiaeth yw hon sy'n troi at Ffrainc. Erbyn hyn mae'r nofel yn anad dim un cyfrwng yn dangos tueddbennu pendant tuag at themâu a gysylltir â'r myth Americanaidd lle deellir y gair 'Americanaidd' yn ei ystyr letaf bosibl. Byddai rhai yn gweld hyn yn arwydd o iechyd yn y corff llenyddol yn Québec, ar ôl blynyddoedd o orddibyniaeth ar gyhoeddwyr a chwiwiau llenyddol Paris, ond gellir ei weld hefyd fel cam bychan ond pendant tuag at y cymathu diwylliannol anochel a'n hwyneba oll o bosibl. Weithiau ceir tystiolaeth fod llenor yn ymwybodol o beryglon y dylanwad unochrog. Meithrinodd Roparzh Hemon, y nofelydd a'r bardd Llydaweg, ddiddordeb arbennig yn ffurf y nofel ddirgelwch sydd â'i gwreiddiau mewn llenyddiaeth Saesneg. Mae llawer yn mynd i ddibynnu ar rym traddodiad y diwylliant cynhenid, ac wrth gwrs mae traddodiad llenyddol gyda'r praffaf yn gallu darfod os ceir newidiadau cymdeithasol a gwleidyddol mawr.

Agwedd arall ar y broses o ailgyfannu (sef yr ymateb i'r hunaniaeth amwys) yw holl gwestiwn iaith. Mae B. Khleif yn ei ymdriniaeth ag ethnigrwydd neu hunaniaeth ethnig yn rhoi pwyslais pendant ar iaith fel hanfod ethnigrwydd. Dyna'r elfen sydd yn diffinio'r gymdeithas yn ei hymwneud â'i gorffennol a dehongli ei dyfodol; dyma'r elfen sydd hefyd yn diffinio'r gwahaniaeth, sydd yn rhan anhepgor o'r hunaniaeth honno:

> Language is spiritual communion: it is both the social history of a people and its *Anschauung*; it structures both the social perception of a people's past and the interpretation of its future. Language is 'roots' and identity: it is both an *ethnic boundary* to differentiate groups as well as an instrument of ethnicity, a vehicle to assert social bonds and 'proclaim' a group's regeneration.[24]

Mae'r cenhedloedd ethnig yn Ewrop a Québec wedi peri fod yr iaith yn fwy o lawer na drych i'r cymeriad cenedlaethol. Hwyrach na ddylem synnu'n ormodol at hynny o gofio'r gwastatáu sydd wedi digwydd yn sgil lledaenu system econom-aidd lle hyrwyddir gwerthoedd o fath unigol. I'r cenhedloedd ethnig mae'n gysylltiedig yn arbennig â'r gorffennol a chreu dyfodol o'r gorffennol. Nid yw'n annisgwyl fod rhai o'r llenyddiaethau ethnig yn cynhyrchu barddoniaeth sydd yn ymwneud yn benodol â'r iaith fel diriaeth (Gwenallt, Waldo, Alan Llwyd yng Nghymru, P-J. Hélias, Paol Keineg yn Llydaw, er enghraifft).

Mewn cymuned ethnig a ddiffinnir yn anad dim yn nhermau iaith, nid yw'n syndod chwaith fod adennill iaith yn rhan anhepgor ehangach o'r broses o ailgyfannu y buom yn ei thrafod. Mae'r israddoldeb cyfarwydd mewn gwledydd anhanesiol yn glynu wrth iaith a'i statws. Mae cyfystyru iaith â'r genedl yn nodwedd y gellir ei holrhain o leiaf yn ôl i'r Oesoedd Canol. Bu Beirdd yr Uchelwyr yn y bymthegfed ganrif, fel Guto'r Glyn er enghraifft, yn arfer y gair 'iaith' i olygu pobl neu genedl hefyd, a cheir defnydd cyffelyb gan lenorion Catalanaidd megis Ramon Llull (1233–1316) yn ogystal â bardd fel Ausiàs March (1397–1459). Nid yw'n annisgwyl fod synio am iaith fel agwedd ar y syniad llywodraethol yn digwydd weithiau. Mae Gwenallt yn cyplysu'r iaith yn aml â gwerthoedd trosgynnol gan iddi fod yn 'un o dafodieithoedd y Drindod', tra bod William Chapman yn Québec yn y bedwaredd ganrif ar bymtheg yn gweld y Ffrangeg yno fel un o'r 'colofnau tân' yn arwain y Canadiaid Ffrengig i wlad yr addewid. I Salvador Espriu, mae achub yr iaith Gatalaneg yn ystod blynyddoedd Franco yn gyfystyr ag achub y dialog rhwng pobloedd Sbaen. Tra-dyrchefir yr iaith ym marddoniaeth Gaston Miron fel cyfrwng teilwng y 'Gerdd' a'r gerdd yn ei waith ef fel 'costrel' sydd yn ymgorffori gobeithion a sofraniaeth dyfodol ei wlad, Québec. Yn achos y ddau fardd hyn, distawrwydd neu fudandod (mewn termau diwylliannol ac ieithyddol) fu'n nodweddu gorffennol diweddar eu cymunedau, a thrwy ddangos twf deinamig y llafar, y gwelir ailafael mewn hunaniaeth a hanes, ac ailgyfannu poblogaeth eu cymunedau.

Un o'r arfau mwyaf effeithiol wrth geisio amddiffyn iaith a hunaniaeth o fewn sefyllfa argyfyngus yw cydieuo'r frwydr am oroesiad ag un 'syniad llywodraethol', sef hoelio sylw ar neges neu bwrpas trosgynnol neu, yn ddiweddarach, seciwlaraidd a fydd mewn termau llenyddol (a gwleidyddol ambell waith) yn gwarantu fod cyfeiriad a gobaith i oroesiad y gymuned.

Mae nerth y neges fewnol hon yn rhan allweddol o allu'r genedl anhanesiol i godi gwahanfur rhyngddi a pherygl difodiant neu gymathiad. Mae sawl enghraifft o'r syniad llywodraethol hwn ymhlith y cenhedloedd lleiafrifol. At ei gilydd, a rhaid cyfaddef fod hyn bellach yn perthyn i'r gorffennol, cysylltir y syniad â chrefydd, nes esgor ar fath o feseianaeth genedlaethol, lle bernir bod i'r genedl genhadaeth arbennig yn y byd. Mae meseianaeth wleidyddol ymhlith y cenhedloedd mwy yn Ewrop wedi bod yn weddol gyfarwydd. Cafwyd astudiaeth drylwyr o'r ffenomen gan rai fel J. L. Talmon yn ei gyfrol *Political Messianism: The Romantic Phase*, a chawn fynegiant o'r syniad yng ngwaith yr hanesydd Ffrengig Jules Michelet a'r gwleidydd Eidalaidd Mazzini, er enghraifft. Tueddai Michelet a Mazzini i weld pwysigrwydd mwy i'w cenhedloedd hwy a chenhadaeth filgwaith mwy ysblennydd iddynt yn hanes y byd. Credo Michelet oedd fod Ffrainc yn lladmerydd rhwng Duw a dyn. Ffrainc yn rhinwedd ei hath-rylith arbennig a'i chenhadaeth fyddai'n cyflawni *Gesta Dei Per Francos*. Credai Mazzini mewn rhagluniaeth, ac o fewn y patrwm hwn, cyhoeddai flaenoriaeth foesol a dinesig yr Eidalwyr. Byddai pobl yr Eidal, meddai, yn ffurfio'r *Terza Roma*, y Drydedd Rufain a fyddai'n oleuni i'r holl genhedloedd. Aeth Mazzini mor bell â haeru mai'r Eidal oedd y genedl etholedig, Israel yr Oes Fodern.[25] Credai'r Rwsiaid hefyd fod ganddynt genhadaeth arbennig. Ceir y syniad yn fynych yng ngwaith yr athronydd Nicolai Berdiaeff am y Rwsiaid fel y 'god-bearing people'.[26] Hefyd yn y byd Slafaidd, credai'r Pwyliaid yn ystod yr un cyfnod mai Gwlad Pwyl oedd 'Crist y Cenhedloedd'. Barn beirdd ac athronwyr Gwlad Pwyl oedd fod tynged eu gwlad hwy o'r pwys mwyaf i gynllun cyffredinol hanes. Yn llyfr Norman Davies, *Heart of Europe: A Short History of Poland*, ceir y dyfyniad hwn o waith Kazimierz Brodzinski (1791–1835) mewn cyfieithiad Saesneg:

> Hail, O Christ, Thou Lord of Men!
> Poland in Thy footsteps treading
> Like Thee suffers, at Thy bidding;
> Like Thee, too, shall rise again.[27]

Cyn troi at rai enghreifftiau pellach o'r 'syniad llywodraethol', gellir cyfeirio at esiampl sydd yn dangos nad yw'r angen am greu syniad llywodraethol yn gyfyngedig i garfanau cenedl-aethol yn unig. Yn hanes cynnar y mudiad Esperanto, cysylltwyd yr iaith ryng-genedlaethol hon â syniad o oedd yn ymddangos yn lled-grefyddol. Dyma oedd yr hyn a elwid yr 'interna ideo' (syniad canolog) gan gefnogwyr y mudiad. Yn wreiddiol, syniad crëwr Esperanto, sef Ludvig Zamenhof, oedd y syniad llywodraethol a dyneiddiol hwn a oedd ynghlwm wrth yr iaith ryngwladol. Ar y dechrau, crëwyd y syniad o *Hilelismo*, a oedd yn tarddu o athrawiaeth Iddewig, ac o hyn y datblygodd y syniad mwy cyffredinol a chyfriniol am frawdgarwch dynion, sef *homaranismo*. Y syniad oedd y byddai gwybodaeth o Esperanto yn arwain teulu dyn at fath o gyd-ddealltwriaeth frawdgarol, neu *sobornost* fel y dywedai'r Rwsiaid. Erbyn 1905, bu rhai'n honni mai 'dim ond iaith, a dim mwy' oedd hi.[28] Er hynny, mae'n arwyddocaol fod siaradwyr yr iaith yn dal i'w galw eu hunain yn aml yn *samideanoj*, sef 'rhai'n arddel yr un syniad'.

Yn Québec yn y bedwaredd ganrif ar bymtheg, dan ddylanwad mawr yr eglwys, aethpwyd i gredu fod gan y Canadiaid-Ffrengig bwrpas arbennig yn nhrefn rhagluniaeth i genhadu drwy Ogledd America werthoedd gwareiddiad Ffrengig a Chatholigrwydd, a hynny trwy gyfrwng y Ffrangeg. Cyplyswyd iaith a chrefydd yn Llydaw hefyd yn y mudiad *Feiz ha Breizh*. Bu gan yr offeiriad a'r bardd, Jacint Verdaguer, yng Nghatalunya'r bedwaredd ganrif ar bymtheg syniadau nod-weddiadol feseianaidd yn ei gerdd epig *Canigó*, lle sonnir yn arbennig am greu Catalunya fel peth sanctaidd a ordeiniwyd gan Dduw. Yng Nghymru lle na bu'n hawdd gwahaniaethu rhwng crefydd a'r syniad o'r genedl tan yn gymharol ddiweddar, gellir canfod peth o'r un athroniaeth ar waith yng ngwaith Emrys ap Iwan, lle gwelir cenedl fel rhywbeth sydd yn perthyn i greadigaeth y Duwdod a dichonolrwydd cenhadaeth benodol.[29] Mewn cymuned Galfinaidd arall, sef De Affrica, mabwysiadodd yr Afrikaners fyth cyffelyb. Roedd myth hanes Israel yn rym nerthol yn eu bywydau hwy, a'i gyplysu â'r iaith:

The language was from the start and by its nature overtly political, an expression of a tribe's political destiny, and, more narrowly, of its resistance to anglicization. In 1879 du Toit's Genootskap published a history of South Africa in Afrikaans, *Die Geskiedenis van ons Land in die Taal van ons Volk* (The History of Our Land in the Language of Our People), that made explicit the tribal dream: that the Afrikaners had been selected by their God to become a distinct people within their own fatherland, speaking a language ordained by God.[30]

Ceir nifer o lenorion mewn Afrikaans yn defnyddio'r ddelwedd Feiblaidd ar ddechrau'r ganrif pan oedd y *trek* mawr yn dal yn atgof. Gellir crybwyll y llenor 'Totius' yn y cyswllt hwn, yn enwedig ei nofel *Ragel*,[31] a gyhoeddwyd yn 1913. Yn y cyswllt hwn hefyd, mae'n werth sylwi mai *trek* yw'r gair a ddefnyddir yn y Beibl Afrikaans am daith plant Israel i Dir yr Addewid.

Tueddai'r 'syniad llywodraethol' i fod yn ganolog i hanes y cenhedloedd lleiafrifol yn ystod y bedwaredd ganrif ar bymtheg ac yn hyn o beth, mae'n rhan anhepgor o gyfnod yr argyfwng cyntaf. Mae cyplysu parhad cenedl â rhagluniaeth yn rhagdybio ymlyniad cyffredinol wrth grefydd. Gyda thrai crefydd yn y gorllewin, ni thyciai syniadau o'r fath mwyach, er y ceir olion syniadaeth o'r fath yng Nghymru hyd heddiw, sef y duedd i geisio uniaethu brwydr dros iaith a hunaniaeth â brwydrau mwy dros y gymuned lai. Cafodd y syniad fod y genedl yn etholedig (at bwrpas arbennig) neu'n rhan o greadigaeth natur oes hir yng Nghymru, ond mewn cymunedau ethnig eraill, mabwysiadwyd syniadau llywodraethol seciwlar i hybu'r achos cenedlaethol. Roedd yr ymwybod â'r hunaniaeth Gatalanaidd a elwid *Catalanitat* (yn ymgorffori *seny*, neu synnwyr cyffredin brodorol), yn cael ei ystyried fel modd i ddwyn mesur helaethach o degwch a democratiaeth i Sbaen, gan ei fod yn fudiad ffederalaidd yn wreiddiol. Yn ddiweddarach, aeth i sefyll dros weledigaeth newydd o gymdeithas i bob rhanbarth o Sbaen: safai dros ddelfrydau'r dosbarth canol dylanwadol a fynnai weld diwygio'r gymdeithas, a'i throi'n wlad ryddfrydig, addysgedig a edrychai tuag at Ewrop. Yn y cyswllt hwn, ni ellir anghofio syniad ehangach Prat de la Riba, un o arloeswyr cenedlaetholdeb Catalanaidd a phrif ladmerydd *Catalanitat* a fynnai greu *Catalunya Gran* a fyddai'n cynnwys Catalunya a rhan o Ffrainc. Ar y llaw arall, methodd syniad creiddiol y *Félibrige* yn neheudir Ffrainc â chynhyrchu syniad llywodraethol deinamig; yn lle hynny cafwyd agwedd hiraethus a statig tuag at yr hunaniaeth Ocsitanaidd.

Dewiswyd tri bardd a thair gwlad i'w hastudio yn ail ran y gyfrol hon. Cydnabyddir Gaston Miron (1928–96) fel y bardd cenedlaethol pwysicaf yn Québec. Bu Salvador Espriu (1913–85) yn llais pobl Catalunya yn ystod un o gyfnodau tywyllaf ei hanes, yn dilyn rhyfel cartref Sbaen. Prin fod angen cyflwyno gwaith Gwenallt (1899–1968) i gynulleidfa Gymraeg. Bydd yr ymdriniaeth â'i waith yn canolbwyntio ar ei waith ar ôl yr Ail Ryfel Byd pan oedd argyfwng alltudiaeth yn nodweddu llawer o ganu Cymraeg.

Nodiadau

[1] Dyfyniad o waith Gwyn A. Williams cyn dechrau'r nofel *Y Pla* gan Wiliam Owen Roberts (Caernarfon, 1987).
[2] Elan Closs Stephens, *Torri Gair*, cyfieithiad o *Translations* gan Brian Friel (London, 1982), 65.

[3] Am ymdriniaeth â daearyddiaeth yr iaith Gymraeg, gweler John Aitchinson a Harold Carter (goln), *A Geography of the Welsh Language 1961–1991* (Cardiff, 1994).

[4] Dylid cyfeirio at gyfrol Meic Stephens, *Linguistic Minorities in Western Europe* (Llandysul, 1976) ar gyfer y cefndir hanesyddol a diwylliannol llawn.

[5] Er enghraifft, Edgard Pisani, 'Mondialisation, interdépendances, souveraineté', Cynhadledd Astudiaethau Ewropeaidd Prifysgol Paris -VIII, Medi 1995.

[6] Gweler July Giles (gol.), *Writing Englishness 1900–1950* (London, 1995).

[7] Jean-Marie Domenach, *Europe: le défi culturel* (Paris, 1990).

[8] M. de Villiers, *White Tribe Dreaming* (Toronto, 1987), 101 *et passim*.

[9] N. Davies, *Heart of Europe: A Short History of Poland* (Oxford, 1984), 196.

[10] Emyr Llywelyn, *Y Chwyldro a'r Gymru Newydd* (Abertawe, d.d.).

[11] M. Gallant, *Langues et littératures au Nouveau-Brunswick* (Moncton, 1986), *passim*.

[12] Antonine Maillet, *Pélagie la Charrette* (Paris, 1979).

[13] A. S. D. Smith, *Trystan hag Ysolt* (Redruth, 1951).

[14] R. Bryn Williams, *O'r Tir Pell: Cyfrol o Gerddi* (Lerpwl, 1972), 84–94.

[15] G. M. Craig (gol.), *Lord Durham's Report* (Ottawa, 1982), 151.

[16] K. O. Morgan, *Rebirth of a Nation: Wales 1880–1980* (Oxford, 1981), 376.

[17] Tony Bianchi yn Robert Rhys (gol.), *Waldo Williams* (Abertawe, 1981), 306.

[18] P. Gimferrer, *Mirall, Espai, Aparicions: Poesia 1970–80* (Barcelona, 1981), 8.

[19] F. Fanon, *Les Damnés de la terre* (Paris, 1978), 150.

[20] M. Lebesque, *Comment peut-on être breton?* (Paris, 1970), 18.

[21] R. Tudur Jones, *Efrydiau Athronyddol*, XXXV (1972), 32.

[22] Dyfynnir yn C. Filteau, *L'homme rapaillé de Gaston Miron* (Montréal, 1984), 8.

[23] Gweler Joan Mira, 'Som o no som una nació?' yn J. Fuster *et al.* (gol.), *Els Paisos Catalans: Un Debat Obert* (Valencia, 1984).

[24] Bud Kheif yn K. Zontag (gol.), *Bilingual Education in Friesland* (Frjentsjer, 1982), 179.

[25] J. L. Talmon, *Political Messianism: The Romantic Phase* (London, 1960). Gweler yn arbennig Ran II, pennod 2(a), 242–55, a phennod 3(e), 265–8.

[26] N. Berdiaeff, *The Russian Idea* (London, 1947), *passim*.

[27] N. Davies, op. cit., 202.

[28] E. Privat, *Historio de la Lingvo Esperanto 1887–1927* (Hago, 1982), 21–2.

[29] R. Ambrose Jones, *Homilïau* (Dinbych, 1943), 41–56.

[30] M de Villiers, op. cit., 179.

[31] Gweler J. C. Kannemeyer, *Die Afrikaanse Literatuur 1652–1987* (Kaap, 1988).

1

Québec

I

Drwy lygaid Louis Hémon, awdur y nofel fydenwog, *Maria Chapdelaine* (Ar Gwr y Goedwig, 1924), y daeth cyfle i lawer o'r cyhoedd llengar gael cip ar Québec a'i phobl am y tro cyntaf. Yn y nofel honno, cafwyd portread o goedwigwyr a ffermwyr yn byw caledfyd yng nghalon fforestydd anferth Canada, a'r ffermwyr hyn wrthi'n arloesi'r berfeddwlad yn ardal bellennig Lac St Jean. Rhoes y nofel hwb i ffasiwn a geisiai wneud arwyr o'r arloeswyr amaethyddol, a thrwy hynny adlewyrchu athroniaeth a roddai bris arbennig ar yr ymlyniad wrth y tir, fel modd i amddiffyn yr hunaniaeth Ffrengig yng Nghanada, a ddaliai i fod dan ddylanwad y gyfundrefn Brydeinig.

Ond pan ddechreuodd diwydiant gael ei draed dano yn Québec, chwalwyd byd a myth *Maria Chapdelaine* bron yn llwyr nes troi cenedl o wladwyr ar lan Afon St Lawrens i fod yn ddinasyddion dosbarth gweithiol Montréal a dinas Québec a threfi fel Trois-Rivières, Rimouski, Sherbrooke, Chicoutimi a Hull. Mae'r ddau gyd-destun, cefn gwlad a'r ddinas, wedi bod yn llwyfan dau argyfwng diwylliannol mawr yn hanes y Québécois. Mae darlun hyfryd y Québec wledig a thraddodiadol yn wir o hyd, ond erbyn hyn ni ellir peidio â gweld mai'r bywyd trefol lled-Americanaidd yw profiad mwyafrif llethol y Québécois cyffredin. Fel y dywedodd y llenor Jacques Godbout yn fachog unwaith: 'Enw fy mam oedd Hollywood, ac enw fy nhad oedd Saint-Germain-des Prés.'[1] Camgymeriad yw ceisio deall y Québécois yn nhermau Ffrancwyr sydd yn digwydd byw yng Nghanada, a phriodoli iddynt holl nodweddion diwylliannol eu cefndryd yn Ewrop. Aeth cyfnod o dair canrif heibio heb lawer iawn o fewnfudo na chysylltiad â'r famwlad, ac o ganlyniad maent wedi tyfu'n genedl ar wahân, gyda'u cymeriad unigryw eu hunain. Rhaid cofio fod profiadau'r Chwyldro yn Ffrainc a greodd y wladwriaeth Ffrengig wedi digwydd ar ôl i Québec gael ei goresgyn ac felly mae llawer o'r hyn y rhagdybir ei fod yn rhan o wead a chynhysgaeth Ffrainc heb fod yn wir am bobl o'r un cyff sy'n digwydd byw yn Québec. Bu economi ac amgylchedd y ddwy wlad yn bur wahanol, ac yn ddiwylliannol mae dylanwad diwylliant poblogaidd yr Unol Daleithiau ar ffurf Ffrangeg wedi creu meddylfryd gwahanol. Mae'n anochel fod gwahaniaethau i'w gweld yn llenyddiaeth Québec, oherwydd er bod llenyddiaeth Québec wedi datblygu'n araf deg, a heb ddod i'w llawn dwf megis tan ar ôl yr Ail Ryfel Byd, nid ffurf lastwredig yn dibynnu ar lenyddiaeth Ffrainc ydyw hi, ond llenyddiaeth y mae ei themâu wedi tyfu'n uniongyrchol o brofiad a hanes y Québécois fel cymuned ieithyddol bendant, yn gorfod wynebu dau gyfnod o argyfwng diwylliannol.

Arwydd eto o ansicrwydd yr hunaniaeth Ffrengig yn Québec yw'r ffaith fod hyd yn oed enw'r genedl hon wedi newid, ac mae'r gwahanol enwau'n cyfateb yn fras i'r prif gyfnodau yn ei hanes. Ymfudwyr o Ffrainc oedd yr Ewropeaid cyntaf i ymsefydlu yng Nghanada er mwyn creu trefedigaeth gyfoethog i Ffrainc o'r enw *La Nouvelle France*. Hwy oedd y rhai cyntaf i'w galw eu hunain yn Ganadiaid (neu *Canayens*). Yn dilyn goresgyniad y Saeson yn 1760, daeth ymfudwyr newydd, Saesneg eu hiaith, i Ganada, ac er mwyn gwahaniaethu, enwid yr ymsefydlwyr Ffrengig yn 'Ganadiaid Ffrengig'. Erbyn tua chanol yr ugeinfed ganrif, ac er gwaethaf can mlynedd o ffederaliaeth, teimlai'r Canadiaid Ffrengig eu bod yn genedl ar wahân i weddill Canada, a chan mai yn Québec yr oedd y rhan fwyaf o'r siaradwyr Ffrangeg yn byw, daeth yr enw Québécois yn fwy derbyniol, yn arbennig i'r carfanau cenedlgarol a deallusol. Yn ddieithriad derbynnir yr enw gan bawb erbyn heddiw beth bynnag yw eu safbwynt gwleidyddol.

Dechreuodd y Ffrancwyr ymsefydlu yng ngogledd America o ddifrif ynghanol yr ail ganrif ar bymtheg. Erbyn 1754 roedd poblogaeth Canada, y wlad o'r llynnoedd mawr hyd at geg St Lawrens, wedi cyrraedd 55,000. Poblogaeth gymharol wasgaredig a geid yno, yn Ffrangeg ei hiaith. O'i chymharu, roedd Lloegr Newydd i'r de yn llawer llai ei maint ond â phoblogaeth o filiwn a hanner. Yn Ewrop roedd Ffrainc erbyn hynny yn rhyfela yn erbyn cynghreiriaid y Saeson yn y Rhyfel Saith Mlynedd; roedd Lloegr hithau yn awchus am gynyddu ei threfedigaethau oherwydd prinder adnoddau. Dechreuodd Lloegr lygadu America felly â diddordeb newydd, tra nad oedd Ffrainc yn gweld *La Nouvelle France* ond fel ffynhonnell crwyn mewn gwladfa bellennig. Roedd barn Voltaire am Ganada yn nodweddiadol o ddifaterwch ysgornllyd y Ffrancwyr tuag at y wlad newydd hon: 'quelques arpents de neige' oedd ei ddyfarniad enwog yn *Candide.*

Anaddas mewn gwirionedd yw sôn am lenyddiaeth Ffrangeg yng Nghanada yng ngwir ystyr y gair am y cyfnod cyn y goresgyniad Seisnig. Llenyddiaeth drefedigaethol oedd hi, yn dibynnu'n helaeth ar ffurfiau'r famwlad am ei hysbrydoliaeth. Ac ar ben hynny gellir dadlau nad oes y fath beth â llenyddiaeth Ffrainc Newydd gan na chyrhaeddodd y wasg Ganada tan 1763.

Gyda chwymp Ffrainc Newydd, a'r goresgyniad gan y Saeson yn 1759, aeth un drefn heibio a daeth un arall i gipio'r awenau. Gadawodd y gweinyddwyr a llawer o'r mân-uchelwyr a'i hel hi am Ffrainc gan adael yr *habitants* i fyw dan gyfundrefn newydd estron a oedd yn y bôn yn elyniaethus i'w diwylliant, eu crefydd a'u bodolaeth fel cenedl. Prif ganlyniad y goresgyniad Seisnig oedd amddifadu'r gymdeithas Ganadaidd-Ffrengig o'i harweinwyr, gan beri i'r *habitants* ymglosio fwyfwy at ei gilydd yn eu plwyfi gwledig. Ni ddaeth gwrthdaro ar unwaith rhyngddynt a'r gweinyddwyr Seisnig a'r masnachwyr a lifodd i Ganada. Mygwyd unrhyw waedd o brotest a allai fod wedi codi gan gytundeb a wnaed rhwng yr Eglwys, yr ychydig o uchelwyr a oedd ar ôl a'r awdurdodau newydd. Gellir dadlau fod yr Eglwys mewn cynghrair â'r pwerau newydd wedi peri cyfyngu'r bobl Ganadaidd-Ffrengig i'r byd gwledig, gyda'u hiaith a'u crefydd ac yn fwyfwy gyda'u tlodi wrth i'r Eglwys fynnu fod aelwydydd y bobl yn llawn plant nad oedd y teuluoedd bob amser yn abl i'w magu.

Ar ddiwedd cyfnod y gweinyddiad Ffrengig roedd tri chwarter trigolion Québec yn byw fel ffermwyr, a chwarter wedyn yn byw yn y trefi. Ddeng mlynedd ar hugain yn ddiweddarach roedd y cyfartaledd o bobl a driniai'r tir wedi cynyddu i 80 y cant o'r boblogaeth, a phymtheng mlynedd ar hugain ar ôl hynny, bron tan y Rhyfel Byd Cyntaf, roedd y gyfran bron â chyrraedd 90 y cant.[2] Erbyn hyn, wrth gwrs, daeth tro ar fyd, ac mae 80 y cant o boblogaeth Québec yn byw yn y dinasoedd a'r trefi.

Bu gwrthryfel y *Patriotes* yn 1837 yn ergyd ddifrifol i'r awdurdodau Prydeinig ac, mewn ffordd annisgwyl efallai, yn hwb i ddechrau llenyddiaeth ddifrifol yn yr iaith Ffrangeg yn Québec. Galwai'r *Patriotes*, a wrthryfelodd yn 1837, am gyfyngu ar rym yr offeiriadaeth, am gyfyngu ar y mewnlifiad cyson o ymsefydlwyr Saesneg eu hiaith ac am ddiwygio'r dull y câi'r gyllideb ei threfnu. Roedd yr anghydfod rhwng y garfan Ffrengig a'r garfan Seisnig yn prysur greu sefyllfa chwyldroadol. Soniodd y cymdeithasegwr Marcel Rioux am natur werinol a chenedlaethol y gwrthryfel yn wahanol i'r gwrthryfel ymhlith disgynyddion y Prydeinwyr:

> Le caractère nationale du mouvement est indéniable. Avant d'être politique, la Rébellion est nationale; c'est au colonisateur anglais qu'on en veut. Alors que le mouvement du Haut-Canada est nettement orienté vers l'obtention d'un gouvernement responsable, dans le Bas-Canada, c'est l'indépendance qu'on vise.[3]

Methiant fu'r gwrthryfel a ffodd y *Patriotes* dros y ffin i'r Unol Daleithiau, a'u harweinydd Papineau i Ffrainc. Ond, er hynny, bu'n drobwynt yn hanes y genedl Ganadaidd-Ffrengig. Yn 1838 diddymwyd cyfansoddiad Canada Isaf, a daeth yr Arglwydd Durham o Loegr i Ganada fel llywodraethwr i ymchwilio i'r Gwrthryfel. Canlyniad arhosiad Durham oedd adroddiad sydd yn garreg filltir yn hanes imperialaeth Brydeinig. Bu canlyniadau cyfansoddiadol yr adroddiad, a'r ymgais i gymathu'r Canadiaid Ffrengig yn fygythiad amlwg i barhad yr hunaniaeth genedlaethol. Cyflwynodd yr Arglwydd Durham adroddiad yn argymell yn fras y dylid cyfuno'r ddwy Ganada, a sefydlu llywodraeth 'gyfrifol'. Y gobaith drwy hyn oedd y câi'r Canadiaid Ffrengig eu cymathu â'r gymdeithas Saesneg. Ei fwriad oedd troi'r Canadiaid Ffrengig yn Saeson. Ond er gwaethaf ei ragfarn, ni chafodd ei ddallu i realiti y sefyllfa. Fel y dywedodd ei hun, roedd wedi dod i Ganada gan ddisgwyl gweld croestynnu rhwng y bobl a'r llywodraeth, ond yn lle hynny cafodd hyd, meddai, i ddwy genedl yn ymladd o fewn un wladwriaeth: nid croestyniad ynghylch egwyddor ond ynghylch hil:

> The national feud forces itself on the very senses, irresistibly and palpably, as the origin or the essence of every dispute which divides the community; we discover that dissensions, which appear to have another origin, are but forms of this constant and all-pervading quarrel; and that every contest is one of French and English in the outset, or becomes so ere it has run its course.[4]

Canlyniad Adroddiad Durham oedd y Ddeddf Uno yn 1840. Drwy'r ddeddf honno y sefydlwyd Canada trwy uno Bas-Canada (Ffrangeg) â Haut-Canada (Saesneg) a gyfatebai fwy neu lai i daleithiau Québec ac Ontario. Roedd y Ganada Unol hon yn sicrhau fod y Ffrancwyr bellach yn lleiafrif yn y Senedd. Saesneg oedd unig iaith swyddogol y senedd newydd.

Drwy hyn, dechreuodd cyfnod o gryn anobaith ac argyfwng ymhlith y Canadiaid Ffrengig. Wedi colli'r gwrthryfel roedd eu parhad fel cenedl mewn cryn berygl. Erbyn hyn, nid mater o frwydro tuag at annibyniaeth oedd yn ysgogi'r arweinwyr cenedlaethol ond y teimlad ei bod yn angenrheidiol amddiffyn holl nodweddion diwylliannol eu cymuned. Gyda chymorth yr arweinwyr eglwysig, dechreuai'r Canadiaid Ffrengig deimlo nad oeddynt yn genedl bellach ond yn grŵp ethnig yn unig, yn brwydro i gadw crefydd, iaith ac arferion yn ddiogel. Cyn hir edrychid ar eu diwylliant a'u bywyd cenedlaethol yn arbennig fel pethau i'w gwarchod a'u troi'n etifeddiaeth gysegredig.

Roedd argyfwng yn arbennig o safbwynt yr iaith Ffrangeg, yn negawd olaf y bedwaredd ganrif ar bymtheg ac am ddegawdau wedyn, gydag ymateb chwyrn yn erbyn yr iaith yn y gorllewin yn enwedig yn sgil gwrthryfel y *métis*, Louis Riel. Bu un gŵr, Dalton McCarthy, yn nodweddiadol o'r gwrthwynebiad i'r Ffrangeg, a'i arwyddair oedd 'One Nation, One Language'. Cafwyd amddiffyniad cryf gan y rhai Ffrangeg eu hiaith yn erbyn ymdrechion y rhai gwrth-Ffrangeg yn y Senedd. Ymhlith yr amddiffynwyr yr oedd Jules-Paul Tardivel a ddywedodd yn 1901, 'La langue française c'est notre drapeau national' (Yr iaith Ffrangeg yw ein baner genedlaethol), ac mewn erthygl soniodd am un papur newydd a argymhellai y dylid diddymu statws y Ffrangeg hyd yn oed yn Québec:

Ne nous berçons pas d'illusions: on n'a pas renoncé au projet de faire du Canada un pays exclusivement de langue anglaise. Un journal plus audacieux que les autres disait naguère qu'il faudrait abolir l'usage officiel du français, non seulement à Ottawa, mais même à Québec.[5]

Ar yr un pryd roedd hunaniaeth amwys y Canadiaid Ffrengig yn dod i'r amlwg. Yn 1869, roedd Syr G-E. Cartier, arweinydd y Ceidwadwyr yn y dwyrain, eisoes wedi dweud 'Nous sommes des Anglais parlant français'.

O droi o'r byd gwleidyddol i'r byd llenyddol gellir dweud yn gyffredinol nad oedd llawer o gamp ar gynnyrch llenyddol y bedwaredd ganrif ar bymtheg yn y Ganada Ffrangeg tan ar ôl y Ddeddf Uno. Roedd Durham wedi dannod i'r Canadiaid Ffrengig nad oedd ganddynt na diwylliant na llenyddiaeth. Aeth y Canadiaid Ffrengig ati i brofi fod y gosodiad yn un anghywir neu os oedd yn rhannol wir, na fyddai'n wir o gwbl maes o law. Collwyd y gobaith o greu gwladwriaeth sofran ym methiant y *Patriotes*, a bellach, y peth pwysicaf yn nhyb y Canadiaid Ffrengig, oedd sicrhau parhad eu hetifeddiaeth, o fewn cyfundrefn estron, 'ddwyieithog'. Daethai'r etifeddiaeth genedlaethol yn rhywbeth sanctaidd, a daeth yr Eglwys i'r adwy hefyd gan gynnig syniad cenhadaeth arbennig y Canadiaid Ffrengig yng Ngogledd America.

Aethpwyd ati yn ddiymdroi i droi eu hymwybyddiaeth o fod yn genedl yn rhywbeth sylweddol, ac yn niffyg gwladwriaeth o'u heiddo eu hunain, dyma droi at y llwyfan llenyddol fel y gwnaeth sawl cenedl mewn sefyllfa debyg. Sylfaen gweithgaredd llenyddol y bedwaredd ganrif ar bymtheg yn ddiau oedd campwaith François-Xavier Garneau (1809–66), *L'Histoire du Canada*. Wrth drafod cyfnod y gweinyddiad Ffrengig, portreadodd Garneau ef fel oes aur ac oes arwrol y Canadiaid Ffrengig.

Roedd themâu gwladgarol yn amlwg iawn yng ngwaith beirdd blaenllaw o'r un cyfnod, fel Louis Fréchette (1839–1908). Ceir nifer o themâu sy'n gyfarwydd i'r Rhamantiaeth genedlaethol wrth gwrs, ond Rhamantiaeth sydd ynghlwm wrth y profiad Canadaidd-Ffrengig yw hon. Roedd mynd mawr hefyd ar y nofel hanesyddol er mai gweithiau digon canolig a gynhyrchwyd gan mwyaf. Un eithriad oedd *Les Anciens Canadiens* (1863) gan Philippe Aubert de Gaspé. Pan gyhoeddwyd *Maria Chapdelaine* gan Louis Hémon, yn 1916, ym Montréal, fe'i croesawyd fel nofel yn amddiffyn yr hen werthoedd traddodiadol a rôi fri ar amaethyddiaeth, crefydd ac ymlyniad wrth arferion y tadau. Roedd hynny i gyd wrth fodd yr offeiriadaeth, a rhoddwyd croeso gwresog i'r nofel hon oherwydd hynny.

Pwysigrwydd *Maria Chapdelaine* oedd ei bod yn grymuso'r myth am Ganada Ffrengig ar adeg pan nad oedd yr un nofel arall wedi gallu gwneud hynny. Cafodd ddylanwad aruthrol ar genhedlaeth gyfan o nofelwyr Québécois, hyd at syrffed yn sicr. Hon oedd sylfaen nifer o nofelau gan awduron a dueddai i hyrwyddo gwerthoedd ceidwadol cefn gwlad, fel Germaine Guèvremont a Félix-Antoine Savard a gellir honni mai math o ddilyniant yw ei nofel enwocaf ef, *Menaud maître-draveur*, i nofel Hémon. Teimlir bod y dyhead am barhad ac argyfwng a oedd yn dechrau goddiweddyd y gymdeithas draddodiadol yn Québec yn amlycach nag yn y nofel wreiddiol. Un rheswm am hyn oedd fod y symudiad torfol i'r dinasoedd eisoes yn digwydd a gwelid peryglon cymathiad gan y dosbarth gwleidyddol ac eglwysig. Ar ddiwedd nofel Hémon daw lleisiau at yr arwres, Maria, lleisiau a fu mewn gwirionedd yn sibrwd yng nghlustiau'r Québécois am gryn amser, i'w hatgoffa am ddyfalbarhad eu cyndadau a ddaeth o Ffrainc gan ymgodymu â natur i glirio tir er mwyn crafu bywoliaeth o'r pridd:

Amdanom ein hunain a'n tynghedau, nid amgyffredasom yn glir ddim namyn y ddyletswydd hon: parhau . . . ymgynnal . . . Ac ymgynaliasom, efallai fel y bo i'r byd ymhen oesoedd lawer i ddyfod droi atom ni a dweud: 'Daw'r bobl hyn o wehelyth na ŵyr drengi . . . ' . . . Dyna paham y dylid aros yn y dalaith lle'r arhosodd ein tadau, a byw fel y buont hwy fyw, fel yr ufuddhaer i'r gorchymyn na roddwyd mewn geiriau, y gorchymyn a ymffurfiodd yn eu calonnau hwy, a etifeddodd ein calonnau ni, ac y perthyn i ninnau yn ein tro ei drosglwyddo i blant lawer: 'Yng ngwlad Québec nid oes dim i farw ac nid oes dim i newid . . . '[6]

Nid oes dwywaith nad Ysgol Lenyddol Montréal, a ddaeth i amlygrwydd yn negawd olaf y bedwaredd ganrif ar bymtheg, oedd y mudiad llenyddol cyntaf ac ymwybodol o wir bwys yn hanes Canada Ffrengig. Cysylltir y mudiad â'i arwr Rhamantaidd, y bardd ifanc, Emile Nelligan (1879–1941). Drachtiodd ef yn ddwfn o waith beirdd cyfoes yn Ffrainc, beirdd fel Verlaine a Baudelaire, ond cymeriad trasig oedd Nelligan. Dechreuodd farddoni yn 1896 pan nad oedd ond dwy ar bymtheg oed. Ysgrifennodd y cerddi gorau a welsid yng Nghanada cyn hynny. Cwblhawyd ei waith erbyn 1899, ac oherwydd salwch meddyliol a oedd yn ei oresgyn yn raddol, aethpwyd ag ef i seilam lle bu tan ei farw yn 1941.

Ond seren wib o fudiad oedd hwn, a'i ddylanwad yn gyfyngedig, yn bennaf oherwydd pwyslais yr Eglwys ar werthoedd yn gysylltiedig â chefn gwlad, yn hytrach na'r ddinas. Ar un wedd, roedd y peryglon i gyfanrwydd y gymdeithas Ganadaidd-Ffrengig yn dal yn rhy sylweddol iddi ollwng gafael ar y gwerthoedd cyfyng a fu'n fur amddiffynnol iddi. Ar ben hynny, roedd creu llenyddiaeth o unrhyw fath wedi mynd yn fwyfwy anodd. Ychydig o bobl a dderbyniai addysg a'u galluogai i ddysgu ysgrifennu Ffrangeg llenyddol, ac roedd yr iaith yn prysur golli statws mewn cymdeithas lle tra-arglwyddiaethai'r Saesneg. Roedd llenyddiaeth yn y dalaith wedi mynd yn hollol statig:

> Vers 1890, on pourrait croire que la littérature canadienne (=québécoise) va mourir. Le conformisme devient immobailisme, toute nouveauté quelconque est censurée.[7]

Yn naturiol, dilynai'r nofelau a gynhyrchwyd rigolau hollol unionsyth, gan fawrygu mawredd y ddelwedd wledig. A hynny, hyd yn oed pan oedd llawer o'r boblogaeth bellach yn byw yn y dinasoedd. Rhaid dweud, er hynny, fod dirwasgiad y 1920au wedi peri fod yr Eglwys yn rhoi hwb eto i bobl arloesi mewn ardaloedd gwledig newydd. Ond i'r ddinas yr oedd y duedd i fynd. Cafwyd peth anesmwytho er hynny. Un o'r rhai cyntaf i wrthryfela yn erbyn delfrydiaeth yr hen werthoedd tybiedig a'r ddogma a fynnai'r hyn a ddylai fod yn ddeunydd llenyddiaeth, oedd y nofelydd a'r storïwr Albert Laberge (1871–1960). Mae ei nofel, *La Scouine* (1918), yn ddarlun cignoeth a didrugaredd o gefn gwlad. Nofel fawr Québec yn ystod y 1930au oedd *Trente Arpents* (1938) gan Philippe Panneton, llenor a ddefnyddiai'r ffugenw Ringuet. Er bod hon yn nofel sy â'i thraed ym mhridd y byd gwledig, mae hi hefyd yn realaidd iawn heb ofni dweud y gwir plaen a'r caswir am gefn gwlad Québec yn y cyfnod. Mae'n awgrymu, er enghraifft, fod cyfran helaeth o boblogaeth y wlad, yn gwbl groes i ewyllys yr Eglwys, wedi tyrru i'r dinasoedd a'r Unol Daleithiau er mwyn chwilio am waith a gwell cyfle, er bod hyn yn aml yn golygu newid iaith ac enw hyd yn oed. Nofel besimistaidd ar un wedd yw hon, oherwydd ar ei diwedd gwelwn yr amaethwr a fu'n llafurio ar hyd ei oes yn y wlad yn gorfod gadael ei gynefin i ddod i fyw at ei fab a'i deulu anghyfiaith yn Lloegr Newydd, ar goll yng nghanol dieithrwch y byd Saesneg.

Ar ôl *Trente Arpents* daeth traddodiad y nofel wledig i ben i bob pwrpas. Symudodd pwyslais y nofel yn bendant at fywyd y dref a'r ddinas. Mae rhyw ymdeimlad o wrthryfel tawel ar gael mewn nifer o'r nofelau cynnar yn ymdrin â'r ddinas. Mae'r hen gymdeithas yn dechrau mynd ar chwâl.

Disgrifiad o lwydni bywyd gormesol y gweithwyr Canadaidd-Ffrengig ym Montréal yn ystod blynyddoedd yr Ail Ryfel Byd a welir yn *Bonheur d'occasion* gan Gabrielle Roy. Ymateb y cymeriadau iau yn y nofel hon yw ceisio (yn ddigon naturiol) ffoi rhag y dynged gyffredinol. Cyferbynnir hawddfyd cymharol y Canadiaid Saesneg yn Westmount, ardal gyfoethog Montréal, â bywyd anobeithiol a difreintiedig y Canadiaid Ffrangeg yn ardal Sainte-Hélène. Mae rhai yn mynd i'r rhyfel i ddianc, ac eraill yn gweithio er mwyn ymuno â'r hawddfyd yn Westmount, hyd yn oed os yw hyn yn golygu newid iaith ac arferion.

Ychydig cyn yr Ail Ryfel Byd daeth bardd o fri â moderniaeth i farddoniaeth Québec. Enw'r bardd enigmatig ac astrus y mae ei waith wedi ysbrydoli cyfrolau o feirniadaeth yw Saint-Denys Garneau (1912–43). Un gyfrol o farddoniaeth a gyhoeddodd yn ystod ei fywyd, sef *Regards et jeux dans l'espace* (1937), a chyhoeddwyd *Solitudes*, sef casgliad o'i holl waith, yn 1949. Ymwrthodai'n llwyr â'r brydyddiaeth a fu mewn bri cyhyd yn Québec.

Mae ei gerddi ef mewn *vers libre* yn ddiaddurn hollol, fel petai'n ceisio cyrraedd craidd rhyw ymchwil. Er bod yr eirfa yn syml ar un wedd, a'i gymariaethau yn rhai digon cyfarwydd, nid hawdd yw dehongli ei waith. Roedd ei ymchwil yn mynegi cyflwr newydd o ymwybyddiaeth, nid yn unig mewn llenyddiaeth ond yn y gymdeithas hefyd. Roedd yn ymbalfalu'n ddiobaith am gyfathrebiad, mewn cymdeithas a oedd fel petai wedi colli'r gynneddf i leisio ei dymuniad dyfnaf i ddatblygu'n naturiol. Roedd pwysau estron a thraddodiadol yn ei fygu. Ceisiai'r bardd roi llafar i unigrwydd llethol y Canadiaid Ffrengig, unigrwydd Ffrancwyr amddifad mewn cyfandir anghyfiaith. Ynghanol ei alltudiaeth fewnol, nid oedd ei gyd-wladwyr eto'n barod i wrando arno, a theimlai'r bardd ei fod wedi methu oherwydd hyn. Nid oedd ymbalfalu ac ymchwilio Garneau yn ofer. Tri bardd y cysylltir eu henwau ag enw Garneau, er nad oeddynt yn ffurfio ysgol fel y cyfryw, yw Anne Hébert (cyfnither Garneau), Rina Lasnier ac Alain Grandbois. Oherwydd moderniaeth eu gwaith, un o'u themâu, er ei thrin yn seicolegol wahanol, yw unigrwydd; ond o ddilyn y cwysi newydd y bu Garneau mor ddioddefus yn eu torri, mae eu gorchest yn fwy sicr a'u hieithwedd yn fwy hyderus o dipyn.

Gan fod y farddoniaeth hon yn rhoi mynegiant i ymwybydd-iaeth newydd – roedd y Québécois yn ymwrthod â'u bodolaeth fel gwarchodwyr, ac yn ailymaflyd mewn bywyd go-iawn – dechreu-odd y canu newydd fynd yn beth llawer mwy cymdeithasol. Yn 1953 daeth chwe bardd (gan gynnwys Gaston Miron, gw. pennod 4) at ei gilydd i sefydlu tŷ cyhoeddi newydd o'r enw Les Editions de l'Hexagone y bu ei ddylanwad yn bellgyrhaeddol. O'r diwedd daeth unigrwydd y bardd yn ei ymchwil dawel i ben. Roedd hwn yn gyfnod o weiddi barddoniaeth (yn groch ac yn aflafar ar dro) o doau'r tai er mwyn dathlu dadeni newydd ac ailddechreuad. Yn symbolaidd gellid ei ddisgrifio fel dechrau diwedd yr alltudiaeth fewnol. Dyma gyfnod yr hyn a alwyd yn *poésie du pays* pan gafwyd llawer o feirdd yn canu am y profiad o ddarganfod eu gwlad ar ôl cyfnod hir o ddistawrwydd. Mae'n gyfnod o ymagor a dychmygu rhyddid cenedlaethol, ond roedd hefyd yn gyfnod poenus o sylweddoli i ba raddau roedd poblogaeth Québec yn dal mewn 'alltudiaeth fewnol'. Dyna yw priod destun bardd fel Gaston Miron. Wedi dwy ganrif o fudandod dechreuodd y Québécois 'ailenwi' ei fyd, a hynny'n llythrennol yng ngherddi beirdd fel Fernand Dumont, Pierre Trottier, Jean-Guy Pilon, Gatien Lapointe. Ond daliai'r Ffrangeg mewn sefyllfa ddiraddiol o hyd, fel y soniodd Michèle Lalonde yn ei cherdd ddwyieithog enwog 'Speak White' (h.y. siaradwch Saesneg – iaith hurio gweithwyr, rhoi gorchmynion ac iaith arian):

speak white and loud
qu'on vous entende
de Saint-Henri à Saint-Domingue
oui quelle admirable langue
pour embaucher
donner des ordres
fixer l'heure de la mort à l'ouvrage
et de la pause qui rafraîchit
et ravigote le dollar[8]

Fel Adda yn *Genesis* yn rhoi enw ar bob peth byw a thrwy hynny'n ei feddiannu, dechreuodd y Canadiaid Ffrengig ailfeddiannu eu bywyd eu hunain, drwy rym y gair. Yng ngwaith gorchestol Gaston Miron fe welwn y geiriau hyn yn arwain yn syth at weithredu gwleidyddol. Gwêl ei farddoniaeth fel llumanydd yn arwain y genedl at y cyfnod pan fyddant yn bobl sofran. Ni fyddai modd eu gwahanu'n hir, ac o dipyn i beth daeth gwleidyddiaeth yn agwedd bwysig ar y deffroad newydd. Ym myd y celfyddydau gweledol bu gan un artist, sef Paul Emile Borduas (1905–60), ran bwysig yn y gwaith o dynnu artistiaid o bob math at ei gilydd hyd yn oed cyn sefydlu'r Hexagone.

Roedd Borduas wedi dechrau fel artist traddodiadol; astudiodd dan yr hen artist Ozias Leduc, ond gŵr ymholgar iawn oedd Borduas, a buan y torrodd oddi wrth yr hen ddulliau. Tipyn o athronydd ydoedd hefyd ac, yn wahanol i'w gydartistiaid, gwelai gysylltiad uniongyrchol rhwng dulliau celfyddydol a ffurfiau cymdeithas. Ynghyd â nifer o artistiaid eraill, cyhoeddodd faniffesto yn 1948 sydd bellach wedi mynd yn garreg filltir fel dogfen hanesyddol i'r Québécois, sef *Le Refus Global.*

Yn y ddogfen ddiwylliannol hon, fel y mae'r teitl yn awgrymu, cafwyd datganiad clir iawn fod artistiaid Québec yn ymwrthod â'r gyfundrefn gymdeithasol, ei diwylliant, ei chrefydd a'i gwerthoedd. Nid ar chwarae bach yr herid yr hen gyfundrefn: collodd Borduas ei waith fel athro yn dysgu celf a bu farw'n alltud flynyddoedd ar ôl hynny ym Mharis.

Roedd ceidwadaeth adweithiol yn dal i gadw'r Québécois rhag rhoi mynegiant llawn a thrylwyr i'w cymeriad. Roedd hyn yn amlwg yn y byd gwleidyddol yn y dalaith. Er i'r blaid ryddfrydol fod mewn grym yn Québec yn ystod y rhyfel, daeth hen blaid Duplessis, yr *Union Nationale* a sefydlwyd ganddo yn

1936, i rym ar ei ôl. Plaid arbennig o geidwadol oedd hon. Safai dros y gwerthoedd traddodiadol a gysylltid â'r tir a'r Eglwys. Bu Duplessis ei hun mewn grym o 1946 tan 1952, a bu'r cyfnod hwn yn nodedig am ei awyrgylch gormesol, yn mawrygu masnach breifat o'r Unol Daleithiau a ddefnyddiai weithwyr rhad, ac am frwydr Duplessis yn erbyn twf yr undebau llafur. Yr enw a roddid wedyn ar y cyfnod duaf hwn oedd *la grande noirceur*, oherwydd bod y Canadiaid Ffrengig yn dechrau ymysgwyd o'r hen hualau a fu'n eu llethu am gynifer o flynyddoedd. Serch hynny tueddai'r gyfundrefn geidwadol o genedlaethol oedd mewn grym yn Québec i fygu'r brotest a thrwy hynny gynnal breichiau'r rhai a fynnai ymelwa ar sefyllfa lle roedd y Canadiaid Ffrengig yn dal yn 'gymynwyr coed a gwehynwyr dwfr'. Yn y prifysgolion, serch hynny, roedd diddordeb cynyddol yn y gwyddorau cymdeithasol.

Dechreuodd nifer o gylchgronau dylanwadol ymddangos a fyddai'n trafod problemau'r dydd yn ddiflewyn ar dafod. Un o'r rhai pwysicaf oedd *Cité Libre* a ymddangosodd am y tro cyntaf ar ddechrau'r 1950au. Daeth nifer o'r enwau a welid yno, er enghraifft, Pierre Elliott Trudeau, yn enwog yn nes ymlaen. Deallusion y chwith a'r canol a gyfrannai i'r cylchgrawn hwn yn bennaf. Eu prif ddiddordeb oedd gosod sylfeini athronyddol ar gyfer creu cymdeithas newydd yn Québec, cymdeithas a fyddai'n sicrhau democratiaeth yn Québec o fewn y ffederaliaeth Ganadaidd. Nid oedd carfan *Cité Libre* at ei gilydd yn credu mewn annibyniaeth i Québec oherwydd hyd at hynny bu hyn yn un o'r agweddau tywyllaf ar bolisi Duplessis a'i fath: bod mor annibynnol ag a oedd yn bosibl ar Ottawa er mwyn gallu cadw Québec mor geidwadol ac adweithiol ag yr oedd modd. Syniadau digon cyffelyb fu ceidwadaeth a chenedlaetholdeb yn Québec cyn y cyfnod hwnnw. O gwmpas cylchgronau fel *Cité Libre* cododd *élite* newydd a fyddai mewn byr o dro yn rhwygo'r awenau o ddwylo'r *Union Nationale*. Bu farw Duplessis yn 1959 a daeth y blaid ryddfrydol, yn cynnwys nifer fawr o'r *élite* newydd, i rym. Roedd cyfnod y Chwyldro Tawel wedi dechrau.

Un o'r penderfyniadau cyntaf gan y llywodraeth newydd oedd creu Adran Addysg a fyddai'n darparu addysg fwy ymarferol ar gyfer dyfodol economaidd y dalaith. Ond eisoes roedd yr ysbryd newydd yn y tir wedi meithrin carfanau o bobl a oedd am weld newidiadau llawer iawn mwy sylfaenol, hynny yw newidiadau cyfansoddiadol a fyddai'n arwain at Québec rydd annibynnol. Ar gyfer y cyfnod hwnnw, gellir crynhoi eu hathroniaeth i dri gair, sef annibyniaeth, sosialaeth a lleygrwydd (yn arbennig, diddymu dylanwad yr Eglwys mewn materion gwleidyddol). Bu cyfnod o weithgarwch uniongyrchol, yn cynnwys ymgyrch fomio a drefnid gan yr FLQ, cipio diplomat Prydeinig, a llofruddio un o weinidogion llywodraeth Québec. Tawelodd pethau, yn enwedig pan enillwyd etholiad taleithiol gan y *Parti Québécois* a ffurfio llywodraeth yn 1976. Un o gym-wynasau'r gyfundrefn hon tra bu mewn grym oedd cyflwyno deddfwriaeth ynglŷn â'r iaith Ffrangeg. Bu nifer o ddeddfau yn ymwneud â statws yr iaith Ffrangeg yn arbennig ers cyfnod y Chwyldro Tawel. Yn 1969 cafwyd deddf er hyrwyddo'r iaith Ffrangeg, ac wedyn deddf gryfach a wnaeth y Ffrangeg yn brif iaith swyddogol y dalaith yn 1974 ac wedyn Siartr yr Iaith Ffrangeg neu Ddeddf 101, yn gwneud yr iaith Ffrangeg yn unig iaith swyddogol Québec. Bu'n rhaid addasu'r olaf yn 1988 yn sgil dyfarniad Uchel Lys Canada er mwyn caniatáu peth dwyieith-rwydd oddi fewn i siopau bach.

Mae un agwedd ar yr iaith hefyd sydd yn werth ei nodi, sef y math o Ffrangeg a siaredir yng Nghanada. Mae geirfa ac acen y Canadiaid Ffrengig yn wahanol i eiddo'u cefndryd yn Ffrainc. Pan aeth y boblogaeth i'r dinasoedd, lle roeddynt yn weithwyr ar gyflogau gwael ac ar drugaredd cyflogwyr estron nad oeddynt yn siarad yr un iaith â hwy, dirywiodd *canadien*, neu *québécois* fel y gelwir hi heddiw, yn fath o dafodiaith dlodaidd, Seisnigedig a elwir *joual*. Daeth problem *joual* i'r amlwg gyntaf yn 1959 pan gyhoeddodd y newyddiadurwr André Laurendeau ei erthygl ar y pwnc yn y papur newydd *Le Devoir*. Dechreuodd rhai awduron, a oedd yn chwilio am iaith ddilys, go-iawn y Québécois, ddefnyddio *joual* fel cyfrwng llenyddiaeth. Cafwyd casgliad o storïau byrion, er enghraifft, mewn *joual* o'r enw *Le Cassé* gan Jacques Renaud, a bu'r dramodydd Michel Tremblay (1942–) yn arbrofi â *joual* yn ei ddramâu, yn enwedig yn *Belle-Soeurs* (1965).

Roedd yr iaith arbennig hon yn gyfyng ei phosibliadau ac erbyn hyn mae ffasiwn *joual* mewn llenyddiaeth wedi hen chwythu ei phlwc. Nid yw hyn yn golygu, wrth gwrs, na fydd llenyddiaeth y dyfodol yn Québec yn dal i dynnu ar adnoddau llafar yr iaith Ffrangeg yng Nghanada.

Gwelodd y 1960au a'r 1970au flodeuo mawr ym myd y nofel. Cymerasant esiampl y beirdd wrth ymchwilio ymhellach i fyd tywyll y *psyche* Canadaidd-Ffrengig, gan ddarlunio weithiau'n hunllefus, weithiau'n orfoleddus ddadeni ieithyddol, emosiynol a gwleidyddol eu realiti newydd. Yn hytrach na cheisio gwneud cyfiawnder â gwaith rhai fel Hubert Aquin, Jacques Godbout, Marie-Claire Blais ac eraill, efallai y byddai'n addas dyfynnu yr hyn a ddywedodd Yvan-G. Lepage am waith y nofelydd Réjean Ducharme, gan ei fod hefyd yn adlewyrchu gwaith nifer o lenorion a ddaeth i delerau â'u hunaniaeth yng nghyd-destun argyfwng diwylliannol; y broblem oedd dod o hyd i hunaniaeth newydd a fyddai'n cyfateb i'r sefyllfa wleidyddol a diwylliannol newydd:

> L'œuvre de Réjean Ducharme apparaît moins comme le produit d'un individu que d'un milieu, le Québec des années soixante aux prises avec les problèmes inhérents à la 'renaissance' qui a suivi 'la grande noirceur' duplessiste: affirmation de soi et recherche d'une nouvelle personnalité pour oublier l'ancienne, trop confuse et écartelée.[9]

Mae hanes diwylliannol y Québécois yn dangos dau gyfnod o argyfwng penodol pan oedd eu hiaith a'u bodolaeth fel cymuned genedlaethol yn wynebu bygythiad difrifol. Barnaf fod y ddau argyfwng hyn yn cyfateb i ddau o'r argyfyngau a drafodwyd yn y rhagymadrodd, sef argyfwng hunaniaeth ac argyfwng alltud-iaeth. Cododd yr argyfwng cyntaf yn ystod y bedwaredd ganrif ar bymtheg yn dilyn methiant gwrthryfel y *Patriotes*. Sylweddolwyd pa mor ddwys oedd yr argyfwng pan gyhoeddwyd adroddiad yr Arglwydd Durham a argymhellai gymathu'r Canadiaid Ffrengig â'r Ymerodraeth Brydeinig. Bu'r ymateb yn debyg i'r hyn a welir mewn sefyllfaoedd eraill lle ceir bygythiad i gymuned ethnig. Crëwyd llenyddiaeth a roddai bwys ar hanes a thraddodiadau'r gymuned, a mabwysiadwyd syniad llywodraethol a dueddai i gyfiawnhau parhad y gymuned honno.

Gellir adnabod ail argyfwng yn yr ugeinfed ganrif, lle ceir symudiad o gyd-destun gwledig i gyd-destun dinesig (yn adlewyrchu newid yn natur y gymdeithas Ganadaidd-Ffrengig). O fewn cyfundrefn economaidd na roddai barch na

---

chydnabyddiaeth i'r Ffrangeg, a lle daliai'r rhai Saesneg eu hiaith y swyddi o awdurdod yn y gymdeithas, cafwyd eto fygythiad difrifol i barhad yr hunaniaeth Ganadaidd-Ffrengig, a adlewyrchid gan ddirywiad yn safon yr iaith Ffrangeg ei hun. Cedwid y bobl mewn sefyllfa o ddarostyngiad gan Eglwys ddisymud a ddaliai i goleddu syniadau am genhadaeth arbennig y Canadiaid Ffrengig yng Ngogledd America. Yn sgil yr hyn a elwid wedyn yn 'Chwyldro Tawel', cafwyd protest gyffredinol yn erbyn safle darostyngedig y Québécois, ac yn lle derbyn y sefyllfa cafwyd *prise de parole* cyffredinol a alluogai'r bobl i siarad drostynt eu hunain am y tro cyntaf. Bu'r beirdd a'r llenorion ar flaen y gad yn hyn o beth. Dechreuwyd ailadeiladu hunaniaeth y genedl drwy gydnabod y Ffrangeg a hyrwyddo'r cyfle i'r Québécois gymryd cyfrifoldeb dros eu dyfodol eu hunain a'u cymuned genedlaethol. Roedd yr argyfwng yn dal yn un difrifol ym mhumdegau a chwedegau'r ugeinfed ganrif, pan oedd canrif a mwy o fyw dan awdurdod estron wedi gadael ei ôl. Erbyn heddiw gellir gweld, yn sgil methiant Cytundeb Meech, a geisiai ddod â Québec yn ôl i gyfansoddiad newydd Canada, fod ail wedd ar y Chwyldro Tawel, sef y posibilrwydd o gyfnod o sofraniaeth i Québec, a thrwy hynny adennill yn llwyr ei hunaniaeth genedlaethol. Erys hyn heb ei ddatrys o hyd.

Yng ngweddill y bennod hon, byddaf yn edrych yn fanylach ar y modd y datblygodd yr ymateb llenyddol a syniadol i'r argyfwng cyntaf, sef 'argyfwng hunaniaeth'. Ym mhennod 4, byddaf yn troi i ystyried yr ail argyfwng neu 'argyfwng alltudiaeth' yng ngwaith Gaston Miron, prif gynrychiolydd llenyddol yr argyfwng hwn yn ystod pumdegau a chwedegau'r ugeinfed ganrif.

II

Dechreuodd cenedlaetholdeb fel athrawiaeth allweddol yng Nghanada Ffrengig ddod i'r amlwg o ddifrif erbyn canol y bedwaredd ganrif ar bymtheg. Mewn gwirionedd, ar y cychwyn, ni ellir sôn am un cenedlaetholdeb neu un ideoleg gan y bu nifer o amrywiadau yn rhychwantu'r holl ystod, o'r rhyddfrydig a'r diwygiadol i'r ffurfiau mwy ceidwadol a Chatholig. Y rhai olaf hyn a ddaeth yn flaenaf, serch hynny, erbyn diwedd y ganrif.

Ar ryw wedd, gellir dweud fod testun siarad tebyg i'r 'Llyfrau Gleision' wedi chwarae rhan bwysig yn ffurfiant cenedlaetholdeb yn Québec fel y gwnaeth yng Nghymru, oherwydd o fewn y Papurau Seneddol am 1839 ('y llyfrau gleision') y cyhoeddwyd Adroddiad yr Arglwydd Durham yn dilyn y gwrthryfel gan y Canadiaid Ffrengig yng Nghanada Isaf yn 1837. Fel uwch-gomisiynydd dros y ddwy Ganada dros dro, daeth Durham i'r casgliad yn fuan iawn mai gwrthdaro rhwng dwy hil, dwy iaith, a dwy system o gyfraith oedd wrth wraidd y gwrthryfel. Ei waith ef, fel cynrychiolydd y llywodraeth imperialaidd, oedd argymell y ffordd ymlaen i greu heddwch. Ei brif argymhelliad oedd ceisio cymathu'r Canadiaid Ffrengig â'r gymuned Saesneg. Er bod yr Adroddiad yn ei gwneud yn eglur nad oedd Durham yn elyniaethus i'r Ffrancwyr fel pobl ac, yn wir, roedd yn cydnabod mai hwy oedd yr ymsefydlwyr cyntaf yng Nghanada, mae ganddo eiriau caled ynglŷn â chenedligrwydd honedig y bobl Ganadaidd-Ffrengig. Yn bennaf, mae Durham yn dannod eu diffyg hanes a llenyddiaeth:

> There can hardly be conceived a nationality more destitute of all that can invigorate and elevate a people, than that which is exhibited by the descendants of the French in Lower Canada, owing to their retaining their peculiar language and manners. They are a people with no history, and no literature. The literature of England is written in a language which is not theirs; and the only literature which their language renders familiar to them, is that of a nation from which they have been separated by eighty years of a foreign rule . . . [10]

Roedd yr argyfwng diwylliannol a awgrymir yn argymhellion Durham a'r diffyg arweiniad mewn materion cenedlaethol ymhlith y Canadiaid Ffrengig (yn enwedig gan yr Eglwys yr adeg honno), yn ddigon i ennyn ewyllys gref i weithio yn erbyn yr ensyniadau a gafwyd yn yr Adroddiad nad oedd gan y Canadiaid Ffrengig ddiwylliant. Mae'n wir nad oedd unrhyw lenyddiaeth wedi gallu datblygu hyd at gyfnod y gwrthryfel.

Fy awgrym yw fod yr argyfwng o'r math cyntaf yn creu llenyddiaeth genedlaethol o'r teip arwrol, ac fel yr honnwyd yn y Rhagymadrodd, mae ysgrifennu hanes cenedlaethol a chyfansoddi arwrgerdd weithiau yn mynd law yn llaw. Yn Québec, ni chafwyd arwrgerdd genedlaethol fel y cyfryw, ond cafwyd cyfres aruthrol bwysig o lyfrau hanes ar y Canadiaid Ffrengig gan François-Xavier Garneau lle yr adroddir mewn dull epig uchafbwyntiau hanes y bobl. Cafwyd sawl argraffiad o'i waith meistraidd, *Histoire du Canada depuis sa découverte jusqu'à nos jours*, a welodd olau dydd am y tro cyntaf yn 1845. Yn ei agwedd epig, hollgynhwysol, a'i athroniaeth o hanes, nid oes dwywaith nad hwn yw'r gwaith llenyddol mwyaf a gynhyrchwyd yn Québec yn y bedwaredd ganrif ar bymtheg. Cynnyrch y ddau wrthryfel oedd hwn, yn ogystal ag Adroddiad Durham, heb anghofio y Ddeddf a unodd y ddwy Ganada yn 1841. Drwy ei addysg dramor, daethai Garneau i gysylltiad â sefyllfa sawl gwlad 'orthrymedig', yn arbennig Iwerddon, Yr Alban a Gwlad Pwyl. Nid ef oedd y cyntaf i geisio ysgrifennu hanes Canada, ond ef oedd y cyntaf i gyfuno arddull ragorol, ehangder gweledigaeth ac ymroddiad i syniadau rhyddfrydig. Pwysigrwydd amlycaf y gwaith oedd iddo, ar adeg dyngedfennol ac argyfyngus yn hanes y genedl, roi'n ôl i'r gymuned honno y cof am ei hanes, pan oedd gwir berygl y byddai'n ymdoddi i'r mwyafrif Saesneg. Yn ei farddoniaeth, sydd yn llai pwysig, ond yn bendant yn ei lyfrau hanes, gellir dweud mai Garneau oedd y cyntaf i gyflwyno Rhamantiaeth lenyddol a chenedlaethol i Québec. Fel y dywed-odd yr Athro Paul Wyczynski:

> Dans les années 1850, François-Xavier Garneau est incontestable-ment l'homme chef, tant pour la pensée que pour la culture nationale, qui lui doit son premier véritable élan littéraire.[11]

Tua'r un adeg, ac yn rhannol dan ysbrydoliaeth gwaith Garneau a'r ymdeimlad o argyfwng, daeth nifer o feirdd a llenorion i'r amlwg i byncio ar themâu cenedlaethol. Fel sy'n digwydd yn weddol aml mewn sefyllfaoedd cyffelyb, nid yw'r gwaith bob amser o safon uchel iawn, o leiaf o safbwynt ein syniadau beirniadol ni. Er hynny, mae dau fardd, y mae'n rhaid cydnabod, wedi cyrraedd y safon. Mae Octave Crémazie a Louis Fréchette ill dau yn cael eu cydnabod fel prif gynrychiolwyr y mudiad Rhamantaidd cenedlaethol yn Québec yn y bedwaredd ganrif ar bymtheg. Mae tuedd yn y ddau i efelychu gwaith beirdd cyfoes yn Ffrainc fel Lamartine a Victor Hugo, ond mae eu gwaith yn ymateb gwironeddol bwysig i'r frwydr a oedd yn prysur droi'n chwerw, i warchod iaith a chenedl.

Barddoniaeth o fath epig yw llawer o ddeunydd Crémazie, lle clodforir y wlad. Mae ei weledigaeth yn gymysg, er hynny, oherwydd mae'n dal i feddwl am Ffrainc fel y wir famwlad. O ganlyniad, mae'n byw sefyllfa o alltudiaeth barhaol lle na ellir cyrraedd hapusrwydd llawn, cenedlaethol. Un o'i gerddi enwocaf yw *Le Vieux Soldat Canadien* (1855), a gyfansoddwyd i ddathlu dyfodiad y llong Ffrengig, *La Capricieuse*, i Québec, y gyntaf ers canrif.

Mae gwaith Fréchette hefyd yn arwrol o ran ei ddeunydd, fel yr awgrymir gan deitl ei gyfrol enwocaf, *La Légende d'un peuple* (1888). Oherwydd maint ei gynnyrch, cafodd yr enw 'le barde national'. Ysbrydolwyd llawer o'i gerddi gan ddigwyddiadau yn llyfrau hanes Garneau. Mae Fréchette yn rhannu hanes Québec yn dri chyfnod, cyfnod yr arloesi cynnar, cyfnod y gwrthsafiad yn erbyn y Saeson yn diweddu ar Wastatir Abraham, a thrydydd cyfnod lle gwelir gormes y Sais yn gysgod dros holl fywyd y Canadiaid Ffrengig. Eto, er ei fawredd fel bardd cenedlaethol (ysgrifennai'n arwrol am ddaearyddiaeth a hanes Canada), roedd elfen o ansicrwydd yn ei hunaniaeth genedlaethol oherwydd ysgrifennodd gerdd i ddathlu jiwbilî'r Frenhines Victoria yn 1897, a hefyd cerdd yn dathlu hanner can mlynedd ers y gwrthryfel yn 1837. Roedd yn byw o fewn yr ymerodraeth Brydeinig, ac o'r safbwynt hwn, gellir ei gymharu â rhai fel O. M. Edwards a welai Gymry ifainc yn mynd allan i weithio dros yr Ymerodraeth Brydeinig.

Nid oes dwywaith nad oedd math arbennig o genedlaetholdeb yn prysur ennill tir, yn arbennig ar ôl methiant gwrthryfel y *Patriotes*, wrth i afael yr Eglwys dynhau ar holl agweddau cenedlaethol y bobl Ganadaidd-Ffrengig, ac wrth i ysbryd encilgar, *trekgees*, gydio yn nychymyg y bobl. Ideoleg oedd hon a wrthweithiai'r tueddiad at gymathiad, ac a welai bwrpas i'r Canadiaid Ffrengig fel pobl ar wahân. Yn y blynyddoedd a ddilynodd, llwyddodd y cenedlaetholdeb traddodiadol, meseianaidd hwn i feddiannu canol y llwyfan gwleidyddol a chrefyddol yn Québec tan ganol yr ugeinfed ganrif. Mewn gwirionedd, nid oedd y syniad fod rhyw ragluniaeth yn gwylio dros fuddiannau Québec yn gwbl absennol o waith rhai megis Garneau a'r beirdd gwlatgar. Yn ei chyfrol ar farddoniaeth wlatgar Canada Ffrengig, mae Jeanne d'Arc Lortie yn dyfynnu o waith Garneau wrth iddo feddwl yn ddwys am y posibilrwydd y

byddai'r Canadiaid Ffrengig yn cael eu boddi yn y dilyw Eingl-
Sacsonaidd; efallai, meddai, fod y nefoedd wedi digio yn erbyn
pobl nad yw'n barod bob amser i dderbyn rhodd yr ysbryd,
rhodd a fyddai'n golygu y byddai'r bobl hon ryw ddydd yn y
dyfodol yn fawr ac yn ddedwydd, ar yr amod ei bod yn dal yn
ffyddlon:

> Peut-être que le ciel en courroux contre toi
> Veut couvrir tes enfants d'une nuit éternelle,
> Tu fus ingrat, tu transgresses sa loi
> La vengeance de Dieu souvent est immortelle! . . .
> Tu refusas le pain au talent malheureux;
> Tu rejetas celui que Dieu dota lui-même,
> Car l'esprit est un don;
> Don que l'Etre suprême
> Lègue au peuple qu'il veut rendre grand et heureux.[12]

Byddai'r ideoleg honno'n tueddu i weld y Canadiaid Ffrengig
fel pobl ar wahân, fel 'hil' hyd yn oed, a chofio nad oedd y gair
hwnnw wedi magu'r cam-flas a dderbyniodd ar ôl yr Ail Ryfel
Byd. Ystyrid bod y 'genedl' Ganadaidd-Ffrengig yn 'arbennig'
a'u bod hyd yn oed yn rhagori ar eu cymdogion oherwydd eu
hymlyniad wrth eu traddodiadau, sef eu tarddiad gwerinol
Ffrengig, eu hiaith, ac yn arbennig eu crefydd Gatholig yn
ogystal â nifer o sefydliadau cymdeithasol a welid yn allweddol i
barhad y traddodiadau hyn, sef y teulu, y plwyf a'r bywyd
gwledig. Yn naturiol, byddid yn gwrthwynebu unrhyw beth a
fygythiai'r nodweddion hyn, er enghraifft ymyrraeth y wladwr-
iaeth ym materion y Dalaith, diwydiannaeth ddinesig neu
werthoedd newydd o'r Unol Daleithiau.

Gan fod cenedlaetholdeb y Canadiaid Ffrengig yn cael myneg-
iant mewn termau a gwerthoedd crefyddol yn ogystal â rhai
cwbl ddiwylliannol, nid oes rhyfedd mai'r Eglwys a gymerodd y
cyfrifoldeb am leisio'r cenedlaetholdeb hwnnw. Dyna sydd yn
egluro i raddau ddylanwad helaeth yr Eglwys ym materion y
dalaith hyd at bumdegau'r ugeinfed ganrif. Aeth cenedl-
aetholdeb o'r math amddiffynnol a delfrydol yn rhan megis o
ddysgeidiaeth y grefydd Ganadaidd-Ffrengig. Mae haneswyr
wedi siarad am 'genedlaetholdeb clerigol' yn achos Québec.
Pregethid cenedlaetholdeb, a thrwy'r addysg a ddarperid gan yr
Eglwys, llwyddwyd i drosglwyddo'r gwerthoedd am nifer o

genedlaethau drwy lyfrau, mudiadau ieuenctid, ac undebau gweithwyr Catholig.

Yn ôl un hanesydd o Québécois, Michel Brunet, *La présence anglaise et les canadiens français*, y tad Casgrain fu'r cyntaf i awgrymu beth oedd galwedigaeth arbennig Canada Ffrengig, sef troi oddi wrth ddiwydiant a masnach ac ymroi'n gyfan gwbl i orchwylion amaethyddol, a heblaw am hynny crefydd, meddid, oedd prif alwedigaeth Canada Ffrengig. Er y bu'n haws pregethu hyn yn y bedwaredd ganrif ar bymtheg, yn chwarter cyntaf yr ugeinfed ganrif roedd y symudiad at y dinasoedd yn tueddu i yrru'r ideoleg honno i'r ymylon. Eto i gyd, yn ystod yr ugeinfed ganrif, cafodd ail hwb pan ddaeth y dirwasgiad a diweithdra yn gyffredin yn y dinasoedd, a bu ymgyrch gan yr Eglwys i ddenu pobl i arloesi mewn ardaloedd gwledig pellennig a diarffordd, ac yn ei sgil bu modd gwarchod – dros dro beth bynnag – rai o'r syniadau crefyddol-genedlaethol.

Erbyn canol y bedwaredd ganrif ar bymtheg, cynyddodd yr ideoleg newydd nes iddi fynd yn rhan o raglen swyddogol yr Eglwys Ganadaidd-Ffrengig. Yn 1866, cyhoeddodd yr Esgob Laflèche ei *Quelques considérations sur les rapports de la société avec la Religion et la Famille,* sef ei egwyddorion ynglŷn â chenedlaeth-oldeb Canadaidd-Ffrengig. Honnai fod gan y Canadiaid Ffrengig holl nodweddion cenedl: undod iaith, ffydd, arferion a sefydl-iadau. Ar ben hynny mae gan bob cenedl, meddai, genhadaeth ddwyfol i'w chyflawni. Cenhadaeth y Canadiaid Ffrengig oedd bod yn ganolfan Catholigrwydd yn y Byd Newydd. Ar ben hynny, cyhoeddai'r offeiriaid yn Québec, nid yn annisgwyl, o gofio'r patrwm a fabwysiadwyd, fod Ffrainc yn derbyn cosb Duw am ei chamweddau, ac mai Québec bellach oedd ceidwad y gwir draddodiad Ffrengig a Chatholigaidd. Yng ngeiriau Wade:

> For all the intense sympathy felt in Québec for afflicted France, a lasting distrust of the Republic became part of the French-Canadian mind, and from it stemmed a growing conviction, encouraged by royalist-minded French priests and nuns who emigrated to Québec, that the French Canadians were a people chosen by Providence to carry out the true French and Catholic tradition; uncorrupted by liberalism and republicanism.[13]

Roedd y feseianaeth hon (o dderbyn y diffiniad a geir gan De Maistre a'i debyg yn Ffrainc a gwledydd Ewropeaidd eraill), sef cenhadaeth cenhedloedd arbennig, yn rhywbeth hollol wledig yn y cyd-destun Canadaidd. Fel y dywedodd Mgr Louis-Adolphe Paquet (1859–1942) mewn araith a draddodwyd yn 1902, pryd y dywedodd mai cenhadaeth arbennig y Canadiaid Ffrengig oedd tanio'r ffydd a'r meddwl yn hytrach na thanio'r ffwrneisiau diwydiannol:

> notre mission . . . consiste moins à allumer le feu des usines qu'à faire rayonner au loin le foyer lumineux de la religion et de la pensée.[14]

Aeth yr iaith Ffrangeg ei hun yn rhan anhepgor o'r feseianaeth hon. Gwelodd Henri Bourassa, gwleidydd a chenedlaetholwr amlwg ar ddechrau'r ugeinfed ganrif, yr iaith Ffrangeg fel iaith Catholigrwydd *par excellence*. Iddo ef, cynrychiolai'r Saesneg 'heresi, camweddau, a materoliaeth', tra oedd y Ffrangeg yn iaith llenyddiaeth ac athroniaeth; hi, meddai, oedd iaith y meddwl, ac iaith teimladau gorau y galon ddynol, a thrwy'r ffydd llwyddai'r iaith i gael cydbwysedd rhwng y meddwl a'r teimlad:

> Cérébrale avant tout, faite pour l'homme qui pense, cette noble langue sait aussi exprimer les sentiments les plus généreux du cœur humain; mais, pour donner toute sa valeur, elle doit assujettir, même dans l'expression, les élans de la passion au contrôle de la raison éclairée par la foi.[15]

Ceir cerddi mewn nifer o lenyddiaethau ethnig yn ymdrin yn arbennig â'r iaith. Gellir meddwl am enghreifftiau mewn llenyddiaeth Gymraeg, Llydaweg, a Chatalaneg. Yn Québec, ysgrifennodd William Chapman (1850–1917) gerdd sydd yn sôn yn arbennig am yr iaith Ffrangeg yng nghyd-destun y syniadau meseianaidd a welsom uchod. Ymddangosodd am y tro cyntaf yn 1904. Iddo ef, mae'r iaith fel un o'r 'colofnau tân' a arweiniodd yr Iddewon i Wlad yr Addewid:

> Essayer d'arrêter son élan, c'est vouloir
> Empêcher les bourgeons et les roses d'éclore;
> Tenter d'anéantir son charme et son pouvoir,
> C'est rêver d'abolir les rayons de l'aurore.

Brille donc à jamais sous le regard de Dieu,
O langue des anciens! Combats et civilise,
Et sois toujours pour nous la colonne de feu
Qui guidait les Hébreux vers la Terre promise.[16]

Roedd cyfuno iaith a chrefydd yn nodwedd ar lawer o'r
ysgrifennu am genhadaeth arbennig y Canadiaid Ffrengig yn y
byd newydd. Ni fyddai'n bosibl dychmygu'r naill heb y llall,
meddid. Gan Jules-Paul Tardivel yn 1881, y cawn y datganiad
mwyaf diamwys ynglŷn â phwysigrwydd cadw'r iaith yn wyneb
argyfwng y dilyw Saesneg. Dywedasai eisoes: 'Un peuple n'a pas
le droit de renoncer à sa langue, qui est son âme, pas plus que
l'homme n'a le droit de renoncer à sa vie.' Mae hunanladddiad
cenedl lawn cynddrwg â hunanladddiad unigolyn, yn arbennig
pan fo cenhadaeth arbennig gan y genedl honno, a'r genhadaeth
honno wedi'i rhoi gan ragluniaeth fawr y nef:

> Mais pour que le peuple canadien-français puisse remplir cette
> glorieuse mission, il doit rester ce que la Providence a voulu qu'il fût:
> catholique et français. Il doit garder sa foi et sa langue dans toute leur
> pureté. S'il gardait sa langue et perdait sa foi, il deviendrait ce qu'est
> devenu le peuple français; un peuple déchu . . .[17]

Un o gynrychiolwyr olaf ond mwyaf cyndyn y weledigaeth hon
oedd y Tad Lionel Groulx (1878–1967). Yn ei waith gwelir rhai
o'r agweddau mwyaf nodweddiadol ar genedlaetholdeb y
Canadiaid-Ffrengig cyn y chwyldro tawel yn eu hideoleg a
arweiniodd yn ei dro at gysyniad newydd o beth ydyw cenedl-
aetholdeb. Nid Groulx a ddyfeisiodd y cenedlaetholdeb hwn, wrth
gwrs, ond yn ei waith y lleisir nifer o'r themâu a fu'n nodweddu
cenedlaetholdeb Canadaidd-Ffrengig er y goresgyniad.

Cydymffurffiai syniadau Groulx â safbwyntiau'r eglwys yng
nghyfnod Casgrain a Laflèche. Dylid yn y lle cyntaf lynu wrth y
tir, meithrin gwerthoedd yr ysbryd drwy Ogledd America ac yn
drydydd lledaenu'r wir ffydd.[18] Cydsyniodd Groulx â'r tri pheth
hyn, gan adleisio esiampl sawl cenedlaetholwr Canadaidd-
Ffrengig o'i flaen, fel Henri Bourassa a fu'n drwm dan ddylan-
wad yr Eglwys. Credai Groulx fod gan bob cenedl ar y ddaear ei
chenhadaeth arbennig ond fod gan ambell un fel y Canadiaid
Ffrengig genhadaeth fwy aruchel.

Dywedodd Groulx yn 1934, er enghraifft, na chreodd Duw bob cenedl i gyflawni gorchmynion tebyg, a bod cenedl wrth ddilyn ei hathrylith benodol ei hun yn cyrraedd uchafbwynt ei gwreiddioldeb, a hefyd uchafbwynt ei nerth.[19] Yn yr ystyr honno mae cenedl y Canadiaid Ffrengig yn ôl Groulx yn 'etholedig'. Nid yn y maes masnachol (fel y Saeson) ond yn bennaf yn y maes ysbrydol yr oedd cyfraniad y Canadiaid Ffrengig i fod. I Groulx dyna arwriaeth ei genedl sydd drwy'u gweithredu haelfrydig yn darparu rhywbeth gwerthfawr i Ogledd America. Nid oedd hyn yn rhywbeth a fyddai'n digwydd dros dro, oblegid y mae cyfrifoldeb y gorchwyl yn syrthio ar ysgwyddau pob cenhedlaeth. Ym meddwl Groulx nid yn unig y byddai'r genhadaeth arbennig honno yn ymwneud â'r diwylliant Ffrangeg, a'r ymlyniad wrth yr Eglwys Babyddol a'r bywyd amaethyddol, ond roedd hyn i arwain at greu gwladwriaeth Ffrengig.

Prif genhadaeth Canada Ffrengig oedd i fod, a pharhau i fod, yn Ffrengig. Yng Ngogledd America lle'r oedd y Saeson yn fwyafrif, dyletswydd Canada Ffrengig oedd dangos beth oedd diwylliant go-iawn, meddai. Ond byddai Groulx yn ymgroesi'n llwyr rhag y diwylliant Ffrengig o Ffrainc. Credai ef mai'r Canadiaid Ffrengig yn unig a lwyddodd i gadw'r diwylliant Ffrengig yn bur lle syrthiodd Ffrainc i ffyrdd anghyfiawnder, wedi'r chwyldro.

Nid oedd Groulx yn rhy swil yn 1926 i ddatgan ei argyhoeddiad 'arswydus' ac 'aruchel' fod gan y Canadiaid Ffrengig dynged hyfryd, sef mai pobl etholedig oeddynt:

Déjà nous pouvons en entretenir la conviction effrayante et sublime, nous sommes orientés vers le plus beau destin, notre race est une race élue.[20]

Rhaid deall hyn yng ngoleuni'r gweithgarwch cenhadol a nodweddai'r Eglwys Ganadaidd-Ffrengig. Os 'plant y goleuni' a 'chludwyr y fflam' oedd y Canadiaid Ffrengig roedd hynny oherwydd eu gwaith yn lledaenu'r efengyl drwy'r byd. Ar dro mae'r Canon yn rhoi tinc cwbl hiliol yn ei ysgrifau. Ymwrthyd ag unrhyw 'gymysgu' rhwng yr 'hil' Ganadaidd-Ffrengig a'r hiliau cyfagos, gan y byddai unrhyw ymgymysgu'n sicr o lastwreiddio'r sêl apostolaidd 'sydd yn anrhydedd ac yn nodwedd yr hil Ffrengig'.[21] Hyd yn oed pe byddai modd derbyn hyn ar ôl yr Ail Ryfel Byd (a'r cyfnewidiadau a ddaeth yn ei sgil), prin y byddai awduron y 1950au, pryd y cafwyd cyffro gwleidyddol newydd, yn gallu derbyn y fath druth yn ddihalen. Nododd Léon Dion[22] mai dihangfa oedd y fath freuddwydio rhag y realiti hollol wahanol a welent o'u cwmpas. Eisoes cafwyd nifer helaeth o astudiaethau a ddangosodd yn gwbl eglur fod meseianaeth yn ddihangfa ac yn noddfa i genhedloedd gorthrymedig pan fyddai'r drefn yn gwasgu. Gellir crybwyll gwaith V. Lanternari, *Les mouvements religieux des peuples opprimés*, a gyhoeddwyd yn 1962, fel enghraifft yn y cyswllt hwn.

Roedd Groulx hefyd yn bleidiwr diflino i'r genhadaeth werinol a gwledig. Credai ar gam mai gwledig yn bennaf oedd Canada Ffrengig yn nyddiau *La Nouvelle France*. Tybiai ar ben hynny fod yr ymsefydlwyr cyntaf megis Champlain, Richelieu a Colbert, yn dychmygu y byddai'r drefedigaeth yn datblygu ar ffurf wledig. Un o ganlyniadau'r goresgyniad gan y Saeson ac wedyn methiant gwrthryfel y *Patriotes* oedd gyrru'r Canadiaid Ffrengig i'r wlad er ennill bywoliaeth. Ar ddechrau'r ugeinfed ganrif dechreuodd y bobl dyrru i'r dinasoedd neu ymfudo i'r Unol Daleithiau. Ymgyrchodd Groulx fel nifer o genedlaethol-wyr eraill fel Henri Bourassa ac Olivar Asselin o blaid 'mynd yn ôl i'r wlad'. Tueddai ef, fel rhai o'r cenedlaetholwyr a'r Eglwys hefyd, i weld diwydiannaeth fel 'dirywiad' a fyddai'n troi'r bobl yn broletariat dienaid, yn dinistrio'r uned deuluol a phlwyfol. Arhosai syniadau Groulx yn amwys ar y pen hwn, gan y credai na fyddai'r bywyd gwledig ar ei ben ei hun yn ddigonol er casglu cyfalaf.[23]

Tybiai Groulx hefyd ei bod yn ddyletswydd ar y Canadiaid Ffrengig i sefydlu ryw ddydd eu gwladwriaeth Ffrengig eu hunain, a honno'n anochel yn cydymffurfio â'r syniadau ceid-wadol a welsom eisoes. Meddyliai na ddylai gwladwriaeth a chrefydd gael eu gwahanu, a gwrthododd ddemocratiaeth. Byddai'r Eglwys yn tra-arglwyddiaethu mewn gwladwriaeth felly, 'l'élément spirituel dans l'état, autant dire . . . l'âme de nos institutions'.[24] Yn ei lyfr *Nos luttes constitutionnelles*, mae'n ymwrthod yn llwyr â democratiaeth gan ei bod, meddai, yn rhoi'r blaid yn lle'r genedl. Fel cenedlaetholwr roedd yn gas ganddo bleidiau gwleidyddol. Yn wir, aeth Groulx mor bell â thaflu dŵr oer dros draddodiadau seneddol Canada, a etifeddwyd i raddau helaeth gan y system Brydeinig. Tynnai wahaniaeth hefyd rhwng y gyfraith Seisnig (a ddatblygodd o gyfraith Loegr) a'i phwyslais ar arferiad a moes dros gyfnod hir o amser, a'r gyfraith Ffrengig a'i phwyslais hithau ar egwyddorion digyfnewid a 'rhesymeg'. Tueddai syniadau Groulx i adlewyrchu'r tensiynau rhwng y ddwy genedl yng Nghanada, y naill yn orchfygwr a'r llall yn brwydro am ei heinioes. Lle roedd y Prydeinwyr (neu eu disgynyddion) megis yn cynrychioli un gyfres o nodweddion diwylliannol: yr iaith Saesneg, materoliaeth, Protestaniaeth, diwydiant, imperialaeth a'r 'Gogledd', mynnai Groulx fod y Canadiaid Ffrengig yn cynrychioli'r ysbryd, Catholigrwydd, a'r werin, yn brwydro am ei 'hannibyniaeth', ac ethos Lladinaidd.

Mae'n weddol amlwg fod Groulx yn perthyn o ran llawer o'i syniadaeth i'r bedwaredd ganrif ar bymtheg a chynt. Credai'n ddiysgog mewn Rhagluniaeth fel grym hanesyddol, ac roedd hyn yn lliwio ei syniad am gwrs y byd. Mae pob digwyddiad hanesyddol ganddo yn rhan o gynllun mawr. Ceisiodd Groulx fel hanesydd ddangos llaw Duw yn hanes y Canadiaid Ffrengig.

Parhaodd y syniad goruwchnaturiol clerigol am genedlaetholdeb yn Québec tan ganol yr ugeinfed ganrif. Hyn sydd yn egluro'r nifer helaeth o gyfeiriadau at Québec fel cenedl yn 'byw y tu allan i hanes', gan awduron o'r 1960au ymlaen. Fel hyn y cyfeiriodd y nofelydd enwog, Jacques Godbout, wrth gyfeirio at Québec a hanes; mewn gwirionedd bu hanes Québec tan yn ddiweddar yn enghraifft o 'gadw'r chwedlau'n fyw' a'r chwedlau hyn a'u naws Feiblaidd yn addo cenhadaeth arbennig, ond ar ddechrau'r 1960au, daeth hi'n amlwg fod gan y Québécois hefyd ddyheadau cwbl faterolaidd:

> Si le peuple québécois a longtemps vécu hors de l'histoire c'est qu'il était surtout imprégné de légende. Le récit des faits et des gestes français au Canada se racontait dans une perspective strictement apologétique . . . Le problème, évidemment, c'est que si les Canayens ont pu vivre avec l'Ancien Testament comme récit historique, persuadés que nous étions d'une mission divine qui remontait aux sources du Jourdain . . . ce ne sera qu'en 1960 qu'ils reveilleront, percevant soudain qu'eux aussi ont des aspirations matérielles.[25]

III

Roedd y syniadau am genhadaeth arbennig Canada Ffrengig wedi bod yn arf yn ystod blynyddoedd tra anodd y bedwaredd ganrif ar bymtheg yn y dalaith. Daeth argyfwng, nid yn unig yn sgil polisïau cymathu'r Ddeddf Uno yn 1840, ond hefyd – ac efallai'n bwysicach – yn sgil y duedd gan yr awdurdodau i ddiraddio popeth Ffrangeg a Ffrengig. Dechreuwyd cau'r ysgolion Ffrangeg y tu allan i Québec yn 1870, a dienyddiwyd Riel, y gwrthryfelwr *métis*, Ffrangeg ei iaith, ym Manitoba yn 1885. Ond erbyn ugeiniau'r ganrif newydd, roedd newid sylfaenol wedi digwydd i'r gymdeithas Ganadaidd-Ffrengig. Erbyn 1921, roedd mwy o bobl yn byw yn y ddinas nag yng nghefn gwlad. Roedd yn duedd na fu newid arni byth. Amodau'r ddinas Americanaidd ac economi cyfalafol a threfedigaethol fu'n rheoli'r gweithwyr Canadaidd-Ffrengig a dyrrai i'r ddinas.

Roedd yn gyfnod pan oedd dyfodol a chyfeiriad eu cymdeithas yn nwylo rhai o'r tu allan. Er i'r iaith barhau, ni roddid pris na phwyslais arni y tu allan i gyd-destun yr aelwyd a'r Eglwys. Yn 1936, daeth Maurice Duplessis, sylfaenydd yr *Union Nationale*, i rym yn Québec. Parhaodd ei deyrnasiad ceidwadol tan ei farw yn 1959. Yn ystod y cyfnod hwnnw, cilio a wnaeth yr hunaniaeth Ganadaidd-Ffrengig, pylodd goleuni'r iaith Ffrangeg, ac aeth y boblogaeth yn llafurlu rhad i farchnad a reolid o'r tu allan.

Dim ond ar ôl yr Ail Ryfel Byd y cafwyd ymysgwyd o'r hen gyfundrefn syniadol a chymdeithasol. Yn araf iawn, dechreuwyd amau lle blaenllaw'r Eglwys, a chododd *élite* newydd yn y 1950au a ymddiddorai mewn problemau cymdeithasol, a chreu cyfundrefn fwy democrataidd yn y dalaith. Yn 1960, tua blwyddyn ar ôl marwolaeth Duplessis, dechreuodd yr hyn a elwir y 'Chwyldro Tawel', yn dilyn llwyddiant etholiadol y Rhyddfrydwyr. Bu'r llenorion a'r beirdd eisoes yn ymbalfalu i greu hunaniaeth newydd i'r Québécois, gan nad oedd yr hen ddelwedd a'i phwyslais ar gefn gwlad a chrefydd yn addas mwyach, ond wedyn tro'r gymdeithas gyfan oedd ailgyfannu cymdeithas a suddasai i syrthni a llesgedd.

Cymdeithas ar ddisberod ar lawer ystyr oedd Québec tua diwedd y 1950au, a'r argyfwng o'r herwydd yn fawr. Nid peth y gellid ei gymryd yn ganiataol oedd hunaniaeth genedlaethol ddiamwys, fel y dangosodd yr hanesydd a'r gwyddonydd gwleidyddol Léon Dion. Tybiai ei bod yn fwy anodd cael hyd i ryw fath o ystyr neu gyfeiriad pendant ym mywyd y dalaith:

> Toutefois, il n'est pas plus facile qu'autrefois, au contraire il est bien plus difficile, depuis les trente dernières années au cours desquelles il est laborieusement passé de l'adolescence à l'âge adulte, de trouver un sens au Québec.[26]

Roedd Québec felly wedi mynd i'r afael â brwydr gymhleth a di-droi'n-ôl yn erbyn elfennau ei hunaniaeth amwys. Collwyd yr hen werthoedd ond methwyd â chael gwerthoedd newydd a pharhaol i'w rhoi yn eu lle. Mewn gwirionedd roedd Groulx eisoes wedi addef peth o'r gwir am Québec wrth ddweud nad mater o holi a fyddai'r genedl yn fwy neu'n llai, yn ffyniannus neu'n dlawd oedd yn berthnasol, ond yn hytrach a fyddai'n parhau neu'n diflannu.[27] Roedd yr ymdeimlad o ymddieithrwch neu ansefydlogrwydd diwylliannol yn arbennig o glir yn y cyfnod tua diwedd teyrnasiad Duplessis a dechrau'r 1960au pan welwyd blaen gwawr y 'Chwyldro Tawel' yn dechrau ymddangos. Mae'r 1950au a dechrau'r 1960au yn drobwynt argyfyngus yn hanes Québec fel endid diwylliannol ac ieithyddol. Dyma'r cyfnod y dechreuwyd arfer geirfa hollol newydd yn Québec wrth siarad am y sefyllfa yno, geiriau megis *aliénation*, *assimilation*, *dépossession*, ac *humiliation*.

Gan fod y sefyllfa economaidd yr hyn ydoedd, a'r Saesneg, yr adeg honno, yn cael ei defnyddio yn hytrach na'r Ffrangeg, nid yw'n anodd gweld fod y Ffrangeg, a ddylasai fod yn briod gyfrwng meddylwaith y genedl ac yn fynegiant felly i'w hunaniaeth, wedi colli urddas a mynd megis yn ail iaith, yn fersiwn gyfieithiedig o realiti a ddeuai o rywle arall. Yn y 1950au, yn fwy o lawer na heddiw, y Ffrangeg oedd iaith rhai swyddogaethau cymdeithasol a'r Saesneg yn aml yn iaith gwaith. Bodolai sefyllfa o ddwyieithrwydd yn enwedig yng nghyd-destun gwaith. Byddai dau fyd felly yn cydfodoli yn yr un person. Dyma'r sefyllfa y byddai cenhedlaeth Gaston Miron (gweler Pennod 4) yn ymateb iddi mewn ffordd mor ddirdynnol ond llwyddiannus.

Adlewyrchiad o'r ansicrwydd o ran hunaniaeth y Canadiaid Ffrengig yn ystod yr ugeinfed ganrif ydyw'r ffaith fod sawl llenor, artist a deallusyn wedi dewis ymadael â Québec a byw mewn alltudiaeth. Yn ôl Dion,[28] mae'r alltudiaeth hon yn eu galluogi i ddychmygu cymdeithas arall newydd a fedrai gymryd lle'r hen gymdeithas. Gellir dyfynnu Lise Gauvin yn y cyswllt hwn pan ddywed am yr alltudion hyn wrth wynebu'r presennol fod y llenor yn byw alltudiaeth, hynny yw alltudiaeth y sawl sy'n disgwyl dyfodol pan fyddai'r hunaniaeth 'ddilys' yn dod yn real:

> s'identifier au présent signifie donc en même temps le contester et préparer une nouvelle forme de l'exil, l'exil de l'avenir, celui qui verra l'avènement d'un *nous* authentique.[29]

Weithiau bu'r alltudiaeth yn fetafforaidd, ond nid yn llai dilys na real o'r herwydd; dyna'r ymdeimlad a welir o dro i dro yn y gwledydd 'anhanesiol' pan fydd rhywun yn mynd yn ddieithryn yn ei wlad ei hun. Bu'r math hwnnw o alltudiaeth fewnol yn nodwedd ar sawl llenyddiaeth leiafrifol. Soniodd yr athronydd, Pierre Vadeboncoeur, mewn termau diflewyn-ar-dafod am hyn pan soniodd am y teimlad mai dieithryn ydych yn eich gwlad eich hun:

> Pas de passé, pas de patrie non plus . . . Le patriotisme, la conscience vivante du passé . . . dépendent de la charge énergétique du présent . . . Etre comme un étranger quand on est chez soi, nous sentir comme un groupe d'immigrants sur un territoire où nous formons pourtant la grande majorité.[30]

Ceir yr un ymdeimlad o fod yn amddifad, yn ddigartref yn nifer o'r beirdd a'r llenorion o'r cyfnod. Yng ngwaith yr awdur storïau byrion, Jacques Ferron, cawn yr un ymdeimlad, yn arbennig yn ei storïau byrion a gasglwyd dan y teitl, *Contes d'un pays incertain* (1968). Mae Québec ei storïau ef yn 'ansicr' o'i hunaniaeth, a'i dyfodol. Gellir crybwyll un stori arwyddocaol yn y cyswllt, sef 'Cadieu'. Yn y stori honno, sy'n adrodd pererindod y cymeriad canolog Cadieu ar draws y Dalaith, a'i hanes a'i bererindod yn adlewyrchu cyflwr y Canadiaid Ffrengig yn y 1950au, sonnir am y tŷ a fu'n gartref i'r teulu ers cenedlaethau. Mae'r tŷ yn symboleiddio'r holl fagiau diwylliannol a hanesyddol y bu'r Québécois yn eu llusgo gyda hwy ers cenedlaethau. Ar ddiwedd y stori caiff y tŷ ei losgi'n ulw.[31] Symbol o amddifadrwydd y Canadiaid Ffrengig a hefyd eu penderfyniad i greu hunaniaeth newydd a geir yn y stori nodweddiadol hon. Byddai proses felly yn sicr o greu ymdeimlad dirdynnol wrth ystyried parhad hen system o werthoedd na fynnai'r mwyafrif eu derbyn erbyn hynny.

Nid digon oedd deisyf ffurf Ffrangeg ar y diwylliant Canadaidd-Seisnig, meddid, oherwydd fod fframwaith y diwylliant hwnnw yn Americanaidd. Eto i gyd enillwyd sawl brwydr ieithyddol dros y cyfnod o argyfwng pendant yn ystod y 1950au a dechrau'r 1960au, pryd na chafwyd strwythur digonol i warchod yr iaith na'r diwylliant Québécois.

Cynhyrchwyd llawer o ysgrifau a gweithiau llenyddol yn ystod y cyfnod sy'n tystio'n glir i fodolaeth yr ymholi hwnnw. Byddaf yn cyfeirio at bedwar sydd yn rhoi golwg ar y sefyllfa ddiwylliannol a meddyliol pan ddechreuodd y beirdd – yn arbennig felly Gaston Miron – brydyddu a chynhyrchu'r farddoniaeth 'genedlaethol' (neu'r *poésie du pays* fel y gelwir hi). Yng ngwaith y pedwar awdur a ddewisais o'r cyfnod (gan hepgor felly waith y beirdd y bu eu cynnyrch mor ddylanwadol wrth ffurfio'r ymdeimlad o hunaniaeth newydd) y gwelir yr ymholi, y dadansoddi a'r gresynu at sefyllfa ddiwylliannol druenus ar ddiwedd cyfnod Duplessis. Y pedwar yw Jean-Paul Desbiens, Hubert Aquin, Gilles Marcotte, a'r bardd mawr Anne Hébert.

Daeth Jean-Paul Desbiens i'r amlwg yn 1960 pan gyhoeddodd ei gyfrol o ysgrifau, *Les Insolences du Père Untel*. Enillodd yr awdur o glerigwr enwogrwydd disymwth oherwydd treiddgarwch a gonestrwydd yr ysgrifau hyn. Enillodd hefyd ddicter ei Eglwys a'i danfonodd am gyfnod i Rufain i fyfyrio ac astudio. Ond, er hynny, am y tro cyntaf cafwyd beirniadaeth ddiflewyn-ar-dafod ar sawl agwedd ar y gymdeithas Ganadaidd-Ffrengig gan un a weithiai, fel sawl mynach arall yn Québec yr adeg honno, fel addysgwr. Bu'n ddi-ofn o hallt ei feirniadaeth ar fethiant y system o ddysgu Ffrangeg cywir i'r plant. Condemniodd y system addysg ei hun, ond yn bennaf cyfeiriodd ei feirniadaeth at dlodi'r meddylfryd Canadaidd-Ffrengig, a hynny hefyd yng nghyd-destun dadansoddiad o'r argyfwng crefyddol a wynebai Québec.

Ceir dadansoddiad ganddo o'r hyn a welodd fel methiant, neu yn ei eiriau ef: 'L'échec de notre système d'enseignement est le reflet d'un échec, ou en tout cas, d'une paralysie de la pensée elle-même. Personne n'ose penser, au Canada français.' Yn ei dyb ef, methiant oedd y gyfundrefn addysg yn Québec oherwydd nad oedd neb yn ddigon eofn i feddwl drosto ei hun. Un o'r cwestiynau sylfaenol a godir ganddo yw'r holl gwestiwn o fynegi barn a dechrau dialog. Mae dialog fel y cyfryw wedi bod yn hollol absennol yn y dalaith. Yn goeglyd ddigon, sonia am sicrhau ungrededd drwy beidio â mynegi barn, am sicrhau na wneir camgymeriad drwy beidio ag ymchwilio, a sicrhau nad eir ar goll drwy gysgu:

> Ce que nous pratiquons ici, c'est la pureté par la stérilisation; l'orthodoxie par le silence; la sécurité par la répétition matérielle; on s'imagine qu'il n'y a qu'un seul moyen de marcher droit, ne jamais partir; un seul moyen de ne pas se tromper, ne rien chercher; un seul moyen de ne pas se perdre, dormir.[32]

Trodd wedyn i chwilio am graidd y diffyg meddwl a'r diffyg mentro deallusol, a darganfod hynny yn y brifysgol a ddylai fod yn gwasanaethu'r gymdeithas. Mae'n mynd ati i ddannod i adrannau'r brifysgol, yn arbennig felly yr adran athroniaeth, am beidio ag ymgodymu â phroblemau cyfoes y gymdeithas leol. Holodd mewn ysgrif arall, 'Crise de la religion', beth oedd wrth wraidd y diffyg symudiad, y distawrwydd a'r ofn affwysol. Mae Desbiens yn gweld fod rhyw ofn cyffredinol yn peri hyn. Ofn awdurdod yn bennaf, a hynny oll mewn cyd-destun crefyddol lle ceir pwyslais ar yr agweddau goruwchnaturiol, hudol yn lle'r agweddau mwy cymdeithasol:

> Donc, nous avons peur de l'autorité; nous vivons dans un climat magique, où il s'agit, sous peine de mort, au mois, de n'enfreindre aucun tabou, de respecter toutes les formules, tous les conform- ismes.[33]

Credai gan hynny fod crefydd yn Québec wedi mynd yn fath o phariseaeth, yn gysgod o'r hyn a fu, neu'r hyn a ddylai fod. Ond fod y gragen yn dal mor gadarn ag erioed, ac yn gorfodi pawb i gydymffurfio â rhyw normau anaddas i'r realiti newydd. Mae'r awdurdod yn parhau ond yn gwrthod creu dialog.[34]

Os yw'r diffyg dialog yn noddweddu awdurdod annynol, yn enwedig o gofio am ddulliau meddwl a gormes teyrnasiad

Duplessis, ac yn frith drwy'r gymdeithas, roedd Desbiens hefyd wedi hoelio ei sylw ar gyflwr Ffrangeg llafar ar ddechrau'r 1960au. Ceir ganddo ysgrif dreiddgar lle'r ymdrinia â ffenomen *joual* fel agwedd ar y dirywiad difrifol a ddaeth i ran y Ffrangeg ym Montréal. Fel hyn y sonia am *joual*, sef y Ffrangeg Seisnigedig a fu'n gyffredin yn Québec tan ddiwedd y 1960au. Haerodd fod cyflwr iaith yn ddrych o gymdeithas. Felly mae iaith dlodaidd, fas yn gysgod o anallu'r werin bobl i ddal gafael yn awenau eu dyfodol eu hunain:

> Cette absence de langue qu'est le joual est un cas de notre inexistence, à nous, les Canadiens français. On n'étudiera jamais assez le langage. Le langage est le lieu de toutes les significations. Notre inaptitude à nous affirmer, notre refus de l'avenir, notre obsession du passé, tout cela se reflète dans le joual, qui est vraiment notre langue.[35]

Gwelai Desbiens gyflwr pethau o safbwynt addysgwr o fynach a boenai am ddirywiad ieithyddol, crefyddol ei gyd-genedl. Cymerai Hubert Aquin (1929–77), awdur nifer o nofelau chwyldroadol eu naws a'u harddull, agwedd fwy radicalaidd o safbwynt sut i weithredu yn wyneb yr argyfwng. Deallusyn yn ceisio deall diffeithwch meddyliol Québec ar y pryd oedd Aquin. Ei ysgrif enwocaf, eto'n dyddio o'r un adeg, yw 'La fatigue culturelle du Canada Français' (1962).[36] Ysgrif hynod ddwys a chymhleth ar brydiau yw hon, a'r arddull athronyddol yn debyg i'r hyn a geir yn ei nofelau astrus. Ar un wedd mae'r ysgrif yn ateb i draethawd gan Pierre Elliott Trudeau ('La nouvelle trahison des clercs'), lle cafwyd ymosodiad yn erbyn yr holl gysyniad o genedlaetholdeb. Mae Aquin yn cynrychioli agwedd meddwl yr ymreolaeth lwyr, tra bod Trudeau ar y llaw arall yn cynrychioli'r safbwynt ffederalaidd (sydd yn dymuno sicrhau fod Québec yn aros yn y Ffederaliaeth Ganadaidd). Yn rhan gyntaf ei ysgrif, mae Aquin yn amddiffyn cenedlaetholdeb rhag yr ensyniadau niferus yn ysgrif Trudeau ei bod yn athroniaeth wleidyddol sydd yn annynol yn y bôn, yn afresymol, yn ansosialaidd ac yn hiliol.

Yn ail hanner yr ysgrif mae Aquin yn mynd i'r afael â llesgedd a nychdod Québec. Mae'r llesgedd diwylliannol sydd yn ganolog i'r ysgrif yn cyfeirio at y perygl mawr yn Québec y byddai ei diwylliant fel cyfanrwydd neu 'global', fel y dywed (a derbyn fod hynny'n bodoli), yn cael ei gymathu â'r diwylliant Canadaidd-Seisnig a'i droi felly yn rhywbeth *déglobalisé*, sef rhywbeth rhannol, ymylol. Roedd Aquin wedi mabwysiadu'r ymadrodd 'llesgedd diwylliannol' i ddisgrifio Canada Ffrengig y 1950au a'r 1960au gan yr anthropolegwyr. Fe'i harferir i ddisgrifio nodweddion diwylliannol mewn sefyllfa lle ceir dau ddiwylliant mewn cysylltiad uniongyrchol, a'r naill yn cael y trechaf ar y llall. Ymhlith nodweddion y llesgedd diwylliannol ceir sefyllfa adfydus:

> Ai-je besoin d'évoquer, dans ce sens, tous les corolaires psychologiques de la prise de conscience de cette situation minoritaire: l'autopunition, le masochisme, l'autodévaluation, la 'dépression', le manque d'enthousiasme et de vigueur, autant de sous-attitudes dépossédées que des anthropologues ont déjà baptisées de 'fatigue culturelle'.[37]

Honnai Aquin fod llwyddiant Canada Ffrengig gan mwyaf i'w gael y tu allan i'r dalaith. Byddai ei gwleidyddion mwyaf uchelgeisiol yn anelu am Ottawa (y Senedd Ffederal), a'r llenorion yn mynd i Ffrainc, neu o leiaf yn chwilio am gyhoeddwyr yn Ffrainc. Ond, yn ôl ei ddadansoddiad, mae llwyddiant yn y naill fel y llall yn arwain at sefyllfa drychinebus ar lefel bersonol, sef i'r gwleidydd fel y llenor gael ei ddiwreiddio, a hynny yn ei dro'n arwain at y llesgedd diwylliannol y soniai amdano, neu alltudiaeth sydd yn dadwreiddio'r unigolyn o'i gynefin ac yn rhwystro cymathiad llwyr yn y gymuned newydd, sydd yn fath o alltudiaeth ddwbl. Yn ei olwg ef llwyddodd awduron fel Faulkner, Balzac, Flaubert, Baudelaire, Mallarmé a Goethe i gynhyrchu gweithiau llenyddol o ddiddordeb bydeang oherwydd iddynt aros ynghlwm wrth eu cynefin diwylliannol. Mae cyfathrebu wedyn yn gyfoethog pan fo dau gyd-sgwrsiwr (neu lenor) yn mynegi eu gwir hunaniaeth:

> Plus on s'identifie à soi-même, plus on devient communicable, car c'est au fond de soi-même qu'on débouche sur l'expression. La compréhension ne dérive pas d'une dépersonnalisation préalable et voulue des interlocuteurs; au contraire, le dialogue est d'autant plus riche que les deux protagonistes sont plus profondément et plus spécialement eux-mêmes.[38]

O droi'n fwy cyffredinol at lenyddiaeth Ganadaidd-Ffrengig (nid oedd yn arferiad eto i ddefnyddio'r ansoddair *québécois* wrth gyfeirio at ddiwylliant neu lenyddiaeth y dalaith), mae Aquin yn hallt ei feirniadaeth ar yr hyn a gynhyrchwyd hyd hynny (sef cyn 1962). Wrth geisio bod yn amhlwyfol ac yn gyffredinol eu hapêl, haerai fod llawer o'r llenorion wedi ymbellhau oddi wrth eu gwreiddiau a'u realiti beunyddiol. Dewisodd llenorion greu llenyddiaeth fwy rhanbarthol drwy geisio darlunio rhyw fywyd lled-ffuantus, gwerinol, ond nid oeddynt o'r herwydd yn nes at y deunydd. Yn y diwedd mae'r llenorion hynny yn gweld eu gwlad eu hunain megis ymwelydd a ddaw i'r ardal am bythefnos o wyliau. Camgymeriad mawr y llenorion hyn, yn ôl Aquin, yw'r ffaith eu bod yn ysgrifennu straeon a nofelau a oedd wedi'u gosod yng Nghanada, ond yn osgoi'r gwaith o drafod y pethau oedd yn ysu ac yn ysigo Canada Ffrengig, sef gwewyr ei hunaniaeth adfydus. Nid rhoi arlliw o'r lleol oedd y broblem yn y bôn, meddai, ond sicrhau fod llenor yn ymdrin yn ei (g)waith â hunaniaeth astrus ac amwys y bobl:

> Le problème n'est pas d'écrire des histoires qui se passent au Canada, mais d'assumer pleinement et douloureusement toute la difficulté de son identité.[39]

Dinoethi'r ffaith honno yw priod waith y llenor Canadaidd-Ffrengig, meddai. Ond gwêl Aquin fod y Canadiaid Ffrengig yn mynd ati'n fwriadol, er yn isymwybodol, mae'n ddigon tebyg, i osgoi wynebu'r hunaniaeth amwys ac anodd honno. Yn y cyddestun gwleidyddol honnir bod y Canadiaid Ffrengig ffederalaidd yn ymuniaethu â'r syniad o un Ganada enfawr ffederalaidd sydd yn cynnwys Québec, ac o ganlyniad yn lleddfu'r angen am boeni'n ormodol am hunaniaeth arbennig y dalaith Ffrengig. Eto i gyd math o alltudiaeth emosiynol fydd hynny hefyd. Mewn rhan o'r ysgrif y gellir honni ei bod yn allweddol, mae Aquin yn sôn am y Canadiad Ffrengig fel 'asiant dwbl' sydd yn chwilio'n ofer am ganol newydd a fydd yn ei ryddhau o'r ing a ddaw yn sgil ei hunaniaeth anodd a diafael. Yn y pen draw mae'r ymgais i ffoi rhag yr ymwreiddiad hwnnw yn troi'r Canadiad Ffrengig yn *personne déplacée* (rhywun diaelwyd). Cyfaddefa Aquin iddo yntau gael ei demtio droeon i ymwrthod â'i hunaniaeth etifeddol. Ceisiai noddfa mewn math o hunanalltudiaeth er mwyn bod yn estron iddo ef ei hun. Troes y byd a welai o'i gwmpas yn beth afreal, a rhoddwyd byd dychmygol, mwy 'hollgyffredinol' (*universel*) yn ei le.

Mae Aquin yn sôn am un nodwedd amlwg ar y sefyllfa honno sef yr amwysedd dwfn sy'n nodweddu'r hunaniaeth Ganadaidd-Ffrengig. Mae areithiau'r cenedlaetholwyr yn cynnwys anogiad at chwyldro cenedlaethol tra, ar yr un pryd, yn cynnwys apêl am ddulliau cyfansoddiadol. Mae llawer o'r amwysedd yn y modd y gwelir yr hunaniaeth honno yn gynnyrch nifer o ffactorau, meddai. Yn un peth maent yn ffrwyth nifer o ddadleuon cryf a dueddai i fychanu Québec lle mae'n wynebu grymoedd mawr yr ugeinfed ganrif, ac felly amddifadu'r dalaith o'i 'realiti' neu o sylwedd. Defnyddir dadleuon a bwysleisia'r gymhariaeth rhwng Québec fel tiriogaeth fechan â phoblogaeth fechan a gweddill Gogledd America, er enghraifft. Dadl arall sydd yn tueddu i ddanseilio 'realiti' Québec yw ei thrin fel unrhyw dalaith arall yn y Ffederaliaeth Ganadaidd sy'n gyfystyr â dweud mewn termau llenyddol mai llenyddiaeth 'daleithiol' neu ranbarthol fydd ei llenyddiaeth hi.

Yn y pen draw mae'r dadleuon hyn a dderbynnid (rhaid cofio y bu cryn dro ar fyd er dyddiau'r Chwyldro Tawel), gan nifer o feddylwyr praffaf Canada Ffrengig yn tueddu i ddarostwng y diwylliant Canadaidd-Ffrengig fel rhywbeth 'cyfannol' (*global*) i fod yn beth rhanbarthol ac atodol i gyfanwaith arall. Eto mae Aquin yn nodi mai adwaith ydyw hyn i sefyllfa annioddefol lle teimlir darostyngiad, hunan-ddirmyg, cymhleth israddoldeb, chwerwder a llesgedd diarbed. Iddo ef, y rhai sydd wedi llwyddo orau yn y maes gwleidyddol ac sydd yn cynrychioli'r bobl a ddietifeddwyd yw'r rhai a ddewisodd wadu 'cyfan-rwydd' eu diwylliant a'i droi'n rhywbeth 'atodol', anghyfan:

> La réussite de nos politiciens au fédéral a reposé sur leur déglobalisation culturelle. Leur 'inexistence' a été à l'image de la culture harnachée qu'ils représentaient et qu'ils se sont à peu près tous empressés de 'fatiguer' encore plus en la folklorisant, si bien que le gouvernement fédéral . . . proclame qu'il n'existe plus de tension dialectique entre la culture canadienne-française et l'autre.[40]

Yn 1963 cyhoeddodd y beirniad llenyddol, Gilles Marcotte, ysgrif a ymdriniai â nodweddion y nofel Ganadaidd-Ffrengig dros y pymtheng mlynedd blaenorol. Teitl ei ysgrif oedd 'L'Expérience du vertige dans le roman canadien-français'. Cyhoeddwyd hi yn ddiweddarach mewn casgliad o ysgrifau ar lenyddiaeth Canada Ffrengig yn 1971, a chydnabyddir hi yn un o'r astudiaethau praffaf ar y cyfnod hwnnw yn llenyddiaeth Québec.

Wrth edrych ar gynnyrch y nofel yn ystod y cyfnod er diwedd yr Ail Ryfel Byd, ceisiodd Marcotte ei ddychmygu ei hun fel darllenydd o Ffrancwr yn bwrw golwg dros y nofel Ganadaidd-Ffrengig. Byddai'r darllenydd dychmygol hwnnw, meddai, yn rhyfeddu at yr agweddau negyddol fel anobaith, casineb, bryntni di-foes sydd yn gyforiog yn y nofel o Québec. Gan fod yr ymdeimlad hwnnw o anobaith yn nodwedd mor gyffredin, byddai'r darllenydd dychmygol yn debyg o flino arno yn gyflym. Byddai rhai, meddai ymhellach, yn ddigon parod i honni fod hyn yn ymgais drwsgl i ddynwared rhai tueddiadau yn y nofel Ffrengig wedi'r rhyfel. Ond mae Marcotte yn gwrthod yn bendant dderbyn dedfryd mor ffwrdd-â-hi, ac mor arwynebol.

Oblegid fod y düwch hwnnw mor gyffredin yn y nofel o Québec yn ystod ei gyfnod, tybiai ef y dylid edrych am ffynhonnell fwy cyffredinol a nes adref. Er nad yw'n derbyn y gellir defnyddio un achos fel allwedd i'r cyfan, mae'n addef y gellir crynhoi'r achosion i un dosbarth ac mae'n rhoi'r enw *vertige* ar y cyflwr hwnnw. Ac wrth gydnabod y cyflwr hwnnw yn y nofel yn ystod diwedd y 1940au a'r 1950au, mae Marcotte yntau'n ychwanegu at y darlun cyffredinol sydd gennym o'r 'anhawster bodolaeth', neu amwyster sydd yn nodwedd mor ddigamsyniol yn y 1960au ar yr hunaniaeth Ganadaidd-Ffrengig cyn y Chwyldro Tawel.

Yn y lle cyntaf mae Marcotte yn cyfeirio at y diffiniad o'r gair *vertige*. Yn Gymraeg gellir ei gyfieithu fel 'pendro, pensyfrdandod, penstandod, diffyg cydbwysedd'. Mae'n defnyddio'r gair fel metaffor am y diffyg canol y soniai Aquin amdano, yr ymdeimlad o ddiffyg sefydlogrwydd o ran teimlad a gwerthoedd. Yn nhyb Marcotte, mae'n drawiadol sut y mae'r *vertige* hwn yn llinyn sydd yn rhedeg drwy gyfrodedd y nofel Ganadaidd-Ffrengig. Yn y cyfnod wedi'r rhyfel roedd llenorion Ffrainc yn tanseilio hen werthoedd ac yn cynnig rhai newydd yn eu lle. Bu llawer o'r gweithgaredd yn digwydd o amgylch yr ysgol ddirfodol. Yn Québec, ar y llaw arall, nid rhyw ymwneud â gwerthoedd newydd a geir ond rhyw ymgydnabod ag anobaith llwyr o'r cychwyn. Fe wêl y themâu mawr Ewropeaidd, ond fe'u defnyddir i adlewyrchu realiti gwahanol, a'u sail yn nieithrwch y teimlad o alltudiaeth:

> Les thèmes traités par les grandes littératures européennes, on les retrouve ici, car nos romanciers ont lu, et réfléchi; mais ils sont traités, projetés de telle façon qu'ils ne forment plus qu'une vertigineuse, une étourdissante litanie d'absence.[41]

Cawn gyfle i fanylu mwy ar gyfraniad Marcotte i'r ymwybod newydd yn y bennod yn ymwneud â gwaith Gaston Miron, gan fod Miron yn amlwg yn tynnu ar eirfa Marcotte yn gefndir i'w ddadansoddiad ef o hunaniaeth amwys neu chwilfriw y Québécois.

Un o feirdd mwyaf blaenllaw Québec yn yr ugeinfed ganrif a fu â rhan allweddol yn y gwaith o drawsffurfio hunaniaeth statig y Canadiaid Ffrengig i rywbeth llafar a bywiol deinamig yw Anne Hébert. Ganed hi yn 1916 ac mae'n gyfnither i'r bardd Saint-Denys Garneau. Dechreuodd gyhoeddi barddoniaeth yn 1942 gyda chyfrol o'r enw *Les Songes en équilibre*. Daeth wedyn i sylw yn 1950 gyda llyfr o storïau byrion cydgysylltiedig o'r enw *Le Torrent* a adwaenir fel un o'r arwyddion fod ymwybod newydd ar wawrio yn Québec, yn arbennig felly y teimlad o ymddieithrwch sy'n nodwedd ar sawl ffurf lenyddol ac o fewn sawl thema yn llawer o lenyddiaeth Québec hyd at ddiwedd y 1960au. Aeth Anne Hébert ymlaen i gyhoeddi cyfrol arall o farddoniaeth, *Le Tombeau des rois*, yn 1953, ac wedyn cyhoeddwyd gweddill ei barddoniaeth ynghyd â chyfrol 1953 mewn casgliad cyflawn ym Mharis yn 1960 (*Poèmes. Le Tombeau des rois et Mystère de la parole*). Ymsefydlodd ym Mharis ar ddiwedd y 1950au ond er hynny deil i ysgrifennu nofelau yn ymwneud yn bennaf â Québec.

Yn ei nofelau a'i barddoniaeth, mae Anne Hébert wedi mapio deffroad araf a symudiad y Canadiaid Ffrengig o syrthni eu bywyd cenedlaethol statig. Yn un o'i nofelau cynharaf, *Les Chambres de bois* (1958), mae'n darlunio cymeriad o'r enw Catherine sydd yn brwydro yn erbyn bodolaeth freuddwydiol a chydymffurfiol ei bywyd o fewn yr 'ystafelloedd pren' (symbol

---

am Québec), a'i llwyddiant i ddarganfod realiti ar y tu allan. Unigrwydd a distawrwydd sy'n nodweddu bywyd y brawd a'r chwaer yn rhan gyntaf y nofel fer hon. Mae pwyslais mawr ar y weithred o siarad yn y nofel, sydd yn rhagflaenu'r pwysigrwydd a roddir maes o law gan lawer o lenorion ar rym achubol y gair. Erys sawl ymadrodd o'r nofel allweddol a barddonol hon yn y cof; un darn sydd megis yn ddisgrifiad symbolaidd o fywyd y Canadiaid Ffrengig yn Québec y cyfnod hwnnw yw'r canlynol. Yn y dyfyniad hwn, mae Catherine yn disgrifio'r gemau cardiau coeg-ddifrifol y byddai'n eu chwarae gyda'i brawd fel rhywbeth y byddai brenhinoedd a breninesau yn ei wneud ar ôl cael eu halltudio dramor:

Le frère et la soeur s'occupaient à faire de vastes patiences de cartes à même les dessins du tapis. Ce jeu paraissait si grave et triste que Catherine pensa que c'était sans doute ainsi que les rois et les reines en exil passaient leur temps sans royaume.[42]

Bu'r beirniad Gilles Marcotte ymhlith y rhai cyntaf i gydnabod arwyddocâd pwysig barddoniaeth hynod ddwys a 'thywyll' Anne Hébert. Mewn ysgrif a luniwyd yn 1953 yn ei gyfrol ar lenyddiaeth Ffrangeg Québec rhwng 1860 ac 1960, *Une littérature qui se fait*, mae Gilles Marcotte yn tanlinellu'r bywiol ddeinamig gwaelodol sydd yn gwneud ei chyfrol gyntaf yn greadigaeth o bwys. Yn y gyfrol honno ceir ymdeimlad dirdynnol o unigrwydd, ac fel y gwêl y beirniad, mae'n gyfrol sydd yn herio'r modd y byddai'r Canadiaid Ffrengig yn byw yn y cyfnod hwnnw. Mae'n gyfrol, meddai, sydd yn tywys y darllenydd at 'feddrod y brenhinoedd', hynny yw i syllu'n ddi-ofn i fyw llygaid eu bodolaeth:

Les rois représentent ici la réalité extérieure, cette réalité souveraine, inattaquable, contraignante, qui effectue et condamne à la fois notre solitude. Notre solitude refuse le monde, et le monde à son tour nous condamne. Or, l'aventure du *tombeau des rois* est d'aller quand même à la rencontre du réel.[43]

Fe welsai beirniad arall, Albert Le Grand, y mae ei ysgrif 'Anne Hébert – de l'exil au royaume' yn glasur bellach o safbwynt astudiaethau o waith Anne Hébert, fod y symudiad a welir yng ngwaith y bardd i'w ddeall orau yn nhermau dychwelyd o'r 'alltudiaeth' i'r 'deyrnas'. Dywed Le Grand fod holl waith Anne Hébert yn bererindod boenus o wlad alltudiaeth hyd at 'deyrnas' y rhai byw, sef 'une douloureuse exploration de cette terre d'exil et dans ce voyage souterrain vers le royaume de l'homme'.[44] Nid yw Hébert yn sôn am holl bobl y ddaear wrth gyfeirio at y broses o fynd i'r afael â'r 'real'; sôn y mae hi am gyflwr ei phobl ei hun mewn cyd-destun arbennig, fel y dywedodd hi yn 1960. Yn ei barn hi, perthyn pobl Québec i'w thir, yn yr un modd cynhenid â'r anifeiliaid a'r planhigion – rhywbeth sy'n ganlyniad byw yn yr un amgylchedd gyda'i gilydd yw hanes, gwareiddiad a chrefydd y bobl hyn:

La terre que nous habitons est terre du Nord et terre d'Amérique: nous lui appartenons biologiquement comme la flore et la faune. Le climat et le paysage nous ont façonnés aussi bien que toutes les contingences historiques, culturelles, religieuses et linguistiques.[45]

Hefyd tybiodd nad oedd yr artist yn dyfeisio, mwy nag y bydd planhigyn yn 'creu' ei ddail. Teimlai fod gwaith y bardd yn adlewyrchiad o *psyche*'r genedl ac yn ddrych i'w dyheadau a'i hing. Dyna pam, meddai, na fedr gwaith llenor mewn gwlad fel Québec (o leiaf, rhaid dweud, yn ei chyfnod hi) fod yn rhywbeth hollol bersonol. Roedd Hébert yn anad neb, wedi cydieuo ei chreadigaeth farddonol â'r syniadau anymwybodol bron a oedd yn dechrau ymysgwyd yng nghraidd cenedl y Québécois. Yn ei rhagymadrodd i'r adran a elwir 'Mystère de la parole' (Cyfrinach y Gair), mae Hébert yn pwysleisio'r posibiliadau newydd gerbron ei chenedl, nawr ei bod yn ymysgwyd o'r hen drefn syniadol. Afiaith rhyw ysbryd newydd a deimlir ganddi wrth sylweddoli y daeth gwawrddydd byd lle bydd rhaid ailenwi'r cyfan o'r newydd. Daeth y nos i ben:

Notre pays est à l'âge des premiers jours du monde. La vie ici est à découvrir et à nommer; ce visage obscur que nous avons, ce cœur silencieux qui est le nôtre; tous ces paysages d'avant l'homme, qui attendent d'être habités et possédés par nous, et cette parole confuse qui s'ébauche dans la nuit, tout cela appelle le jour et la lumière.[46]

Beth gan hynny oedd yr ymdeimlad hwnnw a roddai gymaint o obaith, hyd yn oed os blaen gwawr ansicr a welid yn unig? Ym meddwl Anne Hébert, roedd y dymuniad i 'ddychwelyd at y real' yn ganolog i'w chanu, ac yn y bôn roedd yn ffordd arall o ddweud fod llawer o Québécois yn dechrau ymwrthod â'r ideoleg genedlaethol eglwysig a fu'r unig ideoleg swyddogol yn Québec am ganrif gyfan. Roedd dylanwad crefydd feseianaidd Ganadaidd fel eiddo Casgrain a Groulx wedi llesteirio twf llenyddiaeth a chymdeithas normal ers diwedd y bedwaredd ganrif ar bymtheg. Tuedd yr ideoleg grefyddol oedd pregethu moesoldeb cul a meseianaeth efengylaidd a hanesyddol. Roedd hanes wedi symud ymlaen ers cyfnod sefydlu'r athrawiaeth hon yn Québec, ac wedi gadael Québec hithau mewn sefyllfa 'afreal', ddigyswllt, ac alltudiedig. Byddai sylfaenydd yr ideoleg hon, y tad Casgrain, yn dadlau dros lenyddiaeth a fyddai'n canmol arwyr y genedl ac yn dyrchafu moesoldeb y bobl, a byddai realaeth (fel y nofel realaidd mewn llenyddiaeth) yn beth i'w wfftio a'i feirniadu, fel yn wir y cafodd cyfrol Anne Hébert o storïau byrion ei beirniadu'n hallt am yr union reswm hwnnw ar ddechrau'r 1950au. Yng ngwaith Hébert gwelwn ddiwedd y syniad llywodraethol a roddodd nawdd deallusol i'r hunaniaeth dan fygythiad; aeth yn rhywbeth llesteiriol, ansylweddol. Pan giliodd y syniad, gadawyd y genedl mewn stad o fudandod, heb syniad ble i droi. Y gair a ddefnyddir yn aml iawn yng ngwaith Hébert yw *songe*, sef breuddwyd neu stad o synfyfyrio. Dyma wrthwyneb y *parole* (gair) yn ei barddoniaeth sydd yn sefyll am y deffro a'r ymegnïo ac ymbalfalu tua'r goleuni ar ôl y blynyddoedd o fod yn 'gaeth'. Dywedodd y beirniad Pierre-Hervé Lemieux fel hyn: gan fod y gorffennol megis tywyllwch nos, neu ryw gyfnod pell yn yr Oesoedd Canol, nid ysbrydoliaeth mohono mwyach; daeth yn bryd i'r bobl ddeffro :

> Anne Hébert rejette pêle-mêle dans la longue *nuit* d'une pré-histoire tout ce qui précède notre réveil moderne. Le passé ne semble qu'un interminable moyen-âge, qu'une grande noirceur indistincte, qu'un long *sommeil*.[47]

Ni ellir peidio â gweld mai ymateb ydoedd hyn yn erbyn rhai o ffeithiau amlycaf bywyd Canada ers y bedwaredd ganrif ar bymtheg, sef y realiti Saesneg a Phrotestannaidd. Yn fyr, cafodd llenyddiaeth Québec hyd at y cyfnod hwnnw ei gosod mewn byd diamser, a delfrydol.

Ni fedrai'r llenor beidio ag adweithio'n negyddol i hyn, ond roedd ymgodymu'n fewnol, yn isymwybodol â'r dymuniad i fynd i'r afael â realiti yn arteithiol. Rhan o broses cyrraedd y 'presennol', chwedl Le Grand, oedd y daith ingol drwy'r nos: 'Il y a toute la nuit à traverser pour retrouver l'aube et tout l'irréel à arpenter avant d'accéder de nouveau à une géographie de l'homme.' Dyna pam y ceir yn llawer o'r farddoniaeth hon ddelweddau yn ymwneud ag anhawster bod, absenoldeb, a'r ymdeimlad o fod yn ddieithryn.

Ym marddoniaeth Anne Hébert mae grym y gair sydd yn dinistrio'r mudandod hwn sydd yn nodweddu'r afrealiti (neu'r alltudiaeth, os mynner) yn ganolog i'r broses o ymryddhad. Trwyddo mae'r genedl yn deffro o'i 'breuddwyd' ac yn sylweddoli y caiff ailafael yn ei byd a'i greu yn ôl ei dymuniad ei hun. Mae'r gerdd 'Le Tombeau des rois' yn datblygu'r syniad o dorri oddi wrth y breuddwyd, ond yn 'Mystère de la parole', cawn rym ac arwyddocâd achubol y Gair:

> Silence, ni ne bouge, ni ne dit, la parole se fonde, soulève notre coeur, saisit le monde en un seul geste d'orage, nous colle à son aurore comme l'écorce à son fruit.[48]

Ceir y dybiaeth mai byw eiliadau cyntaf y creu y mae cenedl sydd yn ailddarganfod ei gwreiddiau. Defnyddia eirfa nodweddiadol Feiblaidd. Ar ôl y breuddwyd (*songe*), daw'r gair, a'r gair a wneir yn gnawd, a rhaid gafael mewn realiti a'i enwi, a gadael yr ardd a wynebu'r byd:

> Mais voici que le songe accède à la parole. La parole faite chair. La possession du monde. La terre à saisir et à nommer. Quatre siècles et demi de racines, l'arbre non plus souterrain. Mais amené à la lumière. Debout. Face au monde. L'Arbre de la Connaissance. Non pas au centre du jardin. Ces douces limbes prénatales. Hors du paradis. En pleine terre maudite. A l'heure de la naissance.[49]

Mae gwaith Hébert felly yn gam hollbwysig a di-droi'n-ôl yn hanes llenyddiaeth Québec. Diddymir yr unigrwydd a grëwyd wrth ymwrthod â'r real, diddymwyd y mudandod a fu'n dynged cynifer o lenorion, yn arbennig felly Saint-Denys Garneau, a gwelwyd felly yn ieithwedd Anne Hébert gam pendant o'r 'alltudiaeth' i'r 'deyrnas'. Ym mhennod 4 cawn ymhelaethu ar y drafodaeth ar y cyfnod allweddol hwn yn hanes diweddar Québec yng nghyd-destun gwaith y bardd mawr Gaston Miron, sydd yn ymgorffori'r frwydr hir a dirdynnol i ailafael yn llinynnau hunaniaeth er mwyn 'ailgyfannu' pobl Québec.

Nodiadau

1 Jacques Godbout, 'Place Cliché', *Liberté*, (1981), 35.
2 M. Rioux, *La Question du Québec* (Montréal, 1978), 50–1.
3 Ibid., 69.
4 G. M. Craig (ed.), *Lord Durham's Report* (Ottawa, 1982), 23.
5 G. Bouthillier a J. Meynaud, *Le Choc des Langues au Québec: 1760–1970* (Montréal, 1972), 295.
6 J. Edwards (cyf.) *Ar Gwr y Goedwig* (Aberystwyth, 1955), 181.
7 A.Viatte, *Histoire Littéraire de l'Amérique française des origines à 1950* (Montréal et Paris, 1954), 133.
8 L. Mailhot a P. Nepveu, *La Poésie québécoise* (Montréal, 1986), 390. Ceir pobl o hyd ym Montréal sy'n cofio cael eu cyfarch â'r geiriau 'Speak White' pan fyddent yn beiddio defnyddio Ffrangeg yn siopau mawr y ddinas.
9 R. Hamel et alia, *Dictionnaire pratique des auteurs québécois* (Montréal, 1976), 219.
10 G. M. Craig (ed.), op. cit., 150–1.
11 M. Lemire, *Dictionnaire des Œuvres Littéraires du Québec*, Cyf. I (Montréal, 1978), 782.
12 J. d'Arc Lortie, *La Poésie nationaliste au Canada français: 1606–1867* (Québec, 1975), 262.
13 M. Wade, *The French Canadians* (Toronto, 1968), 352.
14 G. Bouthillier a J. Meynaud, op. cit., 26.
15 Ibid., 412.
16 J. Ménard (ed.), *William Chapman* (Ottawa, 1968), 41.
17 *Revue canadienne*, (1881), 262
18 J-P Gaboury, *Le Nationalisme de Lionel Groulx: Aspects idéologiques* (Ottawa, 1970), 59.
19 Ibid., 57.
20 Ibid., 59.
21 Ibid., 60.
22 Léon Dion, *Québec 1945–2000, tome 1, A la recherche du Québec* (Québec 1987), *passim*.
23 Ibid., 177.
24 Ibid., 138.
25 Jacques Godbout, 'Des Peuples heureux', *Liberté* (Mehefin 1983), 86.
26 Léon Dion, op. cit., 28.
27 Ibid., 29.

[28] Ibid., 99.

[29] Dyfynnir yn Dion, 99.

[30] P. Vadeboncoeur, *Un génocide en douce* (Montréal, 1976), 21–2.

[31] P. W. Birt (gol.), *Storiau Québec* (Llandysul, 1982), 170–9.

[32] J-P. Desbiens, *Les Insolences du frère Untel* (Ottawa, 1960), 55–6.

[33] Ibid., 67.

[34] Ibid., 71.

[35] Ibid., 25.

[36] H. Aquin, *Blocs erratiques* (Montréal, 1982), 88–9.

[37] Ibid.

[38] Ibid., 95.

[39] Ibid., 96.

[40] Ibid., 100.

[41] G. Marcotte, *Une Littérature qui se fait* (Montréal, 1968), 65.

[42] Anne Hébert, *Les Chambres de bois* (Paris, 1958), 103.

[43] G. Marcotte, op. cit., 296.

[44] A. Le Grand, 'Anne Hébert-de l'exil au royaume', *Conférences J.A. de Sève* (Montréal, 1967), 9.

[45] *Le Devoir*, 22 Hydref 1960.

[46] Anne Hébert, *Poèmes* (Paris, 1960), 71.

[47] P-H. Lemieux, *Entre Songe et Parole* (Ottawa, 1978), 238

[48] *Poèmes*, 74

[49] Dyfynnir yn Le Grand, op. cit., 35.

2

Catalunya

Cyhoeddwyd *Tirant lo Blanc*, un o gampweithiau rhyddiaith yr Oesoedd Canol mewn Catalaneg, yn 1490, a disgrifiwyd y llyfr gan Cervantes dros ganrif wedyn fel y gorau o ran ei arddull yn ei gyfnod: 'Dígoos verdad, señor compadre, que, por su estilo es éste el mejor libro del mundo',[1] ond ar y pryd roedd yr iaith Gatalaneg a'i llenyddiaeth gyfoethog ar fin suddo i gyfnod o ddirywiad a fyddai'n parhau tan tua chanol y bedwaredd ganrif ar bymtheg. Er i'r iaith a'r llenyddiaeth fwynhau dadeni yn ail hanner y ganrif honno a'r cyfnod hyd at y rhyfel cartref yn Sbaen, bu'n dioddef gorthrwm ffyrnig iawn am ugain mlynedd arall, cyn ailgodi pen pan ddaeth yn bosibl unwaith yn rhagor i lenydda a chyhoeddi yn yr iaith ffynnu.

Bu'r bymthegfed ganrif yn gyfnod o gampau a rhagoriaethau nodedig mewn llenyddiaeth Gatalaneg, fel barddoniaeth Ausiàs March (1397–1459), Jaume Roig (*c*.1400–78) a rhyddiaith prif awdur *Tirant lo blanc*, Joanet Martorell (*c*.1410–68). Ond daeth yr hyn a elwir gan haneswyr llenyddol Catalunya yn *decadència*, pan fu dirywiad yn safon y cynnyrch llenyddol. Roedd uno Castîl ac Aragon yn 1479 a throsglwyddo llys Catalunya i Gastîl yn elfen bwysig gan ddenu'r bonedd Catalaneg eu hiaith o lysoedd Catalunya. Bellach, roedd brenhinoedd Castîl yn penderfynu tynged Catalunya. Fel y noda Arthur Terry,[2] roedd yr holl lenorion o bwys a ysgrifennai mewn Catalaneg yn gysylltiedig â'r llys.

Beth bynnag, daliai'r bobl gyffredin a'r dosbarth masnachol i siarad Catalaneg, a hynny'n ddi-dor tan gyfnod y dadeni yn y bedwaredd ganrif ar bymtheg. Catalaneg oedd iaith swyddogol y wlad hyd at 1714, ac ni chafwyd gwaharddiad ar ddysgu'r iaith yn yr ysgolion elfennol tan 1768. Ond ar ôl dechrau'r ddeunawfed ganrif, gorthrymwyd y Catalaniaid yn fwyfwy o safbwynt eu hiaith a'u hen sefydliadau. Gyda chytundeb Utrecht yn 1713, cafodd y Catalaniaid holl hawliau'r Castiliaid, ond drwy hynny collasant eu rhai eu hunain, fel diddymu'r *fueros*, a chyda Deddf Nova Planta yn 1716 a wnaeth y Sbaeneg (Castileg) yn unig iaith swyddogol Sbaen. Yng ngeiriau Francesc Granell: 'Yng Nghatalunya chwaraeodd y llywodraeth, yr Eglwys a'r Gyfraith rôl ddinistriol yn erbyn yr iaith.'[3]

Ar ôl gwahardd y Gatalaneg yn yr ysgolion yn 1768, estynnwyd y gwaharddiad i fyd busnes yn 1772, i'r theatr (dros dro) yn 1801, a phan gychwynnodd y teleffon (1896), cafwyd gorchymyn i beidio â defnyddio iaith mwyafrif y bobl.[4] Ni ellir rhyfeddu i'r iaith ddirywio'n aruthrol yn ei phurdeb gan mai ychydig o statws oedd iddi, a'r rheidrwydd beunyddiol i ddefnyddio Sbaeneg. Cafwyd adwaith i'r argyfwng mawr i brif symbol yr hunaniaeth Gatalanaidd yn ystod hanner cyntaf y bedwaredd ganrif ar bymtheg, pan gafwyd deffroad ieithyddol, llenyddol, ac yn y pen draw gwleidyddol. Enw'r dadeni hwn yw'r *Renaixença*. Daeth nifer o elfennau ynghyd i sicrhau twf yn yr ymwybyddiaeth Gatalanaidd – a elwid wedyn yn *Catalanitat*. Ailagorwyd Prifysgol Barcelona yn 1837, ar ôl cael ei chau yn sgil Deddf Nova Planta. Pwysig hefyd oedd sefydlu'r *Academia de Buenas Letras* a gefnogai waith ar ramadeg ac orgraff, yn ogystal â chefnogi beirdd y *jocs florals* – gŵyl sy'n dwyn ar gof rai o nodweddion yr Eisteddfod. Effaith y mudiad Rhamantaidd cenedlaethol a geir yn y meddylfryd sy'n gweld bywyd a barddoniaeth a'r breuddwyd am ryddid yn ymgymysgu ac yn gobeithio gweld yr adfyd presennol yn diflannu pan godir iau'r gormeswr. Fel yng Nghymru, bu gwaith yr arloeswyr ysgolheigaidd yn ailddarganfod testunau a champweithiau'r gorffennol o gryn bwys. Cafwyd, er enghraifft, lyfr yn amddiffyn yr iaith yn 1814, sef *Gramatica i apologètica de la llengua catalana* gan Josep Pau Ballot, a gwaith ysgolheigaidd yn amddiffyn yr hen gyfraith Gatalanaidd a ddiddymwyd gan Ramon Llàtzer de Dou.[5] Ond pan giliodd y syniad Rhamantaidd, roedd yr iaith wedi magu digon o nerth fel iaith ddiwylliannol i barhau mewn ffurfiau gwahanol. Fel y dywedodd Balcells ymhellach:

A diferencia del movimiento de los poetas occitanos, la *Renaixença* no fue un simple producto del romanticismo. Al contrario, el uso literario del catalán continuó progresando bajo nuevas formas cuando decayeron las concepciones románticas, que habían rehabilitado la lengua materna exaltando la autenticidad personal y a la vez la cultura del pueblo.[6]

Ailsefydlwyd y *jocs florals* yn 1859. Un o enwau mawr y deffroad llenyddol, yr un yn wir a roes hwb i bosibiliad sefydlu llenydd-iaeth fodern mewn Catalaneg, ac a ragflaenodd y cynnydd yn ymwybyddiaeth genedlaethol y dosbarth canol newydd yng Nghatalunya, oedd Jacint Verdaguer. Yn wir, gan y beirdd yr oedd y llwyfan yn nadeni'r ymdeimlad cenedlaethol, tan tua diwedd y ganrif. Erbyn canol y bedwaredd ganrif ar bymtheg, dechreua'r haneswyr Rhamantaidd adrodd yr epig genedlaethol. Rhwng 1850 ac 1863, cyhoeddodd Víctor Balaguer ei *Historia de Cataluña y de la Corona de Aragón*, cyfrol yn llawn rhagdybiaethau Rhamantaidd am orffennol gogoneddus y dywysogaeth. Llyfr mwy ysgolheigaidd oedd *Historia Crítica de Cataluña* gan Antoni de Bofarull a gyhoeddwyd rhwng 1876 ac 1878. Roedd yn arwyddocaol fod haneswyr Catalunya yn dal i ddefnyddio'r iaith Gastileg at ddibenion gwaith ysgolheigaidd.

Arhosai'r iaith, er gwaethaf llawer o weithgarwch llenyddol a gwleidyddol, yn answyddogol. Ym myd addysg, bu'r arfer o ddysgu plentyn mewn iaith nas deallai yn rhywbeth y gellir ei gymharu â sefyllfa debyg yng Nghymru, Llydaw, Iwerddon ac enwi ond rhai enghreifftiau. Gellir barnu effaith y polisi a waharddai'r iaith o'r ysgol yn yr adroddiad canlynol sy'n perthyn i'r flwyddyn 1915:

> La imposición de una lengua que no hablamos, en la escuela es causa de analfabetismo y de ineducación. Entre el maestro y el discípulo hay una especie de muralla que impide la cordial comunicación; es la muralla de la continua ficción de disfrazar el idioma.[7]

Pan etholwyd Prat de la Riba yn llywydd y Diputación yn 1907, un o'r pethau cyntaf a wnaeth oedd sefydlu'r Sefydliad Efrydiau Catalanaidd (*Institut d'Estudis catalans*), corff academaidd a aeth ati'n syth i astudio pob agwedd ar y diwylliant

Catalanaidd mewn ysbryd o ddisgyblaeth ysgolheigaidd. Yn 1914 agorodd y Sefydliad Lyfrgell 'Genedlaethol' Catalunya. Ar yr un pryd aeth Pompeu Fabra ati gyda thîm ymroddgar i geisio 'normaleiddio'r' iaith ar sail egwyddorion gwyddonol, a hynny gyda chymorth y Diputación. Cafwyd cyhoeddiad yn gosod allan reolau'r orgraff yn 1913. Cafodd groeso gwresog yn fuan, nid yn unig yn y dywysogaeth, ond hefyd yn y broydd Catalanaidd eraill. Bu peth gwrthwynebiad gan y rhai a ymgyrchai o blaid y tafodieithoedd ond, yn gyffredinol, ffafriol oedd yr ymateb o du'r llenorion. Llwyddasai nifer o lenorion megis y bardd, Joan Maragall, a Santiago Rusiñol i godi'r iaith i safle lle ceid safonau cyson a haeddai barch. Y prif anhawster yr adeg honno oedd y gwahaniaeth barn a fodolai rhwng iaith hynafol, buraidd a hen-ffasiwn yr awduron a gefnogai'r *jocs florals* a'r iaith bob dydd ond ansafonol a glywid ar strydoedd Barcelona.

Bu dymuniad serch hynny i fathu a llunio iaith newydd i gyfarfod ag anghenion twf y ddinas fel canolfan genedlaethol. Roedd Fabra eisoes wedi cyhoeddi gwaith arloesol yn y maes ieithyddol Catalanaidd sef: *Ensayo de gramática del catalán moderno*. Dilynodd cyfres o erthyglau yn sôn am y modd technegol y gellid ail-lunio gramadeg yr iaith. Yn hytrach na bod yn ieithydd, roedd Fabra mewn gwirionedd yn ddyn a fedrai ac a lwyddodd i roi trefn ar ramadeg ac orgraff yr iaith. Dyna fu ei gyfraniad enfawr a llwyddodd ar yr un pryd i buro'r iaith o'i llygriadau Castilaidd. Ei weithiau pwysicaf yw'r *Diccionari Ortogràfic* (1917, 1923, 1931, 1937), y *Gramàtica catalana* (1918, 1926, 1933) a'r *Diccionari General de la llengua catalana* (1932). Ar sail y gweithiau hyn y crëwyd iaith lenyddol yr ugeinfed ganrif ac yn y pen draw safon lafar y cyfryngau. Er gwaethaf y gwrthwynebiad o du cefnogwyr y *jocs florals* a'r Academi de Buenas Letras, cafodd gefnogaeth y cyhoedd, ac yn y diwedd derbyniwyd ei argymhellion. Yno yr oedd trwch y boblogaeth yn byw, a phwysig hefyd oedd mai yno y ceid y bywyd deallusol.

Llwyddodd i greu fframwaith ieithyddol digon hyblyg i beidio â dieithrio'r siaradwyr o Valencia a'r Ynysoedd Balearig. Derbyniwyd y diwygiadau hyn yn frwdfrydig oherwydd eu bod yn y pen draw yn pwysleisio undod iaith a llenyddiaeth y Rhanbarthau Catalanaidd. Yn naturiol, roedd creu'r ymdeimlad hwn yn arbennig o bwysig yn rhaglen ddiwylliannol a gwleidyddol Prat de la Riba. Un a wrthwynebai'r diwygiad hwn oedd y Canon Mossèn Joan Alcover, sylfaenydd astudiaethau tafodieithoedd y Gatalaneg. Roedd ei weledigaeth yn wahanol: yn hytrach na chreu un iaith genedlaethol safonol, pleidiai ef weledigaeth ddatganoledig, a fyddai'n pwysleisio amrywiadau lleol a thaleithiol. Ei gampwaith mawr oedd y *Diccionari català-valencià-balear* (1932–62).

Cynhaliwyd cynhadledd gyntaf yr iaith Gatalaneg yn 1907. Unwaith eto yn ystod unbennaeth Primo de Rivera, cafwyd gwaharddiad ar ddysgu'r iaith yn yr ysgolion (1926). Serch hynny, llwyddwyd i sicrhau statws swyddogol yn 1932, er y collwyd hyn eto pan orymdeithiodd milwyr Franco i Farcelona yn 1938. Dyma gyfnod duaf yr iaith, o bosibl, yn y cyfnod modern, pan geisiodd y *régime* newydd ddadwreiddio'r hunaniaeth genedlaethol Gatalanaidd yn gyfan gwbl, drwy wahardd yr iaith yn drwyadl, gan gyflwyno cosbau difrifol i'r rhai a geisiai ddefnyddio'r iaith y tu allan i'w cartrefi. Ar ben hyn, ceisiwyd denu cymaint ag a oedd yn bosibl o siaradwyr Castileg i'r ardal, er mwyn tanseilio grym yr iaith Gatalaneg.

Pan ddaeth yr oruchwyliaeth newydd i Farcelona yn 1938, roedd yr iaith Gatalaneg yn iaith swyddogol yn gyfartal â'r Gastileg. Roedd gan y Gatalaneg statws swyddogol yn senedd annibynnol Catalunya, yn y weinyddiaeth gyhoeddus, yn y llysoedd barn, yr ysgolion a'r Brifysgol. Ond, cyn gynted ag y meddiannwyd dinas Barcelona gan y lluoedd Ffasgaidd, diddymwyd statws yr iaith. Mynnodd buddugwyr y rhyfel mai o fewn terfynau'r cartref a'r bywyd preifat bellach y dylid defnyddio'r iaith frodorol. O ganlyniad i'r gwaharddiad pellgyrhaeddol hwn dechreuwyd erlid y diwylliant a'r iaith Gatalanaidd. Beth bynnag fu safle neu gredo wleidyddol y bobl cyn ac yn ystod y rhyfel, dioddefodd y Catalaniaid yn ddieithriad o'r gorthrwm hwnnw. Y bwriad oedd dinistrio Catalunya fel uned genedlaethol ac fel lleiafrif o fewn y wladwriaeth Sbaenaidd. Gwnaed ymgais o hynny allan i ddifrodi bywyd diwylliannol ac ieithyddol y *paisos catalans* i'r fath raddau nes creu sefyllfa lle byddai'r iaith wedi ei darostwng i gyflwr *patois* neu dafodiaith gwbl sathredig.

Nid oedd yr awdurdodau newydd yn fodlon cyfaddef fod y Gatalaneg yn iaith. Meithrinwyd y syniad am yr iaith fel *patois*, fel hynodrwydd gwerinol, hen-ffasiwn, a gysylltid â phethau plentyndod a mebyd heb fod yn perthyn iddi agweddau diwylliannol a gwleidyddol. Buasai'r Ffasgwyr yn ymgyrchu yn erbyn yr iaith ymhell cyn y rhyfel, yn arbennig felly waith diwygiadol Fabra wrth geisio normaleiddio'r iaith, ond hefyd buont yn dra swnllyd yn erbyn y symudiad tuag at wneud yr iaith yn swyddogol. Hoffai'r Ffasgwyr cyn ac ar ôl y rhyfel fynnu fod yr iaith ynghlwm wrth ideoleg arwahanrwydd, a chan iddynt ganfod cysylltiad rhwng y cwestiwn cenedlaethol ac achos y rhyfel cartref, hawdd fu pardduo'r iaith fel rhan o'r achos am y gyflafan gyffredinol. Yn wir, nid yw'n anodd canfod ysbryd dialgar y tu ôl i'r gweithredu, oherwydd y dywedodd y Cadfridog Franco ei hun ar sawl achlysur mai un o achosion sylfaenol y rhyfel cartref oedd holl gwestiwn bodolaeth Catalunya fel lleiafrif cenedlaethol o fewn y wladwriaeth Sbaenaidd. Ar un wedd llwyddodd yr iaith Gatalaneg i oroesi orau y gallai mewn alltudiaeth dros y môr mewn gwledydd pell megis Mecsico, yr Unol Daleithiau, Canada a gwledydd Prydain. Ond oddi fewn i Gatalunya ei hun bu'n rhaid i'r iaith fynd dan ddaear er mwyn parhau.

Nid yn unig y ceisiai'r awdurdodau lesteirio datblygiad yr iaith, aethant ati hefyd i ddinistrio pob arwydd fod diwylliant gwahanol wedi bodoli yn y cyfnod cyn y rhyfel. Penderfynwyd dinistrio'r holl lyfrau Catalaneg mewn llyfrgelloedd preifat a chyhoeddus. Yn ystod y misoedd cyntaf ar ôl i'r lluoedd Ffasgaidd fynd i mewn i Farcelona cafwyd gwared ar yr holl lyfrau Catalaneg yn llyfrgelloedd y ddinas ac aethpwyd i gartrefi nifer o brif ddeallusion a llenorion Catalunya (y rhan fwyaf ohonynt wedi ffoi dros y ffin erbyn hynny) er mwyn gwaredu eu llyfrgelloedd a'u harchifau. Un enghraifft oedd llyfrgell ac archif Pompeu Fabra. Cafodd holl lyfrau'r *Generalitat* eu troi'n bwlp. Yn dilyn marwolaeth Franco yn 1975, wrth gwrs, bu cyfnod araf o adennill hen ryddid ac ailadeiladwyd pontydd rhwng pobloedd Sbaen. Yn rhannol, mae gwaith y bardd mawr o Gatalunya, Salvador Espriu, yn olrhain yr adnewyddiad hwnnw.

Er pob gormes a gorthrwm, mae'r iaith wedi para'n brif iaith mwyafrif trigolion Catalunya. Er 1983, gwarchodir yr iaith gan ddeddf newydd. Yn ôl y ddeddf honno, y Gatalaneg yw priod iaith Catalunya, a'r iaith Gatalaneg a'r Gastileg yn ieithoedd swyddogol.[8] Sicrheir hyn gan senedd ranbarthol Catalunya, a ailsefydlwyd yn 1977.

Yn y maes gwleidyddol, mae Catalunya wedi bod yn dyst ac yn llwyfan i nifer helaeth o wrthryfeloedd a rhyfeloedd. Yn y cyfnod modern gellir crybwyll rhyfel yr olyniaeth yn 1705, y rhyfel yn erbyn Napoleon yn 1808, y rhyfel Carlaidd (1835), y chwyldro rhyddfrydol (1868), yr 'Wythnos Drasig' (1909), ac wrth gwrs y rhyfel cartref (1936). Mae'n amlwg fod y cyffroadau hyn wedi tarfu'n ddifrifol ar ddatblygiad bywyd yng Nghatalunya. Er gwaethaf hyn i gyd, cafwyd llwyddiant aruthrol yn y byd masnachol yno. Bu nifer o Gatalaniaid yn chwarae rhan flaenllaw yng ngwleidyddiaeth Sbaen, fel Francesc Pi i Margall. Yn dilyn twf yr ymwybyddiaeth Gatalanaidd, y *Renaixença*, bu gwleidyddiaeth Catalunya yn dilyn trywydd cenedlaetholdeb a thrywydd cyfundrefn ffederalaidd. Roedd y dosbarth canol masnachol newydd a gododd yn wreiddiol yn sgil twf demograffaidd cefn gwlad,[9] bellach ar flaen y gad o safbwynt datblygiadau a syniadau'r chwyldro diwydiannol, a gallent feddwl mai yn eu dwylo hwy yr oedd prif obaith moderneiddio Sbaen (neu o leiaf Catalunya) yn economaidd ac yn wleidyddol. Ar yr un pryd, teimlent rwystredigaeth wrth weld sut y ceisiai'r awdurdodau canoledig atal agweddau cenedlaethol Catalunya. Ymffurfiodd y dosbarth canol newydd yn blaid wleidyddol o'r enw *La Lliga Regionalista*, gan ennill llwyddiant ysgubol yn etholiad 1907. Yn dilyn yr 'Wythnos Drasig', pan gafwyd ymgais gan anarchwyr i greu chwyldro, sefydlwyd math o senedd ranbarthol yng Nghatalunya a elwir y *Mancomunitat Catalana* (1914). Bu'r cenedlaetholwr amlwg Prat de la Riba yn llywydd cyntaf, a rhoes ar waith ei syniadau ynglŷn â gosod yr iaith a'r diwylliant Catalanaidd ar seiliau sicr. Ond diddymwyd y senedd gan yr unben Primo de Rivera yn 1925. Yng nghyfnod cythryblus y 1930au, ailsefydlwyd hen senedd Catalunya, y *Generalitat*, yn 1932 (ystatud annibyniaeth) dan lywyddiaeth Francesc Macià yn y lle cyntaf, ac wedyn Lluís Companys a gyhoeddodd y wladwriaeth Gatalanaidd annibynnol, sef *L'Estat Català*, ychydig amser cyn i filwyr Franco gyrraedd yn 1938. Diddymwyd y senedd yn 1938, a dienyddiwyd y cyn-lywydd Companys yn 1940. Ar ôl cyfnod hir o ormes a gorthrwm yn erbyn pob agwedd ar yr hunaniaeth Gatalanaidd, ailsefydlwyd y *Generalitat* yn 1977.

Yn gyffredinol gwelwn fod llenyddiaeth Catalunya yn adlewyrchu dau o'r tri phrif argyfwng a nodwyd yn y rhagymadrodd i'r gyfrol hon. Roedd y *Renaixença* yn gyfnod o ailddarganfod gwreiddiau, yn hanesyddol ac yn ieithyddol. Rhoddwyd yr iaith eto ar ei thraed fel iaith lenyddol, er gwaethaf y ffaith fod 48 y cant o'r bobl yn anllythrennog ar ddechrau'r ugeinfed ganrif.[10] Ond ni lwyddwyd i osod maen ar faen yn ddidramgwydd, oherwydd cyffroadau gwleidyddol a fygythiai ddyfodol y dosbarth canol newydd, a hefyd polisïau a fynnai gadw'r wlad yn ganoledig. Roedd peryglon cymathiad ymhlyg mewn system addysg na fynnai gydnabod y Gatalaneg.

Ceir argyfwng o fath amlwg iawn yn sgil y rhyfel cartref. Nid oes angen ymhelaethu ar effeithiau'r gorthrwm ar ôl buddugoliaeth Franco. Bu alltudiaeth yn brofiad real i filoedd ar filoedd o Gatalaniaid. Bu'r alltudiaeth fewnol yr un mor real i'r rhai a arhosodd, ac i'r rhai a ddychwelodd. Yng ngwaith Carles Riba a Salvador Espriu ymhlith eraill y clywir gliriaf y profiad hwnnw. Mae'n arwyddocaol, serch hynny, fod y ddau hyn yn dychmygu ac yn adnabod diwedd i'r 'alltudiaeth', neu yng ngeiriau Espriu:

> Però hem viscut per salvar-vos els mots,
> per retornar-vos el nom de cada cosa,
> perquè seguíssiu el recte camí
> d'accès al ple domini de la terra.
> Vàrem mirar ben al lluny del desert,
> davallàvem al fons del nostre somni.[11]

(Ond rydym wedi byw er mwyn achub y geiriau ichi, er mwyn rhoi'n ôl ichi enwau pob dim, fel y bydd ichi ddilyn y llwybr union yn arwain at feddiant llwyr o'r ddaear. Bu inni syllu'n graff i'r pellter yn yr anialwch, bu inni blymio i waelod ein breuddwyd.)

Rhan o'r un alltudiaeth a ddatryswyd oedd y gwahanol ymdrechion ers y saithdegau i sicrhau undod yr ardaloedd Catalaneg, neu'r *països catalans*. Yng nghyfnod yr Oesoedd Canol, gallai'r Gatalaneg lenyddol ymfalchïo mewn undod ieithyddol, ac fel y Gymraeg yn yr un cyfnod, prin oedd olion yr iaith sathredig a thafodieithol yn llenyddiaeth y cyfnod. Gellir cymharu'r sefyllfa hon â'r hyn a geid yn yr Eidal, Ffrainc a Sbaen Gastilaidd. Ychydig iawn o wahaniaeth a welid yn nhestunau llenorion y gogledd (Roussillon) a'r de (València). Bu rhyfel cartref Catalunya (1462–72) yn achlysur creu bwlch rhwng y Catalaniaid a'r Valenciaid. O wybod eu haruchafiaeth economaidd, a'u pwysigrwydd gwleidyddol, dechreuwyd galw'r iaith Gatalaneg yno yn *Valencià*, a mabwysiadwyd yr amrywiadau lleol yn fwyfwy i'r iaith lenyddol. Digwyddodd rhywbeth cyffelyb yn nhywysogaeth Catalunya ei hun, a olygai fod ystyr fwy cyfyng i'r gair *catalâ*. Daeth teyrnasiad y 'brenhinoedd Catholig' â newidiadau hefyd i statws a bri'r Gatalaneg gan droi'r Gastileg yn brif iaith diwylliant a gweinyddiad drwy Sbaen, a chafwyd gwedd gyfreithiol ar sefyllfa o ddiglosia yn sgil Deddf Nova Planta (1716). Chwalwyd undod ieithyddol y *països catalans* ar ôl hyn gan i'r iaith fynd yn fwy tafodieithol ei naws, a chafwyd cynnydd yn yr ymwybyddiaeth o berthyn i ranbarth neu ardal a nodweddid gan ffurf lafar ar yr iaith Gatalaneg. Collwyd felly yr ymwybod o undod yr iaith. Ar ben hynny bu mewnlifiad cyson dros y blynyddoedd i València, a olygodd fod canran uchel o eiriau a throadau ymadrodd o Aragón a Chastîl yn iaith y Valenciaid. Erbyn yr unfed ganrif ar bymtheg, roedd wedi mynd yn arferiad peidio â defnyddio'r gair *catalâ* am yr holl ffurfiau ar yr iaith, ond yn hytrach *valencià, catalâ*, a *mallorquí* (Catalaneg Ynys Mallorca). Ar ben hynny, collwyd gogledd Catalunya, neu'r Roussillon (Rosselló) i Ffrainc yn 1659. Collodd y Gatalaneg ei bri yn gynnar yno, oherwydd ei bod yn angenrheidiol gwybod Ffrangeg er mwyn dal swydd fel cyfreithiwr neu swyddog gweinyddol ar ôl 1682, ac ar ôl 1700 y Ffrangeg oedd yr unig iaith swyddogol. Dilynodd llenyddiaeth mewn *catalâ rossellonés* ei ffordd ei hun. A hyd yn oed yn yr ugeinfed ganrif, roedd gwaith y llenor gorau o'r ardal mewn Catalaneg, sef Josep Sebastià Pons yn cynnwys mwy o ddylanwadau o gyfeiriad llenyddiaeth Ffrangeg na rhai o Gatalunya. Hefyd yn y Roussillon, pledia llenorion hyd heddiw dros arfer ffurfiau tafodieithol eu rhanbarth, yn hytrach na dilyn normau eu cefndryd i'r de.[12]

Aethpwyd i frolio a dibrisio'r gwahanol amrywiadau. Taflwyd sen yn arbennig ar *valencià*, a'r ffaith fod agosrwydd Castîl wedi llygru purdeb eu hiaith 'per lo veïnat de Castella s'és molt transtornada'. Yn yr iaith lafar ym mhob un o'r rhanbarthau, parhaodd y tafodieithoedd i gael eu siarad, a chyda gorfodaeth addysg mewn Castileg, llygrwyd purdeb geirfaol a gramadegol yr iaith yn fwy. Hyd heddiw, mae dylanwad yr iaith a fu'n swyddogol am gymaint o flynyddoedd wedi gadael ei ôl ar dafod leferydd y trigolion. Y digwyddiad diwylliannol pwysicaf o safbwynt ailafael yn undod ieithyddol y Gatalaneg oedd y *Renaixança*. Mae'r ffaith mai *llemosí* a ddefnyddid yn wreiddiol gan lenorion y dadeni (er enghraifft yng ngherdd enwog

Bonaventura Aribau, 'Oda a la Pàtria', yn 1833, ond hefyd sefydlu'r *Acadèmia de les lletres llemosines* gan Constantí Llombart) yn awgrymu eu bod yn ansicr a oedd y Gatalaneg yn ffurf ar yr Ocsitaneg neu'n iaith annibynnol. Ond wrth droi'n ôl at gyfnod pan oedd yr iaith lenyddol yn unffurf, roeddynt yn rhoi mynegiant i'r ewyllys i weld undod ieithyddol Catalunya fel rhywbeth hanesyddol, a cham bach wedyn oedd gweld undod gwleidyddol y wlad hefyd. Lleisiwyd hyn yn eglur ar ddechrau'r ugeinfed ganrif gan E. López Chavarri:

> yo he sido siempre contrario a los que han querido hacer del valenciano un coto redondo, bien cerrado, exagerando las diferencias que hoy separan nuestra lengua de la catalana. Literariamente, no había más que un idioma en Cataluña, Valencia y Mallorca, y debemos tender a restablecer esta unidad.[13]

Roedd ieithwedd lenyddol llenorion cyntaf y Dadeni yn amlwg yn dra cheidwadol a phell oddi wrth yr hyn a elwir 'el català com es parla' (Catalaneg y dyn ar y stryd). Ni ddaeth y diwygiad terfynol tan nawdegau'r bedwaredd ganrif ar bymtheg pan ddechreuodd Pompeu Fabra fynd ati i ddyfeisio gramadeg ac orgraff safonol nad oeddynt yn rhy geidwadol hen-ffasiwn, nac yn rhy agos at y tafodieithoedd. Dewisodd Fabra iaith Barcelona fel y safon, oherwydd, meddai, ei 'innegable superioritat'.[14] Ni chafodd y Valenciaid ddweud llawer ynghylch y diwygiadau hyn, er y derbyniwyd y rhan fwyaf o'r diwygiadau gan ei llenorion. Nodweddwyd y cyfnod rhwng y *Mancomunidad* a diwedd y rhyfel cartref gan safon unffurf yn yr iaith. Roedd gan y *Noucentistes*, a roddai bwyslais ar glasuroldeb mewn llenyddiaeth a chelfyddyd, yn eithaf gwrthwerinol yn eu dewis o iaith, ac o bosibl collwyd peth o ruddin yr iaith yn eu gwaith. Ar ôl y rhyfel cartref, derbyniwyd amrywiadau yr Ynysoedd Baleraig, yn arbennig ar ôl cyhoeddi gramadeg Francesc de B. Moll yn 1968 a roddodd safon i'r Ynysoedd. Llwyddwyd yn y cyfnod rhwng y ddau ryfel i ailafael i raddau yn hen undod ieithyddol Catalunya, amod undod gwleidyddol. Gellir amau y collwyd peth tir ers y cyfnod hwnnw gan nad yw'r gwahanol ddeddfau annibyniaeth a grëwyd i'r prif ranbarthau Catalanaidd, sef Catanuya (1979), València (1982) a'r Ynysoedd Baleraig (1983), yn caniatáu cyd-drefnu ym materion iaith na diwylliant, ac yn hyn o beth erys 'Catalunya' fel realiti cydlynol yn nod y cyrchir ato. Gwelir perygl y bydd yr undod hwnnw yn troi'n unedau ar wahân oni chadarnheir estyn yr iaith a'i diwylliant, fel y dywedodd Joan Mira:

> només l'afermament i expansió de la cultura nacional comuna fins a ser absolutament dominant, podrà servir de pont i de ciment entre el 'poble' dels Països Catalans – que és 'un sol poble', i no ho sap – i la possible i necessària política de cara a un projecte comú.[15]

> (dim ond ymlyniad ac estyniad y diwylliant cenedlaethol cyffredin, nes ei fod yn drech, a fydd yn gallu bod yn bont ac yn sment rhwng 'pobl' y broydd Catalanaidd [sydd yn 'un bobl', ond heb wybod hynny], a'r polisi posib ac angenrheidiol am ddyfodol cyffredin.)

Yn yr adrannau nesaf, edrychir ar dwf yr hunaniaeth Gatalanaidd yn y bedwaredd ganrif ar bymtheg a'r cyfnod hyd at y rhyfel cartref, gan fanylu ar ddatblygiad beirdd y *jocs florals* a'r arwrgerdd yn y cyfnod cyntaf, ac wedyn ar ôl cyfnod yr adeiladu diwylliannol ar ddechrau'r ugeinfed ganrif, ystyrir yr ymdeimlad o alltudiaeth yng ngwaith beirdd megis Carles Riba a Salvador Espriu, yn dilyn trychineb y rhyfel cartref, a'r gorthrwm a ddaeth i ran Catalunya. Trafodir hyn oll yng nghyd-destun hanes tymhestlog Sbaen a nodweddid gan nifer o argyfyngau gwleidyddol difrifol, a oedd yn eu tro yn bygwth yr hunaniaeth Gatalanaidd newydd.

II

Y sefydliad diwylliannol a fu'n fwyaf dylanwadol yn hinsawdd y dadeni Catalanaidd oedd y *jocs florals*. Bu'r ŵyl yn ysgogi barddoniaeth yn benodol, a dyfarnai wobrau hefyd am ddramâu, hanes llenyddol a beirniadaeth lenyddol. Pwysigrwydd y *jocs*, fel yr Eisteddfod, oedd creu dolen gyswllt rhwng y cyhoedd llengar newydd a'r llenyddiaeth Gatalaneg newydd. Bu'r dewis o lywyddion y *jocs* hefyd yn arwyddocaol, gan eu bod yn bobl o fri yn y gymdeithas, o'r byd busnes, yr Eglwys a'r Brifysgol. Gwahoddid llenorion o dramor fel Mistral o Ocsitania, a rhai o nes adref fel Zorrilla o'r Sbaen Gastilaidd.

Rhaid cyfaddef mai canolig oedd safon y farddoniaeth a gynhyrchid yn y cystadlaethau hyn yn ddigon aml, o leiaf cyn i

Jacint Verdaguer ennill gyda'i gerdd bryddestaidd hir, L'Atlàntida, yn 1877. Rhaid cofio hefyd fod cefnogwyr y *jocs* fel y mudiad *Félibrige* yn neheudir Ffrainc, yn perthyn i leiafrif bychan o selogion. Mae'n debyg mai'r un fyddai ffawd y dadeni Catalanaidd ag eiddo'r *Félibrige* wedi bod oni bai fod cenedlaetholdeb Catalanaidd wedi datblygu. Roedd yr ieithwedd a nodweddai'r *jocs* yn dal yn hynafol ac yn bell oddi wrth iaith y stryd. Roedd eu syniadaeth hefyd yn hanesiol ac yn ddelfrydol. Gan mwyaf, testunau'r cerddi 'eisteddfodol' hyn oedd gwladgarwch a'r traddodiadau Catalanaidd.

Y gerdd gyntaf yn yr iaith yn yr oes fodern oedd 'La Pàtria' gan Bonaventura Aribau. Fe'i hysgrifennwyd o ganlyniad i gystadleuaeth ysgrifennu cerddi mewn nifer o ieithoedd. Daeth yn amlwg ar sail y gerdd, a lwyddodd yn fwy fel ymgais ieithyddol nag fel ymgais lenyddol, ei bod eto'n bosibl ystyried ysgrifennu mewn Catalaneg. Cynhwysai'r gerdd elfennau hiraethus am Gatalunya a'i hiaith a oedd yn apelgar i'r Catalaniaid yn yr hinsawdd gynyddol Ramantaidd.

Joaquim Rubió i Ors (1818–84), dan ei ffugenw Lo Gaiter del Llobregat, oedd y cyntaf mewn gwirionedd i droi ei law at lenydda mewn Catalaneg yn y cyfnod modern. Cyhoeddwyd ei gerddi cyntaf rhwng 1839 ac 1840, a chyhoeddwyd dwy gyfrol o farddoniaeth ganddo yn 1841 ac 1858. Yn arwyddocaol, yn rhagair y gyfrol gyntaf dywedodd y dylid creu llenyddiaeth newydd a fyddai'n adlewyrchu annibyniaeth 'ysbrydol' y Catalaniaid. Am y tro, beth bynnag, llais unig oedd ei lais ef, ond erbyn diwedd y 1850au, dechreuodd nifer o feirdd eraill ymuno ag ef, rhai fel Balaguer (1824–1901) a Mil i Fontanals (1818–84). Trobwynt yn sicr fu ailsefydlu'r *jocs*, ond tueddai arwyddair y mudiad, 'Pàtria, Fe, Amor', i ddenu llu o grach-feirdd gwladgarllyd a didalent, llawer ohonynt yn gosod pwyslais trymaidd ar agweddau clasurol a chanoloesol y *Renaixença*.[16] Agwedd batriarchaidd oedd tuag at yr Henwlad. Weithiau gwelid y wlad mewn termau hynod sentimental, gyda'r ddwy lawforwyn, ffydd a chariad, yn dod i atgyfnerthu'r ddelwedd addurnol o'r Henwlad. Creffid yn edmygus ar Gatalunya drwy sbectol hiraeth, a chanolbwyntio ar y cyfnodau hynny yn hanes y wlad pan oedd yn gallu ymffrostio yn ei gogoniannau masnachol a'i dylanwad gwleidyddol dros gyfran helaeth o wledydd Môr y Canoldir. Yn sicr, gwelent agendor anferth rhwng realiti a'r breuddwyd.

Gwaetha'r modd, esgorodd y breuddwyd am fyd perffaith hiraeth ar amherffeithrwydd barddonol. Gan gymaint oedd yr hiraeth a'r ymgiprys am hunaniaeth led-golledig y bobl, aeth y farddoniaeth yn ddi-ffrwt ac yn ddibersonoliaeth. Ymddengys mai 'fer literatura en català' (llenydda mewn Catalaneg) oedd y prif gymhelliad y tu ôl i weithgarwch y beirdd amddifad hyn. Perygl arall oedd iddynt fabwysiadu arddull rodresgar ac ym-fflamychol nes ymbellhau oddi wrth y bobl yr oeddynt am eu mawrygu. Mae'n amlwg mai tueddu i droi yn ei hunfan y bydd llenyddiaeth o'r fath, fel yn wir y gwnaeth yn Llydaw ac Ocsitania yn ystod yr un cyfnod.

Canu gwlatgarol oedd bron y cyfan o gynnyrch y *jocs florals* yn y cyfnod cyntaf hwn. Rhaid cofio, bob amser, fod y to newydd o feirdd wedi codi o'r dosbarth canol yn y ddinas. Ond bu 1877 yn flwyddyn allweddol, oherwydd dyna flwyddyn 'coroni' Jacint Verdaguer gyda'i gerdd arwrol, *L'Atlàntida*, a roes derfyn ar gyfnod cyntaf arbrofol ac ymbalfalus y *Renaixença*. Sicrhaodd y gerdd hon a'i gerddi dilynol mai ef oedd bardd pwysicaf y dadeni llenyddol. Offeiriad oedd Verdaguer a aned ac a fagwyd yn y wlad, ond a dreuliodd rai blynyddoedd fel caplan ar long a groesai'r Iwerydd yn rheolaidd. Taflwyd cysgod dros ddiwedd oes y bardd pan fu sgandal ynglŷn ag ef ac anghytuno dybryd â'r awdurdodau eglwysig, ond ni bu pall ar ei egni barddol, boed yn gerddi Rhamantaidd, telynegol, cenedlaethol, crefyddol neu gyfriniol.

Ar un olwg, fel y sylwodd Arthur Terry,[17] rhyfedd oedd gweld rhywun yn mynd ati i gyfansoddi arwrgerddi yn ail hanner y bedwaredd ganrif ar bymtheg. 'Naïf' ac 'anachronistaidd' yw ei eiriau ef. Diau fod hyn yn wir o'i weld yng nghyd-destun llenyddiaethau'r cenhedloedd mawr fel Lloegr a Ffrainc, lle chwythasai'r ffasiwn ei phlwc tua dechrau'r ganrif. Yng nghyd-destun y cenhedloedd llai, yn ymladd, i raddau mwy neu lai, yn erbyn argyfwng diwylliannol drwy fynnu creu hunaniaeth a'u dadwreiddio eu hunain o'r cyflwr anhanesiol, mae gweld gweithgarwch llenyddol lle ceir arwrgerdd neu ysgrifennu hanes cenedl mewn arddull 'arwrol' yn llai annisgwyl.

O'i ddwy arwrgerdd enwog, mae'r gyntaf, sef *L'Atlàntida*, yn gyfansoddiad sydd yn ymwneud â Sbaen, tra bo'r llall, *Canigó*, yn arwrgerdd sy'n hollol Gatalanaidd ei naws. Yn yr arwrgerdd gyntaf, ceir hanes Hercwles a dinistr Atlantis yn cael eu hadrodd wrth y Colwmbws ifanc, a hyn sydd yn ei ysbrydoli i fynd i'r Amerig. Mae'n arwrgerdd sy'n cyfuno elfennau paganaidd a Christnogol lle dangosir bydysawd lle ceir cosb gyfiawn ac adnewyddu. Yn y rhan baganaidd, gwelir Hercwles yn achub Hesperis, brenhines Atlantis, ac yn tadogi arni nifer o feibion sydd yn ôl y chwedlau yn sefydlu nifer o brif drefi a dinasoedd Sbaen. Ar un olwg, felly, arwrgerdd am sefydlu Sbaen sydd yma, ei dirywiad a'i hadnewyddiad. Mawrygir tarddiad y Sbaenwyr a'u camp wrth ddarganfod yr Amerig. Un o ryfeddodau'r gerdd, serch hynny, yw'r afiaith sydd yn ei nodweddu drwyddi draw. Ni chafwyd o'r blaen gerdd mor gyfoethog mewn geirfa a chystrawen mewn Catalaneg. Yn yr ystyr honno, mae rhai beirniaid wedi gweld arwyddocâd penodol i fframwaith y gerdd. Mae'r gerdd fel pe bai'n cyflwyno dau fyd, sef byd Atlantis sy'n prysur ddiflannu dan y don, a'r byd newydd cyffrous a arfaethir gan bwerau natur a'r môr. Mae'n epig Sbaenaidd, ond mae'n lleisio'r deffroad yn enaid y genedl Gatalanaidd:

> L'Atlàntida, en aquest concepte, és tot un miracle que separa dos mons: el d'un poble mut en l'alta vida de l'esperit, i el d'aquest mateix poble dotat ja d'un verb digne de la seva gloriosa història, digne de la seva ambició d'aparèixer davant del món amb una forta i destacada personalitat.[18]

> (Yn yr ystyr hon, mae *Atlàntida* yn dipyn o wyrth sydd yn rhannu dau fyd, sef yn gyntaf, byd cenedl fud ym mywyd uchel yr ysbryd, ac yn ail, byd yr un genedl a chanddi bellach ieithwedd sydd yn deilwng o'i hanes gogoneddus, yn deilwng o'i huchelgais i ymddangos o flaen y byd gyda phersonoliaeth gref ac ymwthgar.)

O'r safbwynt cenedlaethol, mae ei ail arwrgerdd, *Canigó* (1885), yn fwy diddorol byth, gan ei bod yn ymdrin â chwedlau a hanesion am darddiad Catalunya. Ceir eto wrthgyferbyniad rhwng y themâu paganaidd a Christnogol (nid annhebyg i'r hyn a geir yn y *Barzaz Breiz* o Lydaw). Uchafbwynt y gerdd ydyw sefydlu mynachlog Fenedictaidd Sant Martí del Canigó, sydd yn cynrychioli dinistr y nerthoedd paganaidd yn y wlad gan y Cristnogion, a sefydlu'r Gatalunya hanesyddol. Ar un olwg, mae'r gerdd yn tanlinellu'r ffaith i Gatalunya suddo i gyflwr 'anhanesiol'. Gyda hyn mewn golwg, dengys Verdaguer ei gred fod rhagluniaeth wedi chwarae rhan allweddol a chreiddiol yn hanes sefydlu Catalunya a'i pharhad. Yn hyn o beth, cawn adlais o athrawiaeth dra chyffredin mewn nifer o wledydd lleiafrifol yn y bedwaredd ganrif ar bymtheg, gan gynnwys Québec, Cymru a Gwlad Pwyl, ac enwi ond tair. Dyma ran o'r gerdd *Canigó* lle mae'r mynaich yn ymhyfrydu ym muddugoliaeth y Catalaniaid wrth iddynt ddringo i gopa mynydd Canigó:

> Oh, salve, Catalunya,
> la fosca nit s'allunya,
> la nuvolada es fon,
> i com àurea corona gegantina,
> lo sol se posa en ton puríssim front.[19]

(Oh, *salve*, Catalunya, mae'r nos dywyll yn cilio, mae'r cymylau'n chwalu, ac fel coron anferth o aur, mae'r haul yn machlud ar dy dalcen puraf.)

Mae'r corws olaf yn datgan y gred yn nyfodol Catalunya fel rhywbeth a fynnir gan Dduw:

> Pàtria, et donà ses ales la victòria;
> com un sol d'or ton astre es va llevant;
> llença a ponent lo carro de ta glòria;
> puix Déu t'empeny, oh Catalunya!, avant.[20]

(Henwlad, mae buddugoliaeth wedi rhoi ei hadenydd iti, fel haul euraid, mae dy seren yn codi, mae cerbyd dy ogoniant yn ymdaflu tua'r gorllewin, gan fod Duw, o Catalunya, yn dy yrru ymlaen!)

Ceir llawer o ailwampio ar hen *chansons de geste* yn y gerdd hon, fel y gwnaeth yr Iarll Villemarqué yn Llydaw gyda drylliau o hen ganeuon Llydaweg yn y bedwaredd ganrif ar bymtheg. Mae tirlun a thiriogaeth Catalunya lawn mor bwysig yn y gerdd â'r cymeriadau arwrol a hanesyddol. Fel hyn y disgrifiwyd y gerdd gan Arthur Terry:

In a sense, the Pyrenees themselves are the real protagonists of the poem, and it is they who embody the conflict between the symbolic world of Christianity and the densely populated nature of pagan myth. Artistically, the richness of the poem depends on its being able to make the most of both worlds: the sense of national purpose and epic severity which come with the triumph of Christianity impose themselves on the disordered beauty of the pagan supernatural . . .[21]

Mae'r arwrgerdd yn y bôn yn ymdrin ag elfennau cyntefig yn ein gwareiddiad, a daw hyn i'r amlwg yn nwy arwrgerdd Verdaguer. Daeth dwy gymwynas yn sgil gwaith Verdaguer. Yn gyntaf, turiodd i waelodion yr enaid Catalanaidd a dangos ble roedd tarddiad y genedl mewn cyd-destun mythig, mewn cyfnod pan oedd tarddiad a phwrpas cenedl yn flaenllaw. Yn ail, roedd ei waith barddonol yn ernes sicr o'r hyn y gellid ei wneud â'r iaith Gatalaneg, yn arbennig ar ôl tlodi cymharol cynfeirdd y *Renaixença*. Fel pob awdur arwrgerdd yn y gwledydd bychain, mae gwaith Verdaguer yn sylfaen lenyddol, anhepgor, oherwydd heb y cyfnod hwn yn hanes cenedl sydd yn ailymffurfio, ni ellir camu ymlaen at gyfnod y cadarnhau. Yn hanes y gwledydd bychain, mae'r arwrgerdd genedlaethol bob amser yn adrodd sut y daeth cenedl i fodolaeth, ond wrth ddwyn yr atgof hwn yn ôl i'r bobl, mae'r genedl, megis, yn cael ei geni o'r newydd. Dyna oedd neges y mudiadau pwysig a ddilynodd gyfnod Verdaguer, sef yn gyntaf Moderniaeth; ac, wedyn, datblygiad tra phwysig mewn llenyddiaeth Gatalaneg yn hanner cyntaf yr ugeinfed ganrif oedd y mudiad a elwir *Noucentisme* neu'n llythrennol 'naw-cantiaeth'. Gwelsom sut y cyrhaeddodd y llenyddiaeth newydd binacl yng ngwaith yr offeiriad a'r bardd Jacint Verdaguer. Bu cyfnod o ryw ugain mlynedd rhwng diwedd ysgol y *jocs florals* a *Noucentisme*, a elwir ran amlaf wrth yr enw Moderniaeth. Bu'r bardd Joan Maragall yn brif ladmerydd y mudiad byrhoedlog hwnnw, dyna hefyd gyfnod y pensaer rhyfeddol a ffantasïol Antoni Gaudí a adawodd ei stamp ar ddinas Barcelona hyd heddiw. Adweithiodd y llenorion Modernaidd yn erbyn sentimentaleiddiwch traddodiadol a gwerinol y *jocs florals.* Agwedd ar eu hadwaith oedd y gwerthoedd newydd a ganfyddir yn eu gwaith: greddf, emosiwn a ffantasi, ac esthetiaeth.

Credent ei bod yn hen bryd moderneiddio llenyddiaeth Catalunya a'i thywys ar hyd rhigolau cyfoes gweddill gwledydd Ewrop, a'i rhyddhau o'i hagwedd ranbarthol, a'i dibyniaeth ar lenyddiaeth Gastileg, ac i raddau llai ar lenyddiaeth Ffrangeg. Hyn sy'n egluro swyn y byd Almaenig a Sgandinafaidd i'r llenorion hyn, rhai fel Goethe, Nietzsche ac Ibsen, a gwaith Wagner. Aethpwyd ati i gyfieithu'r awduron hyn i'r Gatalaneg. Dilynwyd y duedd hon gan lenorion y *Noucentisme* yn eu hoffter hwy o bethau Seisnig ac Americanaidd. Ni ellir peidio â chofio pwysigrwydd cyfieithu'r clasuron modern i'r Gatalaneg wrth newid hinsawdd llenyddiaeth Catalunya.

Mae'n arferiad bellach derbyn y flwyddyn 1906 fel llinell derfyn mewn llenyddiaeth Gatalaneg, a gellir dweud fod y mudiad *Noucentiste* yn cychwyn o'r adeg honno. Roedd yn gyfnod eithriadol gyffrous yn Sbaen yn gyffredinol, gyda thwf pendant yn yr ymwybod gwleidyddol Catalanaidd. Yn wahanol i'r mudiad *Félibrige* yn Ocsitania, cyplyswyd yr holl weithgarwch llenyddol, celfyddydol a masnachol yn Barcelona â datblygiad pendant mewn syniadau gwleidyddol, cenedlgarol. Nodweddid diwedd y bedwaredd ganrif ar bymtheg gan nifer o lyfrau'n ymdrin â gwahanol agweddau ar yr ymwybod Catalanaidd neu *Catalanitat*.

Gellir canfod y symudiad tuag at genedlaetholdeb gwleidyddol yng nghynnwys tri llyfr a gyhoeddwyd tua diwedd y cyfnod *Renaixença*, sef *Lo Catalanisme* (1886) gan Valentí Almirall, y gyfrol *La Tradicció Catalana* (1892) gan yr offeiriad Josep Torras i Bages, ac wedyn y llyfr mwyaf dylanwadol o gryn dipyn, *La Nacionalitat Catalana* (1906) gan Enric Prat de la Riba.

Ymddengys mai Almirall oedd y cyntaf i geisio rhoi rhyw fath o ddosbarth ar y gwahanol syniadau a geid ar y pryd ac a elwid maes o law yn 'Gatalaniaeth'. Credai Almirall mai cyfrwng i achub Sbaen yn gyffredinol fyddai rhoi mesur o ymreolaeth i Gatalunya. Ym marn Almirall, gellid esbonio'r anhrefn a fodolai yn Sbaen drwy ystyried y gwahaniaethau mawr rhwng pob rhanbarth, boed yn ddaearyddol, yn ieithyddol, neu'n economaidd, a hefyd trefniadaeth y wladwriaeth a oedd yn ganolog ac yn mynnu gosod unffurfiaeth ar weddill y wlad. Awgrymai ef wladwriaeth newydd a gynhwysai gyfuniad o wladwriaethau bychain, a fyddai yn ei thro yn cydnabod cymeriad unigryw pob rhanbarth.

Gwrthodai bob beirniadaeth a welai yn ei weledigaeth ef ryw ymgais i droi'r cloc yn ei ôl. Tybiai y byddai Catalaniaeth yn fodd i ddeffro holl bobloedd Sbaen, yn union fel y llwyddodd mudiad llenyddol newydd y *Renaixença* i ddeffro'r Catalaniaid hwythau o'u trwmgwsg cenedlaethol. Y dyfodol, meddai

Almirall, oedd yn ei ddiddori. Gwelai ddyfodol democrataidd a chyfalafol fel y dyfodol delfrydol i Gatalunya, a chredai mai'r unig ffordd i gyrraedd y nod oedd drwy'r dosbarth bwrgeisiol Catalanaidd a ddatblygasai yn ninas Barcelona. Ond bu'n rhaid iddo leddfu'r elfennau gweriniaethol a lleyg a radicalaidd er mwyn denu trwch y bwrgeiswyr. Ond y prif ddylanwad yn yr ymgiprys am y tir uchel ym myd y syniadau am genedl-aetholdeb, yn sicr ddigon, oedd gŵr y mae ei waith yn allweddol i'n dealltwriaeth o dwf y syniad o *Gatalanitat*, sef Enric Prat de la Riba (1870–1917). Cyhoeddwyd ei brif waith, *La Nacionalitat Catalana*, yn 1906.

Credai Riba, mae'n amlwg, mewn math o ymdeimlad cenedlaethol dinewid. Dywedodd fod yr ymwybyddiaeth genedlaethol wedi gadael olion ei bodolaeth ym mhob cyfnod yn hanes Catalunya.[22] Yr enaid torfol, fel y'i geilw, sydd yn esgor ar y cymeriad cenedlaethol, y meddylfryd cenedlaethol, iaith, cyfraith, arferion, celfyddyd a gorffennol. Dywedai hefyd ei fod yn ystyried fod cenedl yn dal yn genedl tra yn cadw'r ysbryd cenedlaethol hwnnw. Yn hyn o beth mae Riba yn gweld y Catalaniaid yn enghraifft dda o bobl sydd wedi cadw eu cenedligrwydd er gwaethaf pob adfyd hanesyddol. Mae'n cyfleu hyn yn y paragraff enwocaf a ysgrifennodd, lle ceir y gym-hariaeth â'r hedyn yn y pridd nad yw, er gwaethaf pob argoel i'r gwrthwyneb, wedi marweiddio ond yn aros y gwanwyn cyn egino: 'Mae'r werin wedi cadw fel y mae hedyn yn cadw'r goeden o'i fewn, ysbryd y ddaear, yr iaith, yr hen arferion.' Gwêl y werin hefyd fel hedyn atgyfnerthol yn y modd yr aethant i'r trefi a'r dinasoedd yng Nghatalunya a'u hadfywio, o'r adeg honno, a hyn yn ei dro a roes fod i'r dadeni, y *Renaixença*, a arweiniodd yn ei dro at ddeffroad y genedl.

Ar sail y deffroad hwn mae Riba yn cyfiawnhau dymuniad ar ran y Catalaniaid i reoli eu materion eu hunain. Er gwaethaf hynny mae Riba yn credu yn undod Sbaen, a gwêl ffederaliaeth (sef hoff system cenedlaetholwyr mewn gwladwriaeth fawr lle nad oes fawr ddim gobaith am ddatgysylltu o'r wladwriaeth), fel y ffurf a fyddai'n diwallu anghenion Catalunya a Sbaen orau. Ni ellir gwadu ychwaith nad oedd gan Riba fel Almirall ryw elfen o feseianaeth seciwlar yn ei syniadau gwleidyddol. Fel y dangosir gan Rossinyol,[23] gobeithiai Riba weld yma estyn ac uno holl froydd Catalanaidd Sbaen (a bu ar un adeg yn dadlau dros gynnwys o fewn Catalunya rai o'r ardaloedd Ocsitanaidd yn Ffrainc) i greu'r hyn a alwai *La Catalunya Gran*. Yn ail, ac yn hyn o beth gwelir yr agwedd feseianaidd ar ei gwedd amlycaf, credai y dylai Catalunya 'orchfygu' Sbaen. Nid yn llythrennol filwrol, wrth gwrs, ond drwy orfodi derbyn ymreolaeth, a ffederaliaeth yn ei sgil, oherwydd y byddai hyn yn fodd i drawsnewid Sbaen a chreu gwladwriaeth ddemocrataidd, frawdol a rhyddfrydig.

Bu'r dylanwadau ar Prat de la Riba yn datgelu'r gogwydd imperialaidd yn ei feddwl. Ymhlith y meddylwyr a fu'n rhan o'i ffurfiant gellir enwi De Maistre, Comte, Taine, y Rhamantwyr Almaeneg, ac ysgol Albanaidd 'synnwyr cyffredin' (a fyddai'n apelio at gymeriad arbennig y Catalaniaid, yn arbennig eu 'seny' cenedlaethol). Tynnai hefyd ar ddysgeidiaeth gymdeithasol yr Eglwys, gan gynnwys rhai elfennau o waith Torrès i Bages, a oedd yn y bôn yn blediwr dros werthoedd gwledig a Phabyddol.[24] Ni ellir anghofio dylanwad y cymdeithasegydd o Sais, Herbert Spencer, ar ei waith, gan fod ganddo yntau weledigaeth organaidd neu fiolegol o'r gymdeithas, sydd yn arwyddocaol gan ei bod yn y bôn yn weledigaeth ragluniaethol (neu benderfyniaethol) o'r gymuned ddynol.

Yng nghyd-destun y bwrlwm hwn o syniadau gwleidyddol y datblygodd y mudiad llenyddol a oedd yn fodd i gryfhau seiliau'r cenedligrwydd Catalanaidd newydd, a hynny mewn cyfnod o dynnu torch rhwng y rhanbarthau a'r canol ym Madrid. Fel y gwelsom, bathwyd y gair *Noucentisme* gan y bardd Eugeni d'Ors, a dyna'r enw cyffredin ar y mudiad llenyddol pwysicaf a fu'n llais i'r *Catalanitat* dinesig a chenedlaethol. Amddiffynnai'r estheteg hap-a-damwain (neu *art arbitrari*) – hynny yw, y dylai celfyddyd fod yn 'simsan' yn yr ystyr ei bod yn torri'n rhydd yn gyfan gwbl rhag y traddodiad a fodolai eisoes, yn arbennig yr hyn a welwyd fel 'gweringarwch' llenyddiaeth y bedwaredd ganrif ar bymtheg. Dyma ymwrthod felly â chefn gwlad fel llwyfan y byd Catalanaidd, a'i gyfeirio o hynny allan at y ddinas. Y tu ôl i'r syniad roedd gobaith am ailsefydlu, yn lle'r traddodiad gwledig, draddodiad a oedd wedi bodoli yn ystod y Dadeni Dysg yng Nghatalunya. Mynnai'r ysgol greu clasuroldeb rhesymol yn groes i'r anarchiaeth emosiynol a grëwyd gan Foderniaeth. Yn anad dim, gweodd ideoleg o amgylch y syniad o'r ddinas, a hynny mae'n amlwg yn groes i ddelfryd y byd gwledig a welir yn nofelau rhai megis Víctor Català, neu'r ddrama wledig.

Nid estheteg ffwrdd-â-hi mohoni o gwbl ond rhoddwyd pwyslais ar ffurfioldeb caeth a phris mawr ar gyneddfau'r deall, a gynhwysai argyhoeddiad fod yn rhaid wrth estheteg 'genedl-aethol' a swyddogol a fyddai'n sicrhau llwyddiant i bolisïau diwylliannol y *Mancomunitat* (1913), sef llywodraeth ranbarthol Catalunya a gafodd y cenedlaetholwr, Enric Prat de la Riba, yn llywydd cyntaf iddi.

Am y tro cyntaf erioed daeth bywyd diwylliannol Catalunya i fod yn rhan anhepgor o unrhyw bolisi yn ymwneud â dyfodol y Dywysogaeth. Parhâi'r genedlaeth gyntaf o *Noucentistes* i arbrofi; gwelir hyn yng ngwaith Josep Carner, Guerau de Liost a Josep M. López Picó, ond tueddai'r ail genhedlaeth, sef Carles Riba, Carles Soldevila a Joaquim Folguera, i fod yn fwy academaidd bur, yn fwy caeth eu mynegiant, eu deunyddiau'n fwy unffurf, a'u hieithwedd yn bell o fywiogrwydd yr iaith lafar. Roedd y mudiad tan y 1930au yn fudiad o feirdd gan mwyaf, ac er rhoi nofel wledig ei naws o'r neilltu, ni ddaeth fawr neb i lenwi'r bwlch, a dangosodd hyn beth cyfyngder o fewn y mudiad. Pan ddechreuodd rhai awduron ysgrifennu nofelau yn y 1930au prin yr oedd eu gwaith yn adlewyrchu eu cymdeithas na'u cyfnod. Nodwedd gadarnhaol y mudiad oedd y dymuniad i greu sefyllfa o normalrwydd diwylliannol, ond roedd ei geidwadaeth ideolegol yn gyfryw ag i fygu llawer o dalent. Roedd cyfnod y *Noucentisme* (hyd at y rhyfel cartref) yn gyfnod a welodd hyrwyddo llenyddiaeth a phroffesiynoldeb y llenor. Er bod arwyddion fod y mudiad yn dechrau arafu erbyn diwedd y 1930au beth bynnag, ni ellir dweud fod y mudiad wedi darfod amdano'n llwyr tan farw Carles Riba yn 1959.

Gellir deall dyfodiad mudiad *Noucentisme* yn nhermau buddugoliaeth y dosbarth canol newydd yng Nghatalunya. Bu'r ganrif flaenorol yn llwyfan gwrthdynnu rhwng y dosbarth newydd hwn a'r gymdeithas draddodiadol wledig. Bu awduron fel Narcís Oller a Vilanova yn cynrychioli'r ddinas ac, erbyn y ganrif newydd, roedd dylanwad y dosbarth canol wedi tyfu'n aruthrol yn y ddinas, felly nid syndod ydyw gweld *Noucentisme* yn adlewyrchu'r ffaith honno.

Roedd ymateb Eugeni d'Ors, sylfaenydd y mudiad yn ffyrnig yn erbyn Rhamantiaeth wledig. Iddo ef roedd y bedwaredd ganrif ar bymtheg yn 'ddwl' (*l'estupid segle XIX*). Os oedd gwlad a thref yn byw mewn rhyw fath o briodas yn ôl ei syniad ef, rhaid oedd i'r dref – neu'n fwy penodol – y *ddinas* 'wisgo'r trowsus'. Yn sydyn, meddai, roedd y ddinas wedi sylweddoli ei bod yn ddinas:

> les noves actituts es caracteritxen a Catalunya per aquest fet: la Ciutat adquereix consciència que és Ciutat. I comença a caractitzar-se per aquest altre: les Serres s'inicien en consciència de què és Ciutat.[25]

> (mae'r agweddau meddwl newydd yn cael eu nodweddu yng Nghatalunya gan y ffaith hon: daeth y Ddinas i sylweddoli ei bod hi'n Ddinas. A daw hithau i sylweddoli'r ffaith ganlynol: fod cefn gwlad yn dechrau dod yn ymwybodol o fodolaeth y Ddinas.)

Tua 1906 dechreuodd Eugeni d'Ors gyhoeddi ei ddaliadau ynglŷn â'r *art arbitrari*, a fynnai ailgydio yn llinynnau'r dadeni o'r bedwaredd ganrif ar ddeg yng Nghatalunya er mwyn creu llenyddiaeth a fyddai'n deilwng o'r beirniaid dinesig, mwyaf didderbynwyneb. Fel y dywedodd Carles Riba, nid mater o barhau traddodiad y dadeni yn ei syniadaeth hanesyddol oedd hyn, ond parhad o'r athrawiaethau dyneiddiol a fu wrth wraidd ei awduron, ac nid efelychiad slafaidd o'r ddyneiddiaeth glasurol yn eu gwaith, ond parhad o'r ddyneiddiaeth honno yn nhermau'r dyn cyfoes.[26] Ar ben hynny daeth iaith a ffurf yn dra phwysig i'r llenorion newydd.

Bu Riba fel eraill o'i genhedlaeth yn hynod ymwybodol o'i ddyletswydd yn y maes ieithyddol. Dyna gyfnod pan geisiwyd rhoi trefn barhaol ar normau'r iaith lenyddol, o ran gramadeg ac orgraff (fel y gwelwn, Pompeu Fabra a fu'n bennaf cyfrifol am hynny). Ond chwaraeodd Riba ei ran yntau yn y gwaith o ddefnyddio a pherffeithio'r mynegiant ieithyddol hwnnw, a chodi'r safonau newydd hyn a grëwyd gan Fabra i dir uwch drwy fabwysiadu safonau llenyddol newydd a argymhellwyd gan d'Ors.

Cymaint fu'r bri ar y mynegiant perffaith hwnnw nes darostwng pwysigrwydd thema ac arwyddocâd moesol er mwyn tra-dyrchafu'r perffeithrwydd ieithyddol uwchlaw popeth arall o'r bron. Daeth ffurf ieithyddol ac arddullegol ill dwy yn nodweddion diymwad ar lenyddiaeth Gatalaneg yr ysgol 'swyddogol' hon. Yn hyn o beth cynrychiolai *Noucentisme* gam newydd i ffwrdd oddi wrth safonau ansicr y genhedlaeth flaenorol. Yn ddiweddarach, dan ddylanwadau estron, Ffrengig yn enwedig, bu symboliaeth yn fodd i ryddhau'r gair barddonol mewn ymgais i greu barddoniaeth bur.

Wrth sôn am yr iaith rhaid cofio fod Riba yn ystyried fod yr iaith Gatalaneg hyd yn oed yn 1921 yn iaith a oedd yn dal i ddatblygu o ran safonau arddull. Meddai yn y flwyddyn honno:

> Dels estils, no es pot preveure on aniran a parar. Sembla llei inexorable que tot escriptor nostre s'hagi de debatre personalment amb una munió de problemes de gust . . . comencen allá on acaba la jurisdicció de la gramàtica i del diccionari, és a dir, del convenció: som a l'alta mar de l'estil.[27]

> (Ni ellir rhagweld ble bydd yr arddulliau'n sefyll. Mae'n debyg y bydd rhaid i bob un o'n llenorion ddadlau'n bersonol â chruglwyth o broblemau yn ymwneud â chwaeth . . . mae'n debyg y byddent yn dechrau lle mae rheolau gramadeg a'r geiriadur yn gorffen, hynny yw, ar weddillion confensiwn: rydym ar y môr mawr lle mae arddull yn bod.)

Cwestiwn arall a wynebai'r llenorion *Noucentistes* oedd sut i *greu* traddodiad addas i'w llenyddiaeth newydd. Gan eu bod yn barotach i droi tua'r tu allan (roedd hon yn duedd wleidyddol hefyd, wrth gwrs) nac edrych ar y byd Iberaidd am eu hysbrydoliaeth (rhaid cofio fod Catalunya ar y blaen i weddill Sbaen yn economaidd ac yn wleidyddol), roedd perygl gwirioneddol mai cymryd 'cwrs y wenynen a sugno llawer llysieuyn' fyddai'r dull, ac wrth gasglu dylanwadau cosmopolitaidd felly byddai'r gwir draddodiad Catalanaidd yn diflannu.

Roedd ambell un, fel J. V. Foix, wedi ymateb yn erbyn y tueddiadau i fynwesu popeth tramor. Gosodai ef y pwyslais ar yr hen awduron o'r Dadeni canoloesol fel Bernat Metge, Jordi de Sant Jordi neu fardd enwocaf y cyfnod hwnnw, Ausiàs March. Barnai mai wrth gofleidio'r traddodiad dyneiddiol brodorol yr oedd gan lenyddiaeth Gatalanaidd y cyfle gorau i ymuno â llenyddiaeth gyfoes Ewrop. Pwysleisiai felly'r gwreiddiau brodorol (a berthynai i'r cyfnod o normalrwydd gwleidyddol pan fo modd ystyried Catalunya yn rhan gyfunol o Ewrop). Nid oedd y beirdd yn fyddar i apêl o'r fath; mae barddoniaeth Riba, er enghraifft, yn dangos dylanwad Ausiàs March, y bardd cyntaf, gyda llaw, i gyfansoddi mewn Catalaneg yn unig. Mae'r

---

dylanwad yn un amlochrog o gofio nodweddion y bardd hwnnw, sef un a ddefnyddiai farddoniaeth fel modd i dreiddio i'r hunan er mwyn cyrraedd hunanadnabyddiaeth. Roedd dewis bwriadol March i ddefnyddio'r Gatalaneg fel ei unig gyfrwng yn bwysig: chwiliai am iaith a fyddai ag un ergyd, yn rhyddhau ei farddoniaeth oddi wrth gaethiwed confensiynau'r farddoniaeth Brofensaleg. Mae'r ddwy agwedd, hunanadnabyddiaeth ac annibyniaeth, yn nodweddion dyneiddiol y gallai'r beirdd newydd *Noucentistes* eu cofleidio'n frwdfrydig. Roedd symboliaeth fel mudiad llenyddol yn bwysig hefyd i fardd fel Riba, yn arbennig felly yr agweddau ysbrydol yn ei ddull o weld y byd, ond efallai mai newydd-deb y dulliau mynegiant a ddenai rai fel Riba. Roedd y *Noucentistes* fel mudiad yn ymwthio i gyfnod newydd lle byddai Catalunya yn ymffurfio'n endid annibynnol.

Yn y byd dyneiddiol hwnnw roedd delfrydiaeth yn ddrych i'r gobeithion dyfnach a goleddid gan bawb a ymgyrchai o blaid twf yr athrawiaeth Gatalanaidd, neu *Catalanitat*. Daeth Catalunya a'i dinas, Barcelona, yn wrthrychau delfrydol a fyddai'n cael eu sylweddoli mewn breuddwyd ac yn y dyfodol. Pan gymerodd y dosbarth canol yr awenau ar ddechrau'r ganrif ar ôl i Sbaen golli ei threfedigaethau, a fu'n achos y fath brotest gyffredinol gan fonedd a gwreng, roedd â'i fryd ar greu Catalunya ddelfrydol, a fyddai'n 'annibynnol, yn rhyddfrydig, yn ganolfan dysg ac yn agored i'r byd'.[28] Afraid dweud, mae'n debyg, fod y syniad hwnnw'n groes i syniadaeth yr awdurdodau canolog ym Madrid. Ni ellir peidio â sylwi ar bwysigrwydd Barcelona yn holl ddeffroad llenyddol a gwleidyddol Catalunya. Oherwydd mai yno yr oedd y niferoedd mwyaf o'r dosbarth canol a'r proletariat, daeth yn fuan yn brifddinas ddiwylliannol i'r holl froydd Catalaneg.

Dywedodd Fuster na fyddai'r *Renaixença* (na chwaith y mudiadau a dyfodd allan ohoni, sef Moderniaeth a Noucentistiaeth) byth wedi gallu datblygu i fod yn rhywbeth mawr, oni bai am y ddinas; byddent wedi aros fel y *Félibrige* yn neheubarth Ffrainc, 'un passatemps patriòtic de senyors rurals, doctes i enyoradissos sense cap transcendència'.[29] Hynny yw, byddai llenydda wedi troi'n weithgarwch hamdden i wŷr bonheddig, y mân fonedd a chlerigwyr. Fel y soniodd Balcells,[30] roedd y ddinas hefyd yn ganolfan y sefydliadau newydd fel y *jocs florals*, Prifysgol Barcelona a'r Academia de Buenas Letras. Wrth i'r mudiad *Noucentiste* gael ei draed dano daeth y ddinas fel petai'n ymwybodol ohoni ei hun, nes mynd yn fath o 'ddinas ddelfrydol', rhagor na'r byd gwledig a aeth yn ymylol i'r athrawiaeth swyddogol newydd. Ac yn y ddinas ddelfrydol cafwyd athroniaeth a dyfodd o'r byd hyddysg, dyneiddiol newydd a grëwyd gan y llenorion.

> Barcelona, és a dir, la Ciutat cantada, donc, no és la real: la *vulgar* de cada dia, carregada de misèries i mesquineses, bruta, encesa per les lluites de classe, sinó una d'ideal: projecte més que no pas reproducció.[31]

(Nid yw Barcelona, sef y Ddinas y mae'r beirdd yn canu amdani, yn un real: yr un gyffredin bob dydd, yn llawn tlodi a bryntni, yr un arw a losgir gan frwydrau dosbarth, ond yr un ddelfrydol: cynllun i'r dyfodol yn hytrach nag adlewyrchiad.)

Mae'r 'ddinas ddelfrydol' honno yn ymddangos ym marddoniaeth d'Ors, Guerau a Carner yn arbennig. Hyd yn oed cyn hynny canodd y bardd blaenllaw Joan Maragall ei *Oda Nova a Barcelona*, ac mewn cywair hollol wahanol canodd Pere Quart ei *Oda a Barcelona* yn 1936. Felly arllwyswyd holl obaith y Catalaniaid i'r ddelwedd honno, ac nid yw'n beth annisgwyl gweld y ddelwedd, sef delwedd y ddinas Feiblaidd, a dinistr y 'Deml' yn ymddangos mewn cyfnod diweddarach yng ngwaith Salvador Espriu. Ceir y ddelwedd o'r ddinas ddistryw a'r deml eisoes yng ngwaith Màrius Torres sy'n dyddio o 1939, yn *La Ciutat llunyana* ac *El temple de la mort*, lle gwelir y ddinas wedi'r rhyfel, a deugain mlynedd o adeiladu diwylliannol a gwleidyddol yn adfeilion. Rhan o'r ddelfryd am hunaniaeth newydd a adeiladwyd ar gampau'r dadeni Catalanaidd yn y bedwaredd ganrif ar bymtheg oedd *Noucentisme*. Roedd yn mynegi'r awydd am ddatblygu ar wahân i weddill Sbaen, yn enwedig y Sbaen draddodiadol, Gastilaidd, derfysglyd ei hanes. Ond hyd yn oed cyn trychineb y rhyfel cartref, roedd *Noucentisme* megis yn colli gwynt, gan nad oedd ei chlasuroldeb yn adlewyrchu'r gymdeithas Gatalanaidd yn gwbl onest.

Eisoes rhwng 1936 ac 1939, roedd cenhedlaeth newydd o lenorion wedi codi a heriai'r drefn newydd, sef yr enwog *Generació del 36*, a gynhwysai lenorion fel Bartomeu Rosselló-Pòrcel, Joan Vinyoli a Salvador Espriu. Bu gan y to newydd hwn ddiddordeb effro mewn llenyddiaeth Gastileg rhwng 1898 ac 1927, a hyn a fu'n gyfrwng i Espriu fagu ei ysbryd pesimistaidd a dychanol tuag at y ddinas ddelfrydol a godwyd yn Barcelona. Ond dros gyfnod o ugain mlynedd bu'r rhyfel cartref a'i ganlyniadau'n ergyd farwol i'r holl agweddau ar y bywyd diwylliannol Catalanaidd.

III

Tua diwedd y rhyfel cartref Sbaenaidd, pan orchfygwyd y lluoedd Gweriniaethol yng Nghatalunya, croesodd nifer helaeth o'r awduron Catalanaidd y ffin rhwng Sbaen a Ffrainc. Yn hyn o beth ymunasant â'r dorf anferth o ddinasyddion o Gatalunya a gweddill Sbaen a ddewisodd alltudiaeth yn hytrach na byw dan y drefn newydd a fyddai'n disgyn ar y rhanbarth maes o law. Bu llawer yn y lle cyntaf yn aros mewn gwersylloedd, gwestai a chartrefi cydwladwyr ym Montpellier a Toulouse. Cynigiodd Mecsico noddfa a lloches i rai miloedd ohonynt (gan gynnwys y llywodraeth mewn alltudiaeth) a'u derbyn wedyn pan ddaeth y rhyfel i derfyn. Yn y pen draw amcangyfrifir bod tua hanner miliwn o ffoaduriaid o Sbaen wedi croesi'r Iwerydd am America Ladin.[32] Nid oedd llawer o ddewis i'r rhai a ffodd o Sbaen, gallent aros yn y lle cyntaf mewn sefyllfa ddigon ansicr yn Ffrainc, a phenderfynodd llawer o weld y datblygiadau yng ngweddill Ewrop mai'r dewis callaf oedd mynd i'r America.

Y wlad fwyaf croesawgar o dipyn i'r ffoaduriaid oedd Mecsico, ac yna Chile ac Ariannin. Bu'r alltudiaeth dramor yn ysbrydoliaeth lenyddol i nifer o'r llenorion hyn, er gwaethaf enbydrwydd y profiad yn ddigon aml. Gellir tybio fod modd deall llawer o waith y storïwr Pere Calders o'r safbwynt hwn.[33] Mae gwaith alltud arall, Lluís Ferran de Pol, hefyd yn adlewyrchu nifer o themâu tramor, fel byd cynnar Mecsico, yn *Abans de l'alba*, a *La ciutat i el tròpic*. Aeth nifer llai o'r ffoaduriaid i'r Unol Daleithiau, Ariannin a Phrydain Fawr. Cafwyd ambell lyfr mewn Catalaneg yn disgrifio'r alltudiaeth yn Lloegr, er enghraifft *Aquell verd anglès* gan Carles Pi Sunyer a adolygwyd gan Joan Triadú yn ei lyfr am y diwylliant Catalaneg yn y cyfnod yn union ar ôl y rhyfel, sef *Una Cultura sense Llibertat* (1978). Fe ymsefydlodd rhai o ddisgynyddion yr alltudion hyn yng

Nghymru hefyd.[34] Os rhoddwyd taw sydyn ar lenyddiaeth Gatalanaidd yng Nghatalunya ei hun, fe wnaed ymdrech benderfynol i sicrhau parhad i'r llenyddiaeth a'r hunaniaeth ddiwylliannol Gatalanaidd yn y *diaspora* newydd. Cafodd cryn nifer o lyfrau Catalaneg eu cyhoeddi yn America Ladin, llawer ohonynt yn ymdrin nid â'r alltudiaeth fel y cyfryw na'r rhyfel ond yn hytrach ymddangosai fel pe baent o fwriad yn osgoi wynebu'r sioc ddiwylliannol ac emosiynol a'u goddiweddodd. Bu llawer o gyhoeddi cylchgronau yn yr iaith yn America hyd yn oed cyn y rhyfel, megis *Germanor* er 1912 yn Santiago de Chile, a *Resorgiment* er 1916 a *Catalunya* er 1930 yn Buenos Aires. Felly yng nghyd-destun y cylchgronau hyn a rhai tebyg y braenarwyd y tir ar gyfer cyhoeddi llenyddiaeth alltudiol a gynhwysai storïau byrion, cerddi ac erthyglau gwleidyddol. Dechreuodd cnwd cyntaf y llenorion Catalaneg mewn alltudiaeth o weisg Buenos Aires yn 1939 dan yr enw cyffredinol, *La Agrupació d'Ajut a la Cultura Catalana*, dan nawdd y cylchgrawn *Catalunya*. Ond o ddinas Mecsico y dechreuwyd cyhoeddi'r cylchgrawn cyntaf a dyfodd yn uniongyrchol o'r alltudiaeth, sef *La revista dels catalans d'Amèrica*. Yn Ffrainc hyd at yr Ail Ryfel Byd bu amrywiaeth o fân gylchgronau gwleidyddol, yn ogystal ag ymgais i ymdrin â llenyddiaeth. Rhaid dweud serch hynny mai yn ninas Mecsico y cafwyd y crynhoad mwyaf o lenorion Catalaneg yn ystod cyfnod cyntaf yr alltudiaeth, nifer ohonynt yn dal perthynas â cholegau a phrifysgolion y wlad.[35] Hyd yn oed os dychwelodd cryn nifer o'r ffoaduriaid (gan gynnwys llenorion) i Gatalunya ar ôl ysbaid gymharol fer o amser, dewisodd rhai ddangos eu gwrth-wynebiad llwyr i'r gyfundrefn ormesol drwy aros dramor. Dyna a wnaeth y canwr soddgrwth bydenwog, Pau Casals, y beirdd, Josep Carner a Ventura Gassol, a llu o rai tebyg.

Yn naturiol, wrth gwrs, roedd buddugoliaeth filwrol y lluoedd Ffrancoaidd yn ddinistriol o safbwynt y gymuned Gatalanaidd. Bron dros nos, pan oedd Catalunya ar fin troi'n rhanbarth annibynnol, cafodd y cyfan ei ysgubo i ffwrdd, a gwelid Catalunya unwaith eto fel y rhanbarth 'gwrthryfelgar' yn erbyn awdurdod y canol. Drwy rym arfau a meddiannu milwrol collodd Catalunya ei holl bersonoliaeth wleidyddol a chafodd bob mynegiant o'i hunaniaeth genedlaethol a diwylliannol ei wahardd. Daeth unrhyw fath o ddialog rhwng Catalunya a'r canol yn amhosibl, a rhaid oedd, yng ngeiriau Rossinyol, i'r 'bobl

Gatalanaidd ddistewi'.[36] Aeth y Catalaniaid yn bobl a nod-
weddid bellach gan eu mudandod diwylliannol a chymdeith-
asol. Os oedd y rhai a adawodd y wlad yn byw dan anawsterau
ac ing alltudiaeth, roedd y rhai a arhosodd gartref hefyd yn byw
alltudiaeth fewnol. Cawsant eu torri oddi wrth eu cymdeithas eu
hunain, heb foddion i gyfathrebu:

> C'est le début de la longue phase de silence, un silence plein
> d'humiliation et de peur, de désorientation et d'impuissance, de
> colère et d'amertume.[37]

Soniodd yr un awdur am y sefyllfa honno yn y termau hyn:
roedd fel petai Catalunya wedi ei hamgau yn ei chastell ei hun
tra oedd Franco a'i filwyr yn meddiannu'r diriogaeth. Ond nid
un castell oedd yno ond miliynau, ac ni fedrai Franco ymosod ar
y rhain. Defnyddiodd Franco'r holl bropaganda wrth law er
mwyn dilorni'r hunaniaeth Gatalanaidd, pethau digon an-
achronistaidd megis 'tenemos voluntad de imperio' (rydym yn
awyddus i greu ymerodraeth), 'rojos separatistas' (arwahanwyr
coch) wrth sôn am genedlaetholdeb Catalanaidd, 'comunidad de
destino' (cymuned [=Sbaen] a grëwyd gan dynged).

Fel y dywedodd yr awdur blaenllaw, Manuel de Pedrolo, gan
ddefnyddio'r ddelwedd a boblogeiddiwyd gan Prat de la Riba,
roedd gan hen genhedloedd wreiddiau dwfn a gwydn, a gallent
fod ynghwsg am lawer blwyddyn, a'u canghennau'n cael eu
rhwygo gan wyntoedd a rhew, ond o dan y ddaear maent yn dal
i weithio a chasglu nerth, ac er gwaethaf pob argoel eu bod wedi
darfod, gallent ailddarganfod nerth newydd a sydyn, yn achos y
bobl honno, y *Catalanitat* (yr ysbryd Catalanaidd) sy'n sicrhau
parhad y nerth hwnnw.[38]

Y mudandod sy'n nodweddu'r cyfnod hwn yw'r ffigur a
ailadroddir yng ngwaith sawl awdur a fentrodd olrhain hanes y
cyfnod yn union ar ôl y rhyfel. Yn aml, rhoddir hyn yng nghyd-
destun yr alltudiaeth fewnol. Er enghraifft, yng ngeiriau Jorge
Campos: 'Y mudandod, y gwrthwynebiad er mwyn peidio â chael
eich llyncu yng nghrombil y gyfundrefn, y brotest fud a diollwng –
dyna fu'r alltudiaeth fewnol hefyd.'[39] Sylwodd Balcells[40] yntau fod
y Catalaniaid a arhosodd wedi eu condemnio i ddistawrwydd, a
bod yr iaith a'r llenyddiaeth megis wedi eu cludo i ffwrdd gyda'r
diaspora i'r America. Ar y llaw arall, mae'r beirniad llenyddol, Joan

Triadú, yn mynnu nad safbwynt o brotest yn anad dim oedd y mudandod hwnnw ond cyflwr yr oedd pawb yn gyfrannog ohono. Sonia'n neilltuol am y beirdd a fu'n barddoni tan ddiwedd y rhyfel ond a ddistawodd wedyn, ac roedd y mudandod hwnnw'n diffinio'r blynyddoedd cyntaf yn y cyfnod wedi'r rhyfel.[41]

Gellir dweud fod y cyfnod gwaethaf o fudandod wedi para deng mlynedd. Esgorodd y diffyg cyfathrebu (o safbwynt lledaenu defnyddiau yn yr iaith) ar boblogrwydd newydd i'r iaith lafar. Gellir dweud fod 'cyhoeddi' llyfr cyntaf Salvador Espriu, *Cementiri de Sinera*, yn achlysur troi'r mudandod hwnnw i'w ffurf farddonol fwyaf addas, sef cyfrol sy'n fyfyrdod poenus am wlad sydd yn ymddangos fel petai wedi marw. Gellir dweud ar gorn hynny fod y llyfr wedi ei gynhyrchu'n danddaearol, ac na chafodd neb heblaw cylch bach iawn o lengarwyr y cyfle i'w adnabod. Ategir y sefyllfa hon o gynulleidfa hynod gyfyngedig gan Joan Fuster.[42] Dywed na chyhoeddwyd yr un llyfr Catalaneg am bedair neu bum mlynedd ar ôl y rhyfel. Cafodd yr awduron eu hysgaru'n llwyr oddi wrth eu darllenwyr, a darllenwyd eu gweithiau mewn tai preifat: yn wir, y rhan fwyaf o'r darllenwyr oedd y llenorion eu hunain. Gan Castellet a Molas y crynhoir y sefyllfa orau i gyd efallai:

> I fou el silenci: un silenci ple d'humiliacions i de por, de desorientatió i d'impotència. Fou un silenci dens, que traduia la incomunicabilitat més absoluta: els esperits dividits; els homes separats físicament i geogràficament; els mitjans de comunicació amb els lectors, perduts; la societat, desfeta; l'esperança, incerta.[43]

> (A daeth distawrwydd: distawrwydd llawn israddoldeb ac ofn, diffyg cyfeiriad ac anallu. Roedd yn ddistawrwydd llethol, a gyflewyd yn y diffyg cyfathrebu mwyaf pendant: roedd meddyliau yn cael eu rhannu; rhannwyd dynion yn gorfforol ac yn ddaearyddol; collwyd dulliau cyfathrebu gyda'r darllenwyr; drylliwyd cymdeithas; roedd gobaith yn ansicr.)

Bu'r argyfwng hwnnw, wrth reswm, yn achlysur pan fu rhaid ystyried arwyddocâd yr alltudiaeth allanol *a* mewnol yn ddifrifol o safbwynt parhad yr hunaniaeth Gatalanaidd. Os gwyddom heddiw i'r hunaniaeth honno gael ei hadfer tua diwedd y 1960au ac ers hynny, nid oedd yn amlwg y deuai'r diwrnod hwnnw byth yn y cyfnod wedi'r rhyfel.

Mae thema alltudiaeth o fewn cyd-destun argyfwng cenedl-aethol ac ysbrydol yn mynd yn thema bwysig yn y cyfnod pan ddechreuodd llenorion, yn enwedig y beirdd, ailafael yn eu gwaith. Ymgodymodd tri bardd yn enwedig â'r thema honno, dau ohonynt a fu eisoes yn amlwg yn y mudiad Noucentistaidd sef Josep Carner, Carles Riba, a'r llall a drafodir yn fwy manwl yn nes ymlaen yn y gyfrol hon, sef Salvador Espriu, bardd mwyaf Catalunya yn yr ugeinfed ganrif.

Gellir ystyried fod gwaith y ddau fardd cyntaf yn cynrychioli'r alltudiaeth allanol (er i Riba ddychwelyd yn fuan wedyn i Sbaen), tra bod gwaith Espriu yn cynrychioli'r alltudiaeth fewnol. Mae'r rhan fwyaf o'r farddoniaeth a gyfansoddwyd yn yr alltudiaeth yn dwyn olion y profiad hwnnw – efallai nad alltudiaeth mo'r thema ganolog yng ngweithiau pob bardd a groesodd y ffin ar ôl y rhyfel cartref, ond ni ellir amau nad yw'r profiad hanesyddol hwnnw wedi eu cyffwrdd i gyd.

Bardd a fu yn byw am y rhan fwyaf o'i oes y tu allan i Gatalunya oedd Josep Carner, ac mae ei waith llenyddol yn rhychwantu bron saith deg o flynyddoedd. Bu'n rhan o'r mudiad *Noucentiste* ar ddechrau'r ganrif, a gwelir dylanwad y mudiad yn glir yn ei gyfrol gynnar, *Els fruits saborosos* (1906). Bu hefyd yn cyfrannu at y ddelwedd bwysig a welir mor aml yng ngwaith y *Noucentistes*, sef y Ddinas Ddelfrydol. Mae gwaith Carner yn gyforiog o nodweddion gorau'r mudiad, sef deallusrwydd, synnwyr da a choethder, a hynny i gyd mewn cyd-destun telynegol. Ond roedd yn ddigon annibynnol, serch hynny, i dderbyn ffurfiau'r mudiad, ond i fod yn llai confensiynol yn ei ddefnydd ohonynt. Ar ôl 1921 dechreuodd grwydro, gan iddo ymuno â'r *Corps diplomatique*, a bu'n gwasan-aethu yn Genefa, Costa Rica, Mecsico a Brwsel lle'r arhosodd ar ôl iddo ymddiswyddo. Ar un wedd, felly, gwelir mai alltudiaeth wir-foddol sydd yn nodweddu Carner ar y cychwyn, er y dewisodd beidio â dychwelyd i Gatalunya hyd yn oed pan oedd y gyfundrefn wedi llareiddio rhywfaint.

Mae ei gyfraniad i'r llenyddiaeth 'alltudiol' (hynny yw lle mae thema alltudiaeth yn ganolog) i'w weld yn bennaf oll yn ei gerdd hirfaith, *Nabí*, a welodd olau dydd am y tro cyntaf yn 1941. Yn y gerdd honno mae Carner yn defnyddio'r hanes Beiblaidd am Jona er mwyn rhoi llais i nifer o'i hoff themâu, gan gynnwys y sefyllfa yng Nghatalunya yr adeg honno. Mae rhai beirniaid fel Busquets[44] yn pwysleisio'r agweddau symbolaidd ar y gerdd honno, yn arbennig y weledigaeth ysgrythurol o'r drwg a'r da benben â'i gilydd yn y rhyfel hwnnw. Gwêl ef y gerdd ar ei hyd fel symbol o'r rhyfel cartref lle nad yw Ninife yn ddim amgen na'r drygioni pur mewn rhyw Fabilon apocalyptaidd, ond roedd yn well gan rai fel Fuster[45] beidio â dilyn y llwybr esboniadol hwn a theimlai ef fod y bardd wedi defnyddio'r myth Beiblaidd er mwyn ailosod hen gwestiynau ynglŷn â Duw a thynged dynolryw yn gyffredinol. Byddai beirniad fel Triadú, er enghraifft, yn ffafrio safbwynt llai pendant lle gwelir y gerdd fel math o alargerdd yn wyneb trychinebau'r rhyfel.

Y gwaith sydd fel pe bai'n crisialu'r profiad o alltudiaeth allanol, ac sydd yn cynrychioli'r cyfnod hwnnw'n arbennig, yw cyfrol y bardd Carles Riba, sef *Elegies de Bierville*. Yn ôl Pere Quart, bardd a rannodd y profiad hwnnw yn ei gyfanrwydd, mae'r *Elegies* yn cyrraedd 'uchafbwynt holl farddoniaeth Gatalaneg yr Oesoedd'.[46] Casgliad byr ydyw o ddeuddeg o gerddi a gyhoeddwyd am y tro cyntaf yn Buenos Aires yn 1942. (Ni chafodd ei gyhoeddi yng Nghatalunya tan 1951.) Er mai dim ond pump o'r elegïau a gyfansoddwyd yn Bierville yn Ffrainc, maent i gyd yn ymdrin â'r profiad o alltudiaeth, ac yn rhoi darlun pwerus o'r ing personol a deimlai'r bardd ac a rannai â llawer o Gatalaniaid. Mae'r cerddi olaf yn y gyfres yn ymwneud yn arbennig â dychwelyd i Farcelona, ac mae'r gyfres yn ei chyfanrwydd felly yn adrodd profiad y bardd wyneb yn wyneb â'r alltudiaeth a'r profiad o ddychwelyd.

Ymdrinia â'r themâu deublyg hyn mewn gwahanol ffyrdd: fel tranc a dadeni'r enaid, ing ysbrydol a chymundod yr enaid, ac yn wir yr ymdeimlad o fod ar wahân i'r bywyd cymdeithasol a'r dychweliad i hwnnw, ond y profiad yn gyfoethocach oherwydd yr ysgariad dros dro. Er mwyn mynegi'r bererindod ysbrydol mae Riba yn defnyddio dau fyth cyfarwydd o'r byd Groegaidd, sef disgyniad Orffews i'r Isfyd a dychweliad Ulysses i Ithaca. Roedd yn nodweddiadol fod llenorion yn cyfeirio at fytholeg y byd clasurol. Mae'r ddau brofiad yn ei arwain hefyd at adnabyddiaeth o Dduw, y gellir ei adnabod mewn un gerdd o leiaf fel y Duw Cristnogol.

Bu'r *Elegies* yn drobwynt pendant yng ngwaith Riba, ac wedi iddo ddychwelyd i Gatalunya, mabwysiadodd agwedd ddeallusol newydd a adlewyrchwyd yn ei gyfrolau eraill a'i safbwynt fel deallusyn:

les *Elegies de Bierville* constitueixen un tombant decisiu en l'obra d'un poeta que, a l'exili i en la solitud, en el dolor i la desperança, sabé trobar noves forces per a fer alenar la seva poesia, fins al punt de conduir-lo a escriure un dels llibres més importants de la poesia catalana del segle XX.[47]

(mae *Elegies de Bierville* yn drobwynt allweddol yng ngwaith bardd a lwyddodd yn yr alltudiaeth, mewn ing ac mewn anobaith i ddod o hyd i nerthoedd er mwyn gwneud i'w farddoniaeth anadlu, nes iddo ysgrifennu un o lyfrau pwysicaf barddoniaeth Gatalaneg yr ugeinfed ganrif.)

Dywedodd Riba yn ei ragair fod yr elegïau hyn wedi ymffurfio wrth ddioddef hiraeth ei alltudiaeth:

A l'emigració, en efecte, i dins el sentiment de l'exili prengueren forma aquestes elegies.[48]

(Yn yr alltudiaeth, mewn gwirionedd, ac yn yr ymdeimlad o alltudiaeth y cymerodd yr elegïau hyn eu ffurf.)

Gellir rhannu'r *Elegies* yn ddwy ran (bwriad y bardd oedd cyfansoddi tair rhan yn y lle cyntaf, ond dwy ran yn unig a gwblhawyd). Mae'r rhai cyntaf (I–V) yn fyfyrdodau ar alltud-iaeth ei hun mewn nifer o leoedd gan ddechrau gyda Bierville yn Ffrainc, lle bu'r bardd yn aros yn union ar ôl croesi'r ffin o Gatalunya. Teimlir alltudiaeth fel profiad o ffaith newydd, lle nad oes gobaith ar gael; ac mae hyn yn creu math o ysgafnder yn y bardd fel pe bai'n medru dechrau o'r newydd. Yn rhyfedd ddigon mae'r bardd yn teimlo'n ddigon rhydd i ymgolli yn ei atgofion ac ymdreiddio i'w 'fyfi' mwyaf dwys a dwfn.

Mae'n dychwelyd i'w enaid fel y byddai'n cofio am ei ieuenctid, 'retorn a l'ànima com a una pàtria antiga'. Teimla ryw 'ras' (*gràcia*) mewnol sydd yn bodoli yn ei atgofion am wlad Groeg, taith i Loegr ac Iwerddon ac aelwyd hapus pâr priod. O'r diwedd ceir symboliaeth y llongddrylliad. Mae ail hanner y gyfres o gerddi (VI–XII) yn cychwyn pererindod ysbrydol y bardd. Ymdeimlir â'r enaid o hyd fel peth goddefol nad ydyw'n cyrraedd cyflwr gweithredol. Yn y chwech gerdd mae'n ym-golli mewn byd cyfriniol lle mae cwsg yn rheoli:

Fins que us despertareu com d'entre vivents per a un somni entre adormits. Recordant; sense saber: recordant.[49]

(Hyd nes byddwch yn deffro, megis, o blith rhai byw i fynd i freuddwyd y rhai sy'n cysgu. Gan gofio; heb wybod: cofio.)

Mae'r atgofion yn caniatáu iddo ddychwelyd i fyd diniwed plentyndod. Seilir y seithfed gerdd ar hanes Ulysses yn dychwelyd i Ithaca ar ôl ei alltudiaeth yntau, sydd yn ganolog i weddill y gyfres. Mae'r dychwelyd sydd yn peri i'r bardd ei adnabod ei hun yn arwain at ddarganfod bodolaeth Duw personol. Er bod sôn am Dduw a duwiau yn frith drwy'r cerddi hyn, rhaid cyfaddef eu bod yn weddol amwys. Rhaid cytuno â Terry[50] y cysylltir hwy yn aml â'r syniad o adnewyddu ysbrydol. Maent hefyd yn gyfrwng cyfathrebu barddonol, hynny yw, mae delweddau'r bardd yn cael eu gweld fel doniau a roddir gan y duwiau, 'l'incalculable mot, pur en l'espera dels déus'.[51]

Alltudiaeth, serch hynny, ydyw man cychwyn y cerddi oll; mae'r ing personol o orfod wynebu'r profiad hefyd yn adlewyrchu profiad ehangach yn y gymdeithas. Fel y mae Joan Ferraté yn nodi, mae'r cerddi hyn yn eu ffurfioldeb (a fu'n nodwedd barhaol ar *Noucentisme*) a'u haml gyfeiriadau at y byd clasurol Groegaidd, yn mynegi yn y lle cyntaf alltudiaeth gorfforol ond hefyd, ac yn bwysicach efallai, maent yn adrodd hanes y dychwelyd sydd yn beth metaffisegol a throsgynnol.

Adroddir am ddychwelyd mewn termau terfynol i'r 'myfi' dwfn; dychwelyd at fan sefydlog trefn y bydysawd, neu mewn geiriau eraill at Dduw ('retorn al punt de fixesa de l'ordre del món, a Déu'). Mae hyn hefyd fel petai'n adlais o syniad Ortega y Gasset, awdur Castilaidd a fynnodd, fel llawer awdur o'i flaen, fod dyn yn y byd megis un a alltudiwyd o'r bydysawd. Mae'r dychwelyd, felly, a ddeisyfir yn y cerddi ar yr wyneb, yn sôn am ddychwelyd corfforol i Gatalunya, ond ar wastad mwy seicolegol mae'r enaid yn yr alltudiaeth yn gorfod ymchwilio i'w hanfod go-iawn, ac wedi diosg ei holl ledrithiau, mae'n gorfod chwilio am realiti.

Dyna pam y mae Riba yn defnyddio'r ymadrodd 'troi'n ôl at yr enaid fel at hen wlad', lle mae'r alltudiaeth yn golygu dychwelyd at wreiddiau isymwybodol yr enaid sydd yn amod unrhyw ddychwelyd diriaethol i Gatalunya. Soniodd y bardd yn ei ragymadrodd sut deimlad a gafodd wrth brofi alltudiaeth. Fe'i profodd fel y gellir profi marwolaeth efallai. I bob golwg allanol roedd wedi gadael popeth, hynny yw eiddo ac arferion beunyddiol, y pethau cyfarwydd di-sôn-amdanynt, 'era tornar a la meva ànima com a una pàtria antiga'.[52] Yn hytrach na throi'r alltudiaeth (orfodol) yn ddihangfa neu'n ffurf ar ddiddymdra, fe'i troes yn bererindod ysbrydol. Pen draw'r bererindod honno yw dadeni'r 'myfi', a dyna a geir yn arbennig yn *Elegies* VII i X. Mae cerdd VII yn defnyddio hanes cyfarwydd Ulysses yn dychwelyd i Ithaca:

> He navegat com Ulisses pel noble mar que separa,
> amb un titànic somrís d'obediència a l'atzur,
> l'illa de l'últim adéu, on es va incliná' el meu migdia,
> i el necessari ponent, dolç, d'una glòria sagnant.[53]

(Rwyf wedi mordwyo fel Ulysses ar hyd y môr urddasol sy'n rhannu, gyda gwên gawraidd o ufudd-dod i'r awyr las, yr ynys oddi wrth y ffarwel olaf, lle disgynnodd fy nghanol dydd, a'r machlud angenrheidiol a melys, yn waedlyd ogoneddus.)

Fel y dywed Terry,[54] mae rhan gyntaf y gerdd yn gysylltiedig â thema'r anwybod. Mae'r ffyddlondeb sydd yn arwain yr alltud tuag at ei wlad yn fwy na dymuniad ymwybodol; daw o ryw nerth mwy cynhenid, fel 'y nerthoedd sydd yn meithrin y rhith yn y groth'. Ond nid yw'r nerthoedd hynny yn gallu cyfeirio'r unigolyn hyd nes y genir ef:

> com dins el ventre vivent
> l'ésser que s'hi perfà és tot ell creixença amb les pures
> forces originals, i no és seu el destí
> que l'amara i l'empeny, talment una puja d'antigues
> aigues, fins que ha nascut i que ha plorat i que ha vist.[55]

(fel yn y groth yn byw, ef yn hollol yw'r bod sydd yn ymffurfio, yn dyfiant gyda'r nerthoedd cynhenid, nid ei eiddo ef yw'r ffawd sydd yn ei glymu a'i hyrddio ymlaen, megis ymchwydd o ddyfroedd hynafol hyd nes iddo gael ei eni ac iddo lefain a gweld.)

Yn ail ran y gerdd gwelir y dychweliad fel rhywbeth na ellir ei rag-weld, nas cyflawnir ond drwy ffydd. Ymddengys fod y cyfnod cyn yr alltudiaeth fel math o gwsg (fel Ulysses yn ei drymgwsg ar y llong i Ithaca). Daw hyn at y thema o ddeffroad sydd yn ganolog i'r dychweliad, a datblygir hyn mewn cerdd ddiweddarach lle defnyddir myth Orffews. Mae alltudiaeth y tro hwn fel taith fewnol un o ddisgyblion y ddefod Orffeaidd i Hades. Dywedir bod yr enaid wedi colli ei 'olwg', a rhaid iddo gael ei dywys gan ei glyw. Yn ôl Terry mae colli golwg yma yn golygu colli gobaith, ac felly mae alltudiaeth yn fodd i 'ddysgu byw heb obaith' ('aprendre a viure sense esperança'). Ond y bardd y mae ei waith yn lleisio'r alltudiaeth fewnol ar ei gwedd ddwysaf a thrylwyraf, yn bendifaddau, yw bardd amlycaf Catalunya yn y cyfnod ar ôl y rhyfel cartref, sef Salvador Espriu. Cawn ystyried yr agweddau hyn ar ei waith ym mhennod 5.

Nodiadau

[1] Miguel de Cervantes Saavedra, *El Ingenioso Hidalgo Don Quijote de la Mancha*, I, vi.
[2] A. Terry, *A Literary History of Spain: Catalan Literature* (London, 1972), 62.
[3] F. Granell, *La Catalogne* (Paris, 1988), 64.
[4] Ibid., 64.
[5] A. Balcells, *Historia Contemporánea de Cataluña* (Barcelona, 1983), 41.
[6] Ibid., 42.
[7] Dyfynnwyd yn Balcells, 171.
[8] *Sobre la Llei de Normalització Lingüistica a Catalunya* (Barcelona, 1983), 10.
[9] A. Balcells, op. cit., 2–5
[10] Ibid., 171.
[11] Salvador Espriu, *Obres Completes* (Barcelona, 1981), 142.
[12] P. Verdaguer, *Poesia rossellonesa del segle XX* (Barcelona, 1968), 5–9.
[13] Dyfynnir yn narlith Antoni Ferrando, 'La Dialéctica unitat/Diversitat en la História de la Llengua Catalana', yn J. Fuster, *Els Paisos Catalans:Un Debat Obert* (València, 1984), 156.
[14] *L'Avenç*, 31/12/1891.
[15] Joan F. Mira, 'Som o no som una nació?', yn J. Fuster, op cit., 292–3.
[16] A. Terry, op. cit., 72–3.
[17] Ibid., 74.
[18] Manuel de Montoliu, *La Renaixança i els Jocs Florals* (Barcelona, 1962), 168.
[19] J. Verdaguer, *Canigó* (Barcelona, 1986), 129.
[20] Ibid., 141.
[21] A. Terry, op. cit., 76.
[22] Prat de la Riba, *La Nacionalitat Catalana* (Barcelona, 1934), 83.
[23] J. Rossinyol, *Le Problème national catalan* (Paris, 1974), 17.
[24] J. Solé-Tura, *Catalanisme i revolució burgesa* (Barcelona, 1967), 130.
[25] J. M. Castellet a J. Molas, *Poesia Catalana del Segle XX* (Barcelona, 1963), 28.

[26] A. Terry (ed.) yn *Carles Riba, Obres Completes* (Barcelona, 1965), 7.

[27] Ibid., 12.

[28] J. M. Castellet a J. Molas, op. cit., 16.

[29] J. Fuster, *Literatura Catalana Contemporària* (Barcelona, 1971), 23.

[30] A. Balcells, op. cit., 43.

[31] J. M. Castellet a J. Molas, op cit., 38.

[32] V. Riera Llorca (ed.), *El Exilio Español de 1939* (Madrid, 1978), 159.

[33] Gweler yn arbennig Amanda Bath, *Pere Calders: Ideari i Ficció* (Barcelona, 1987).

[34] Gweler Gareth Alban Davies, 'From Barcelona to Llangrannog', *Planet* (Chwefror/Mawrth 1988).

[35] V. Riera Llorca, op. cit., 161.

[36] J. Rossinyol, op. cit., 393.

[37] Ibid., 400.

[38] Ibid., 397.

[39] Dyfynnwyd yn V. Riera Llorca, op. cit., cyf. 6, 333.

[40] A. Balcells, op. cit., 354.

[41] J. Triadú, *La Poesia Catalana de Postguerra* (Barcelona, 1985), 17.

[42] J. Fuster, op. cit., 325.

[43] J. M. Castellet a J. Molas, op. cit., 117.

[44] L. Busquets, *La Poesia d'Exili de Josep Carner* (Barcelona, 1980), 17.

[45] J. Fuster, op. cit., 178.

[46] Dyfynnir yn J. M. Castellet a J. Molas, op. cit., 124.

[47] Ibid., 124.

[48] *Carles Riba, Obres Completes*, 213.

[49] Ibid., 227.

[50] A. Terry, yn ibid., 26.

[51] Ibid, 226.

[52] Ibid., 214–15.

[53] Ibid., 228.

[54] A. Terry yn ibid., 25.

[55] Ibid., 228.

3

Cymru

Mae Cymru a'i llenyddiaeth wedi etifeddu traddodiad hir o orfod ymgodymu â sefyllfaoedd o argyfwng gwleidyddol a diwylliannol. Gan y bydd y darllenydd o Gymro neu Gymraes yn hen gyfarwydd eisoes â phrif ffrydiau llenyddiaeth Gymraeg, fy mwriad yn y bennod hon fydd bwrw golwg yn ddiymhongar ddigon dros rai agweddau sydd yn amlygu'r tri argyfwng a amlinellwyd yn y Rhagymadrodd.

Credaf fod modd canfod argyfwng pan fyddai hunaniaeth yn cael ei mynegi wrth i lenyddiaeth y cyfnod adlewyrchu'r awydd am adennill ymwybod o hanes Cymru. Bu hefyd ymgais, fel y gwelsom yn hanes Catalunya, am adfer safonau ieithyddol sydd yn rhan annatod o'r broses o adennill hunaniaeth genedlaethol. Yn y cyfnod ar ôl yr Ail Ryfel Byd, yn fras, gwelir math o lenyddiaeth sydd yn adlewyrchu argyfwng alltudiaeth lle ceir ymdeimlad fod y llenorion yn mynd i'r afael ag amwysedd hunaniaeth eu pobl, tra ar yr un pryd yng ngwaith rhai llenorion yn parhau'r syniad fod gan y genedl Gymreig ei swyddogaeth yn y drefn dragwyddol. Bernais hefyd fod modd gweld ymateb i sefyllfa eithafol, lle yr ofnir bod y gofod diwylliannol ar drai, sef sefyllfa'r trydydd argyfwng lle mae'r diwylliant a'r hunaniaeth Gymreig i'w gweld yn dadelfennu.

Cyn dilyn trywydd yr argyfyngau hyn mewn llenyddiaeth Gymraeg, hoffwn oedi am ennyd i daflu golwg ar ddau fyth a fu'n cyfrannu at greu arfau i wrthsefyll argyfwng a welwyd yn y bedwaredd ganrif ar bymtheg a'r ganrif hon. Un o'r ffyrdd y

---

daw argyfwng Cymru i'r amlwg yn ei llenyddiaeth yw'r amryw fythau cenedlaethol a ddatblygwyd ac a feithrinwyd er mwyn gwrthwynebu her a bygythiad o'r tu allan. Fel amryw o genhedloedd yn yr Oesoedd Canol, mabwysiadodd Cymru fyth am ei gwreiddiau cenedlaethol. Ymddengys mai llawysgrif Nennius yw'r gyntaf i ddatgan y myth fod y Cymry, neu'r Brythoniaid, yn hanfod o Brutus, yntau'n ddisgynnydd i Dardanus o Gaerdroea, ac yntau yn ei dro, yn ôl rhesymeg yr oes, yn ddisgynnydd i 'Japheth, mab Noa, mab Lamech'. Credid bod y rhan fwyaf o genhedloedd Ewrop ar y pryd yn ddisgynyddion i Japheth.

Cyplyswyd y chwedl hon hefyd â phroffwydoliaethau grymus y Mab Darogan, sef addewid a wnaed mai Cadwaladr neu Gynan neu ddisgynnydd iddynt a fyddai'n codi i ddwyn buddugoliaeth dros y Sacsoniaid. Arfau argyfwng mewn oesoedd cynharach oedd myth y tras pendefigaidd a mythau apocalyptaidd y fuddugoliaeth derfynol. Nid yw'n syndod y ceir fersiwn ar 'genhadaeth' arbennig y genedl ym mherson Walter Brut (bl. 1390–1402) a fynnai mai dymchwel yr Anghrist (sef y Pab, yn ei dyb ef) oedd pwrpas rhagosodedig y Cymry.

Parhaodd y syniad am dras uchelwrol y Cymry am ganrifoedd lawer, wrth gwrs, ac fe'i gwelir yn ailgodi'n arbennig ar adegau o densiwn cenedlaethol. Rhoddwyd hwb ychwanegol iddo gan Sieffre o Fynwy yn *Historia Regum Britanniae* lle yr honnai fod y Brythoniaid wedi siarad iaith Caerdroea yn wreiddiol, a defnyddiodd Owain Glyndŵr yr un hanes mewn llythyr at Robert III o'r Alban.[1] Ceir digon o gyfeiriadau eto yn y bymthegfed ganrif, sef canrif y daroganau mawr, a'r brudio a'r gobeithion brenhinol. Mae Dafydd Llwyd o Fathafarn, er enghraifft, yn cyfeirio at y Cymry, fel 'Trowyr o hen waed Troea'.[2] Mae'r hanes fel petai'n dal yn iraidd erbyn cyfnod cyhoeddi *Drych y Prif Oesoedd* gan Theophilus Evans, yn 1716, fel y gwelir yn ei bennod enwog ar 'gyff-genedl y Cymry'. Mewn gwirionedd, myth yw hwn sydd yn ceisio gosod y Cymry mewn sefyllfa ffafriol o'u cymharu â chenhedloedd eraill Ewrop. Nid rhyw boblach dddistadl ar ymylon y byd mo'r Cymry, ond cenedl a dyfodd o'r un cyff gwaelodol â chenhedloedd mawr fel y Groegiaid, a'r Rhufeiniaid. Ond roedd yn amlwg nad oedd tynged pob cenedl yr un, a hyn efallai sydd yn ein harwain at ddyfroedd ffynnon arall sydd yn tarddu yn yr Oesoedd Tywyll ac sydd yn ymwneud, nid â pherthynas cenedl â chenedl, ond yn hytrach â'r gyd-berthynas rhwng cenedl a Duw. Gwaith y mynach Gildas, *De Excidio Britanniae* (neu *Ormesta Britanniae*), sydd ar ryw wedd yn ymateb gwahanol i argyfwng cenedl, ond eto'n arf yn erbyn argyfwng, sef ffordd y proffwyd Beiblaidd sy'n gweld pechod cenedlaethol fel eglurhad ar anffawd y bobl. Gwêl ef un o argyfyngau Israel yn ailddigwydd yn ei gyfnod ef. Nid oes dwywaith am y modd y syniai am y Brythoniaid. Hwy ydyw Israel y dwthwn hwn, yr *Israel praesens*.

Gwyddom am lawysgrif o waith Gildas sydd yn dyddio o'r unfed ganrif ar ddeg, ond ni chafwyd argraffiad o *De Excidio* tan 1525 dan law Polydore Virgil (a fu'n uchel ei gloch am annilysrwydd y chwedlau Brythonaidd am eu llinach yn mynd yn ôl i Gaerdroea). Daeth rhagluniaeth yn bwnc o bwys gwleidyddol eto yn yr ail ganrif ar bymtheg, a gwelir pwysigrwydd y syniad yn arbennig yng ngwaith Charles Edwards, *Y Ffydd Ddi-ffuant*, a gyhoeddwyd yn 1667. Ond ar lawer ystyr, mae ail argraffiad 1671 yn bwysicach oherwydd ei fod yn cynnwys talfyriad o *De Excidio*. Mae Charles Edwards yntau'n hoff iawn o'r ddelwedd o'r Cymry yn alltudion fel yr Israeliaid gynt. Roedd traddodiad crefyddol di-dor yn destun balchder i Gymry'r Oesoedd Canol ac wedyn, ac roedd gweld dechrau'r genedl a dyfodiad Cristnogaeth i Brydain yn achlysuron cydamserol yn tueddu, o bosibl, i fagu'r teimlad mai pobl etholedig ar ryw wedd oedd y Cymry. Haws wedyn oedd gwneud y gymhariaeth rhwng yr hen genedl a'r Cymry. Beth bynnag, i Charles Edwards, cosb fu anffawd y Cymry yn y gorffennol am eu pechodau, ac am wrthgilio rhag Duw:

> Ond am fod Prydain yn gwybod ewyllis ei Harglwydd ac heb ei wneuthur, darperir iddi lawer o ffonnodiau: ac am ei bod yn dir cyndyn, yn dwyn drain a mieri yn lle llyssiau cymwys ir llafurwr nefol, aeth yn anghymeradwy, ac yn agos i felldith a llosciad.[3]

Mae'r cymariaethau rhwng y Cymry a'r Israeliaid yn ymwneud yn bennaf oll â'r caethiwed neu'r gaethglud, a daw'n ôl yn fynych at hyn:

> Wrth a draethwyd y gwelwn gael o'r Britaniaid yr unrhyw rybuddion, ac y gafas yr Israeliaid gynt o flaen eu caethiwed, ac

ynghylch yr un môdd y gwrthodasant hwynt, ac ynghylch yr un fâth gystudd a ganlynodd; ac nid heb ei haeddu . . .Ymhob oes torrodd Duw genhedloedd pechadurus i lawr fel glaswellt.[4]

Mae Edwards, serch hynny, yn gweld diwedd caethiwed Cymru, a diwedd 'alltudiaeth' Cymru yn ei huniad â Lloegr dan frenin o Gymro. Yn arwyddocaol, mae Edwards yn gweld yr uniad gwleidyddol rhwng Cymru a Lloegr fel y gwarediad a ddaeth i Israel drwy law Esther yn yr hanes Beiblaidd:

> Yna y gallasai un ofyn pwy a gyfyd Gymru, Canys bechan yw? Ond yr Arglwydd ai cofiodd yn ei hisel radd o herwydd ei drugaredd: a gweithiodd ei gwarediad fel un Israel yn amser Ahasuerus, ac Esther, drwy briodas. Gan wneuthur ei chaseion yn dirion wrthi, ai herlidwyr yn ddiddanwyr iddi. Y rhai a dynasant oddiarni y caethiwed teimladwy mewn pethau bydol yn gyntaf, ac ar ôl hynny canhiadasant iddi foddion rhydd-hâd oddiwrth gadwynau'r tywyllwch ysprydol.[5]

Mae'r ddau fyth neu syniad llywodraethol uchod, er mor wahanol eu pwyslais, yn gydweddog ac yn gymorth inni ddeall llanw a thrai'r syniad o genedligrwydd a hanes y Cymry. Rhan anhepgor o'r myth am wreiddiau'r Cymry oedd yr elfen broffwydol, a welai adfer sofraniaeth i'r Brythoniaid. Hynny a roes gynhaliaeth ddiwylliannol i'r canu brud yn y bymthegfed ganrif. Os oedd y mab darogan, Meseia oesol y Cymry, yn siom yn y pen draw i rai, ni ddiflannodd addewidion y milflwyddiant cenedlaethol, dim ond cael eu gweddnewid.

Dengys Charles Edwards inni fod tynged Cymru yn dibynnu, nid ar fab darogan daearol, ond ar fab darogan dwyfol. Cynhwysir hanes Cymru o fewn rhaglen Duw, a thrwy hynny, daeth yn haws dros dro efallai, i dderbyn awdurdod Lloegr dros Gymru. Cymru yw Esther yn ei halltudiaeth freintiedig ym mhriodas Prydeindod. Delid i weld y Cymry yn nhermau 'pobl y llyfr' tan yn ddiweddar. Sonia D. J. Williams am 'ddysgawdwr yn Israel' wrth gyfeirio at Lewis E. Valentine,[6] a gellir cymharu'r disgrifiad Beiblaidd o Tomos Hopcyn yn *Ffwrneisiau* gan Wenallt fel 'Israeliad yn wir'.[7]

Nid dyma'r lle i olrhain yn fanwl dwf yr ymwybod newydd o Gymreictod hyd at gyfnod y Llyfrau Gleision, ond fel a ddigwyddodd mewn mannau eraill yn Ewrop yn ystod y cyfnod, braenarwyd y tir yn helaeth gan waith hynafiaethwyr a darpar-ysgolheigion wedi eu sbarduno gan y diddordeb newydd yn y werin a hen bobloedd. Ymhlith y gweithiau arloesol wrth adennill llinynnau'r traddodiad llenyddol yr oedd *Barddoniaeth Dafydd ap Gwilym* (1789) a *The Myvyrian Archaiology* (1801–07). Cyhoeddodd William Owen Pughe y rhain yn ogystal â gwaith arloesol ond cyfeiliornus ar yr iaith, fel ei *Grammar of the Welsh Language* (1803).

Addysg wrth gwrs oedd asgwrn y gynnen yng Nghymru, ar adeg y Llyfrau Gleision, ond fel y gwyddys nid oedd awduron y cyfnod yn hollol ymwybodol o natur imperialaidd y ddogfen. Nid ymboeni'n ormodol am addysg oedd y bwriad, ond chwilio am fodd i Seisnigo Cymru, a'i chymathu'n ddiwylliannol â'r mwyafrif Seisnig. Dyna oedd argymhellion Durham yng Nghanada hefyd mewn adroddiad a fu lawn mor bwysig. Nid yn annisgwyl, ni cheid yng Nghymru ar y pryd ddosbarth o Gymry a ffurfiasai syniad clir o genedlaetholdeb. Ffrwyth argyfwng yw peth felly, a chreodd y Llyfrau Gleision yr union argyfwng hwnnw. Dyma argyfwng mawr Cymru yn y bedwaredd ganrif ar bymtheg. Rhaid derbyn hefyd fod y syniad o gymathiad, neu o leiaf o gofleidio'r diwylliant Seisnig yn dderbyniol i lawer iawn o Gymry a fynnai ddianc rhag tlodi neu ymddyrchafu'n addysgiadol. Yng ngeiriau R. Tudur Jones: 'The road to the Promised Land was paved with English grammar.'[8]

Er y gellid bod wedi disgwyl sefyllfa lle byddai'r arwrgerdd wedi datblygu'n ffurf bwysig yn llenyddiaeth Gymraeg ail hanner y bedwaredd ganrif ar bymtheg, mae'r cynnyrch ei hun yn siomedig. Ni ellir gwadu nad oedd y ffurf wedi cydio am ysbaid o leiaf, ond mae ei rhan yn ffurfiant llenyddiaeth Gymraeg y ganrif yn llai arwyddocaol o lawer na'r hyn a gafwyd yng Nghatalunya a Québec, heb sôn am bethau tebyg yn llenyddiaeth Llydaw neu Ocsitania. Nid yw'r Athro Bobi Jones yn barod i ddiystyru camp y cerddi hir yn gyfan gwbl, er hynny. Os oedd llawer o aflwyddiant, tybia y gellir gweld llawer o ragoriaeth hefyd, yn arbennig felly, yn achos y bardd Golyddan (John Robert Pryse), 1840–62.[9] Bu eraill hefyd yn cyfrannu arwrgerddi dramatig a darluniadol fel eiddo Eben Fardd, *Dinistr Jeriwsalem* (1824), sydd yn llinach 'Cywydd y Farn Fawr' Goronwy Owen. Er bod *Y Storm* (1854–6), yn gerdd ddisgrifiadol, Ramantaidd y gellid ei chymharu ag *Atlàntida* gan Verdaguer o safbwynt rhai

---

o'r darnau yn disgrifio storm, nid yw'r cerddi hir neu'r arwrgerddi Cymraeg yn anelu at fod yn arwrgerddi cenedlaethol yn yr un modd, dyweder, â gwaith Villemarqué, Mistral a Verdaguer. Ni ellir amau nad oedd rhai o'r cerddi hyn yn ymwneud â phynciau hanesyddol, ond tueddent i fod gyda'r salaf o'u math. Nid oeddynt bob amser yn gyfrwng meithrin hunaniaeth Gymreig (yn ôl syniad oes ddiweddarach), ac yn aml ceid cerddi'n clodfori rhinweddau'r wladwriaeth Fictoriaidd ac arwyr yr Ymerodraeth. Hwyrach hefyd, oherwydd y rheidrwydd i ddwyn crefydd i flaen y llwyfan yn barhaus, y collwyd golwg ar hunaniaeth genedlaethol.

Daliai hunaniaeth Gymreig yn rhywbeth amwys yn ystod cyfran helaeth o'r bedwaredd ganrif ar bymtheg, ac y mae teitlau rhai o awdlau arwrol y cyfnod yn dyst i hyn, fel er enghraifft: *Mawredd Prydain Fawr* (Caerdydd, 1858), *Coron Prydain* (Machynlleth, 1879). Mae'n arwyddocaol efallai mai tua diwedd y ganrif y dechreua testunau mwy Cymreig ddod i'r amlwg: *Gruffydd ab Cynan* (1888), *Llywelyn ein Llyw Olaf* (1889), a *Hywel Dda* (Aberdâr, 1885).

Roedd y bygythiad yn sgil y Ddeddf Addysg yn 1870 yn amlwg o'r pwys mwyaf o safbwynt parhad yr iaith. Er bod niferoedd y rhai a siaradai Gymraeg yn parhau i fod yn uchel, effaith y system addysg oedd anwybyddu pob dim a fyddai'n meithrin ymwybod Cymreig. Dyma'r cyfnod a greodd yr hollt ddiwylliannol sydd yn nodweddu sawl gwlad sy'n byw bywyd fel lleiafrif. Bu ymateb i'r argyfwng ym mywyd diwylliannol Cymru, a hynny tua 1875. Mae cyfraniadau a bywydau rhai fel O. M. Edwards, J. E. Lloyd, T. E. Ellis yn hynod adnabyddus fel nad oes rhaid ailadrodd sut y llwyddasant i fyw yn y ddau wersyll. Cydnabyddai O.M. fod Cymru'n byw cyfnod o argyfwng, ond wrth gymharu Cymru â'r Iddewon, gesyd y pwyslais ar yr ewyllys i fyw:

> Daeth cyfwng felly yn hanes yr Iddewon. Llifodd dylanwadau estronol drostynt. A beth oeddynt hwy, druain dirmygedig i wrthsefyll gwareiddiad Groeg a gallu Rhufain? Cawsant eu hunain wyneb yn wyneb a difodiad fel cenedl, a phenderfynasant fyw . . . Y mae Cymru'n wynebu cyfnod tebig.[10]

Mae cyfraniad O. M. Edwards fel hanesydd rywbeth yn debyg i'r hyn a wnaed mewn gwledydd eraill a oedd yn gorfod wynebu argyfwng diwylliannol. Mae'r hyn a ddywedodd ynglŷn ag Owain Glyndŵr fel petai'n symboleiddio'r modd y tyfodd ymwybod o hanes Cymru, ond Cymru sy'n rhan o Brydain:

> Y mae pobl canol oed yn cofio dysgu mai gwrthryfelwr hanner barbaraidd yn erbyn brenin a chyfraith oedd; y mae'n debig y ca y rhan fwyaf ohonom fyw i weled tynnu'r rhwd oddiar ei ogoniant, a'i gydnabod fel un o'r gwladweinwyr goreu fu'n ceisio codi a gwella'r ynysoedd hyn.[11]

Yn y bôn, ceisiai O.M. ddiddymu'r pleidgarwch a geid yng Nghymru, a thrwy feithrin ysbryd o genedlaetholdeb a gymunai â sancteiddrwydd tir Cymru, ac fel y dywedodd yn ei gyfrol *Cartrefi Cymru*, 'Yng ngrym ei wladgarwch y mae nerth pethau goreu cymeriad dyn'.[12] Eto i gyd, roedd O.M., fel sawl un yn ei genhedlaeth, yn gorfod dod i delerau â'i hunaniaeth amwys, gan mai Prydeindod *a* Chymreictod oedd yn hawlio ei sylw. Ymgyfyngai O.M. i'r maes llenyddol, a'i gyfraniad mwyaf, fel y gwyddys, oedd adennill yr ymwybod hanesyddol i werin lengar Cymru. Yn hyn o beth, roedd Michael D. Jones ac Emrys ap Iwan yn arbennig ar y blaen yn wleidyddol am iddynt ddychmygu Cymreictod fel unig sail hunaniaeth y Cymro a'r Gymraes. Ymdeimlai Emrys ap Iwan â'r hunaniaeth ddwbl yr oedd rhaid ei dadwreiddio er mwyn i Gymreictod iach ffynnu. Deallai hyn i'r dim, a defnyddiai eiriau fel 'gwaseidd-dra' a 'Sais-addoliaeth' fel modd i amlygu hyn a phlicio gwallt ei gyd-Gymry. Rhaid cofio mai gŵr ar yr ymylon oedd Emrys ap Iwan hyd nes iddo gael ei fabwysiadu gan genedlaetholwyr yr ugeinfed ganrif. Derbynnid yn gyffredinol mai oddi fewn i'r ymerodraeth Brydeinig y mae hanes Cymru'n datblygu, nid ar wahân iddi. Gellir parhau'r dyfyniad a godwyd uchod o lyfr O.M., *Llynnoedd Llonydd*:

> Ei awydd am addysg genedlaethol – y mae Prydain, erbyn hyn, yn deall hwnnw; ei gred ym mharhad cenedlaetholdeb Cymru, yn enwedig mewn ystyr grefyddol, – gwelir erbyn heddyw mai nid dinistr i undeb Prydain ydyw, ond nerth.[13]

Cafwyd ymateb o fath gwahanol i'r argyfwng ymhlith y rhai a gyplysodd y syniad o'r genedl â'u Cristnogaeth. Y ddau amlycaf oedd Michael D. Jones (1822–98) ac Emrys ap Iwan (1851–1906). Y duedd ar ôl cyfnod Charles Edwards a dyfodiad Methodistiaeth oedd diystyru pwysigrwydd y genedl benodol. Enaid yr unigolyn oedd popeth, ac alltud oedd yr unigolyn yn y byd yn dilyn trywydd y pererin i fyd gwell, fel y clywir yn bur aml yn emynau Pantycelyn. Eto i gyd, yr ymateb i'r argyfwng cyntaf, fel y gwelsom yn achos rhai gwledydd eraill, yw dyfeisio arf yn erbyn yr argyfwng, sef mabwysiadu syniad llywodraethol, fel meseianaeth, sydd yn tra-dyrchafu'r syniad cenedlaethol i lefel uwch.

Ar un wedd, gellir honni fod symud pwyslais yn ôl i'r Hen Destament yng ngwaith Emrys ap Iwan, ond lle ceisiai Charles Edwards weld cyfuno pobloedd yn rhan o arfaeth Duw, gwell oedd gan Emrys ap Iwan weld sofraniaeth y genedl unigol a'i dwyfoldeb, nes bod ceisio difa cenedl megis ceisio atal amcan Duw. Mae datganiadau Emrys o amcan dwyfol y genedl yn haeddiannol enwog:

> Cofier mai'r Duw a wnaeth ddynion a ordeiniodd genhedloedd hefyd; ac y mae difodi cenedl y trychineb nesaf i ddifodi dynolryw, a difodi iaith cenedl y trychineb nesaf i ddifodi'r genedl, am fod cenedl yn peidio â bod yn genedl ym mhen mwy neu lai o amser ar ol colli ei hiaith.[14]

Yn ôl Emrys, ni ellir gwybod pa amcan oedd wrth greu cenedl, ond dichon y daw ei hawr ar ryw adeg yn ei hanes, felly rhaid ymgadw rhag colli cenedligrwydd:

> Gan i Dduw eich gwneuthur yn genedl, ymgedwch yn genedl; gan iddo gymmeryd miloedd o flynyddoedd i ffurfio iaith gyfaddas ichwi, cedwch yr iaith honno; canys wrth gydweithio â Duw yn ei fwriadau tu ag attoch, bydd yn haws ichwi ei gael wrth ei geisio. Pwy a ŵyr nad yw Duw wedi cadw'r Cymry yn genedl hyd yn hyn, am fod ganddo waith neillduol i'w wneuthur trwyddynt yn y byd . . . Na chaffer y Cymry yn ammharod pan ddelo amser eu hymweliad.[15]

Yr agwedd apelgar yng ngeiriau Emrys, hyd heddiw o bosibl, yw ei fod yn gweld rhagluniaeth yn broses barhaol a deinamig. Hefyd, yn y darlun hwn, mae dyn a'r Duwdod yn cydweithio o fewn patrwm ewyllys Duw a rhyddid dynolryw. Mae'r homili,

'Y Ddysc Newydd a'r Hen', yn rhoi'r cyfiawnhad dros greu cenhedloedd:

> Am lawer rheswm. – Yn un peth, er mwyn peri'r cyffelyb amrywiaeth ym mhlith dynion ag sydd ym mhlith llysiau ac anifeiliaid. Hefyd, er mwyn sicrhau gwell addysc iddynt. . . [16]

Ond y rheswm crefyddol sydd yn cael y lle blaenaf ganddo yn 'Fel y ceisient yr Arglwydd':

> Y mae yn haws i genedl rydd ac annibynol, ac i genedl a fo yn preswylio yn llonydd yn ei gwlad ei hun, gael hyd i'w Duw na chenedl ddarostyngedig neu genedl orchfygol. Y mae cenedl ddarostyngedig yn dueddol i fyned yn wasaidd, yn ddynwaredol, yn gyffredin ei syniadau, yn rhy lwfr i feddwl drosti ei hun, . . . [17]

Gwelwn ddatblygu'r syniadau hyn o hyd yng ngwaith Gwenallt (gw. pennod 6), ac ysgrifau rhai fel Pennar Davies, er i Iorwerth Peate, er enghraifft, wadu'r ddadl fod Duw wedi ordeinio cenhedloedd.[18] Dwyseid yr argyfwng yn wynebu'r ymwybod newydd o Gymreictod yn y bedwaredd ganrif ar bymtheg gan fethiant mudiad Cymru Fydd. Nid yn unig yr amlygwyd diffyg undod o fewn y wlad, ond hefyd sylweddolwyd mai peth anodd fyddai creu gwladwriaeth o fewn gwladwriaeth.

Rhan yn unig, wrth gwrs, oedd ymateb rhai fel Emrys ap Iwan i'r argyfwng a ddaeth yn amlwg yn sgil y Llyfrau Gleision a'r Ddeddf Addysg. Roedd twf yr Eisteddfod a pharhad y capeli i fod yn ganolfannau diwylliannol yn allweddol wrth warchod gwerthoedd cenedlaethol, ond fel y sylwodd sawl beirniad, gan gynnwys Kenneth O. Morgan,[19] roedd safonau o ran iaith a chelfyddyd yn bethau eilradd yn aml, a phe caent eu gadael heb ganllawiau, diau mai dirywio fyddai eu hanes wedi bod. Yn wir heb Syr John Morris-Jones, mae'n gwbl amhosibl dychmygu gorchestion llenyddol yr iaith yn yr ugeinfed ganrif. Mae ei gyfraniad yn cynrychioli sawl agwedd ar yr ymateb i'r argyfwng cyntaf. Erbyn diwedd yr Ail Ryfel Byd, wynebai'r hunaniaeth Gymreig gyfnod newydd o argyfwng ar ôl cyfnod pur lewyrchus cyn y rhyfel. Daeth canoli pellach ar y wladwriaeth, a phwysleisiwyd undod cenedlaethol yr Ynysoedd Prydeinig. Gan fod cenedlaetholdeb dan gwmwl, a dirywiad yn y sefydliadau a fu'n rhan annatod o Gymreictod, fel y Capel, roedd teimlad cyffredinol fod yr iaith a'r hunaniaeth dan gryn fygythiad. Ymateb nifer o lenorion yn ystod y cyfnod hwn (yr ail argyfwng), oedd gweld Cymru mewn termau apocalyptaidd. Un o symbolau mawr y cyfnod oedd 'alltudiaeth'. Gwelir hyn yn amlwg yng ngwaith Gwenallt, a drafodir yn helaeth ym mhennod 6, a gwaith Waldo Williams a ystyrir isod.

Nid oes angen chwilio'n bell am dystiolaeth fod y meddylfryd apocalyptaidd yn treiddio drwy lawer o waith barddonol a theatrig y 1950au a'r 1960au. Ymddengys mai yn ystod y 1950au y gwelwyd y penllanw apocalyptaidd, a gellir rhestru'r gweith-iau canlynol fel tystiolaeth o'r ymdeimlad hwnnw: y gyfrol *Gwreiddiau* gan Wenallt (1959), *Sŵn y Gwynt sy'n Chwythu* gan Kitchener Davies (1952), *Gymerwch chi Sigaret?*, *Brad*, *Esther* gan Saunders Lewis (1956, 1958, 1960), ac ym myd y nofel *Anadl o'r Uchelder* gan Pennar Davies (1958). Byddai'n anodd hepgor o'r rhestr *Dail Pren*, Waldo Williams (1957), a phrin fod naws yr apocalyps yn absennol o gyfrol ddiweddarach Pennar Davies, *Mabinogi Mwys* (1979), na nofel Wiliam Owen Roberts, *Y Pla* (1987) na rhai o ddramâu diweddarach Saunders Lewis megis *Cymru Fydd* ac *1938*.

Efallai bod modd adnabod tri chyfnod mewn llenyddiaeth Gymraeg pan fu apocalyps yn nodwedd eithaf amlwg. Ystyr y gair apocalyps yn y cyd-destun hwn yw gweld sefyllfa wedi cyrraedd cyflwr mor argyfyngus, nes bod rhaid wrth ddatrysiad sydyn a therfynol. Gall fod yn Feiblaidd hollol, neu'n fwy seciwlar, lle gwelir pwysigrwydd penderfyniad diwyro i achub sefyllfa. Bu'r cyfnod cyntaf yn ystod ail hanner yr ail ganrif ar bymtheg, cyfnod cyfansoddi *Y Ffydd Ddi-ffuant*:

> Ac os yw amser y byd agos i ddarfod, a chwedi rhedeg hyd at y gwaddod isaf (fel y tybia rhai) nid rhyfedd ei fod wedi egru a chwerwi cymmaint . . . Daw yr Ecclips du ar y byd, pan fo ei anwiredd yn ei lawn lloned . . . Ac megis y bu yn nyddiau Noah a Lot, felly y bydd yn y dydd y datcuddir mâb y dŷn.[20]

Ail gyfnod lle ceir arwyddion apocalyptaidd ydyw cyfnod y Rhyfel Byd Cyntaf. Dangosodd Ned Thomas.[21] sut y defnydd-iwyd delweddau Llyfr y Datguddiad yn foddion i hyrwyddo propaganda, lle gwelid yr Almaen fel y bwystfil. Dyma'r cyfnod hefyd pryd y lluniwyd rhai o gerddi apocalyptaidd T. E. Nicholas, gyda'u pwyslais ar nefoedd newydd a daear newydd y Sosialwyr. Roedd yn gyfnod pan geid awyrgylch cyffredinol o ing a thrallod a pherygl chwalfa, ac yn nhyb Ned Thomas dyna'r cynsail ar gyfer peth o'r emosiynoldeb apocalyptaidd hefyd yng ngwaith Waldo Williams fel ymateb dros dro i 'godi uwchben yr ymdeimlad o chwalfa'.[22]

Y trydydd cyfnod pan welir pwyslais ar yr apocalyps a diwethafiaeth y byd y gwyddom amdano yw'r cyfnod wedi'r Ail Ryfel Byd pan oedd cenedlaetholdeb Cymreig wedi cyrraedd isafbwynt yn ei boblogrwydd. Ni ellir amau nad oedd 1936 yn drobwynt yn hanes yr ymwybod cenedlaethol Cymreig a gorfforir yn symbolaidd ac yn nerthol yn y weithred o losgi'r Ysgol Fomio, ond bu'r cyfnod wedyn yn gyfnod o chwalfa. Roedd Cymru'n fwy nag mewn unrhyw gyfnod o'r blaen yn byw'n sownd wrth gyfundrefn ganolog (o safbwynt gweinydd-iaeth, economeg a chynllunio cymdeithasol). Ni wnaeth llywodraeth Lafur 1945–51 fawr ddim ymgais i fodloni'r galwad-au am gydnabod yn ymarferol yr hunaniaeth Gymreig fel y dehonglid honno gan wahanol garfanau cenedlaethol. Roedd y cyfnod hyd at ddiwedd y 1950au felly yn ddiffeithwch o ran unrhyw ymateb i hyn. Yn symbolaidd gwelir deffroad yn y teimlad cenedlaethol tua dechrau'r 1960au pan foddwyd Cwm Tryweryn. Fel y dywed Ned Thomas wrth ymdrin â gwaith Waldo Williams:

> Traddodiad y gorthrymedig fu'r traddodiad apocalyptaidd erioed, grym y rhai nad oedd iddynt rym arall, gobaith y rhai nad oedd gobaith rhesymol ganddynt; pobl dan bwysau dioddefaint yn dyheu am heddwch a chyfiawnder, yn gofyn 'pa hyd, Arglwydd, pa hyd' ac yn cael nerth o'r gred fod y frwydr olaf wrth law a buddugoliaeth derfynol wrth y drws.[23]

Mae'n werth cymharu'r diffiniad hwn â diffiniad Tony Bianchi wrth iddo yntau ymdrin â gwaith Waldo Williams:

> apocalyps . . . yw'r ymateb terfynol i argyfwng cymdeithasol; mae'n digwydd pan yw'n ymddangos bod yr argyfwng hwnnw yn un diwrthdro a thu hwnt i reolaeth dynion, a phryd hynny yr unig ddewis sydd gan ddyn yw ymddiried yn y 'gwyrthiol mewn hanes' chwedl Berdiaief, neu ymostwng i'r drefn.[24]

Patrwm neu fodel Beiblaidd â'i seiliau yn yr Hen Destament yn ogystal â'r Testament Newydd yw'r traddodiad apocalyptaidd, a hawdd cymhwyso'r fath batrwm mewn gwlad lle mae'r ymwybyddiaeth o'r Beibl (tan yn ddiweddar beth bynnag) wedi bod yn helaeth ac yn gyfoethog iawn, a'r cyfuniad o'r syniad meseianaidd o'r genedl ac apocalyptiaeth yn mynd law yn llaw. Ond gellir gorbwysleisio'r elfennau Beiblaidd uniongred o bosibl ac anghofio fod y patrwm yn gallu cael ei gymhwyso fel mynegiant o argyfwng mewn sefyllfa wleidyddol a diwylliannol ddifrifol.

Mae'r ymdeimlad o apocalyps yn fwy amlwg yng ngwaith y llenorion hynny sydd yn arddel Cymreictod a ddiffinnir mewn termau crefyddol. Ar ryw wedd, hwy yw etifeddion Emrys ap Iwan, hyd yn oed os nad yw'r syniad llywodraethol y buom yn ei drafod yn eglur iawn yn eu gwaith. Rhan o argyfwng mawr y blynyddoedd ar ôl yr Ail Ryfel Byd oedd chwalu'r syniad llywodraethol mai rhan annatod o greadigaeth Duw yw'r genedl a'i hiaith. Wedi dweud hynny, ceir tystiolaeth nad yw'r syniad yn farw gorn o bell ffordd, a medrodd R. Tudur Jones ddweud yn 1974:

> 'Since God has made you a nation, continue to be a nation', said Emrys ap Iwan. It is a ringing challenge. The Welsh nation exists, not by permission of any foreign government, not even by the majority of a single generation of its citizens. The Welsh people have always been convinced that they exist by God's Providence and those of us who acknowledge joyfully our nationality know that the great majority are the dead.[25]

Tueddai W. Ambrose Bebb, fel llawer o'i gyfoeswyr, i weld argyfwng cyffredinol a neilltuol yn y byd o'i gwmpas, yn arbennig yn y cyfnod ar ôl yr Ail Ryfel Byd. Erbyn dechrau'r 1950au darfu am arddull heulog Bebb a'r ymhyfrydu yng ngogoniannau hanes Cymru ac Ewrop. Yn ei lle, ceir sawl cyfeiriad at gyfyng-gyngor y byd a'r betws. Bu Saunders Lewis gyda'r rhai cyntaf i wynebu goblygiadau diwedd cyfnod o gred a math arbennig o ddeall diwylliant, yn rhagymadrodd a cherddi ei gyfrol *Y Byd a'r Betws* (1941). Gwêl Bebb y cyfnod rhwng 1930 ac 1940 fel diwedd 'cynnydd' a dechrau cyfnod newydd o 'gwymp'; dyna'r cyfnod, meddai, ym mhennod olaf *Canrif o Hanes y Tŵr Gwyn* (1954), pan oedd dynion yn cael eu herlid 'megis gan helgwn y fall ei hun'.[26] Mae'r un bennod yn amlinellu natur yr argyfwng yn y modd y'i gwelid gan genhedlaeth Bebb a

Lewis. Mae'n argyfwng ysbrydol sydd o'i natur ei hun yn argyfwng i fodolaeth Cymru. Bygythir hunaniaeth Cymreictod (yn ôl eu diffiniad hwy o Gymreictod) gan argyfyngau'r byd modern, diddiwygiad. O ddeall yr argyfwng yn y fath fodd, nid yw'n syndod fod Bebb yn consurio darlun o brysur bwyso a diwedd buan:

> Ond nid oes, efallai, ormod o amser. Ac yn sicr, nid oes amser i wamalu ac i ohirio. Rhaid yw inni lafurio yn awr. Canys y mae'r nos yn dyfod pryd na ddichon neb weithio.[27]

Y gair 'Argyfwng' oedd gair allweddol ei ysgrif 'Hwyl ac Anfri' a gyhoeddwyd ar ôl ei farw disymwth yn y gyfrol *Yr Argyfwng* (1955). Cymru, i Bebb, oedd 'ein cyfran ni o'r argyfwng dynol', ac aeth ati i geisio datrys yr argyfwng a welai mewn termau crefyddol. Edrychodd yn graff ar gynnwys yr hunaniaeth Gymreig, neu Gymreictod os mynner, a'u cael yn brin. Honnodd fod 'nodau afiechyd a gwendid' yn pwyso ar ddiwylliant Cymru, a gwelai gysylltiad uniongyrchol rhwng y dirywiad a welai a'r dirywiad mewn crefydd yng Nghymru:

> Y mae'r iaith Gymraeg, a luniwyd gan Dduw a dyn ar gyfer y genedl hon, yn wrthodedig gan fwyafrif ei phobl.[28]

Gan ei fod yn cysylltu ei ddiffiniad o Gymreictod â safbwynt Cristnogol pendant, amhosibl i Bebb oedd peidio â gweld Cymru mewn argyfwng o ran parhad ei hunaniaeth draddodiadol. Mae'n beio ffurfiau glastwraidd ar Gristnogaeth am yr argyfwng. I Bebb, ffurf ar natur oedd y genedl, ac o ganlyniad roedd yn rhan o 'ordeiniad Duw'. Mae Cymru, serch hynny, yn wynebu argyfwng tra difrifol, a all olygu ei bod yn wynebu tranc. Ond ni all Cymru, meddai Bebb, oroesi a chael ei hachub oni thry unwaith eto'n ôl at grefydd:

> Y mae gennym yr amser i ymgysegru iddo Ef o'r newydd, amser i ennill Cymru iddo Ef, ac amser, hyd yn oed, i ddwyn y ddynoliaeth oll ato Ef. Ond nid oes, efallai, ormod o amser.[29]

Fel Cristion argyhoeddedig, nid yw'n syndod fod Pennar Davies yn cyplysu ffawd y genedl wrth ragluniaeth. Yn ei ddyddiadur, *Cudd Fy Meiau* (*Dyddlyfr y Brawd o Radd Isel trwy'r flwyddyn 1955*), lleisir yr argyfwng y mae Cymru a chrefydd ynddo. Ceir argyhoeddiad hefyd am ran rhagluniaeth yn ffurfiant a hanes Cymru:

> Y mae ynof hiraeth am Gymru a'i Heisteddfod ddigymar. Gwlad ar ei phen ei hun yw'r Swistir; gwlad ar ei phen ei hun yw Cymru hithau. Y mae pob gwir genedl yn genedl etholedig. Credaf fod Cymru'n bod am fod Rhagluniaeth y Bendigedig a'r Unig Bennaeth yn mynnu ei bod. A diben ei hymdrech a'i phrofedigaeth yw hyn: ieuo diwylliant a gweriniaeth a heddwch er gogoniant i'r Hwn a wnaeth o un gwaed bob cenedl o ddynion i breswylio ar holl wyneb y ddaear.[30]

Adleisir hyn droeon drwy gydol y Dyddiadur. Ar ôl bod yn pregethu mewn capel yn Sir Fynwy, sef un o eglwysi Cymraeg mwyaf dwyreiniol Cymru, myfyria'r awdur yn ddwys eto am 'y bartneriaeth fawr':

> Pa beth yw Rhagluniaeth ond Etholedigaeth? Onid etholwyd pob cenedl i gyfoethogi trysorfa'r Gras ymostyngar? Ac onid etholwyd Cymru i'r Bartneriaeth Fawr? Gwae inni fradychu'r ethol.[31]

Gwelwn barhad anllygredig i syniadau Emrys ap Iwan yn y geiriau hyn; ond mae gafael yn llinynnau hanes rhagluniaethol, yr *Heilsgeschichte*, yn rhagdybio patrwm lle ceir pen draw, neu *dénouement*, i'r ddrama ddynol a chenedlaethol. Dyna sydd yn egluro'r agweddau apocalyptaidd a geir yn rhai o nofelau Pennar Davies, lle trafodir Cymru a'i chrefydd mewn termau tymhestlog. Ynghlwm wrth y patrwm apocalyptaidd, y mae'r gred yn aml mewn ffigur meseianaidd ac mae'r ffigur neu'r ffigurau'n ymrithio sawl gwaith mewn llenyddiaeth argyfyngus yn yr ugeinfed ganrif.

Roedd *Anadl o'r Uchelder* (1958), nofel apocalyptaidd gyntaf Pennar Davies, eisoes yn cymysgu'r arwr meseianaidd Arthur â'r Meseia o'r Beibl, ac achubiaeth yn nodwedd ar y ddau draddodiad yn naturiol. Disgwylir pethau mawr gan Arthur Morgan, pennaeth Ymgyrch Crist y Cymry, megis rhyw chwyldroad ysbrydol, ymddatodiad buan y drefn bresennol yn y byd ac Atgyfodiad yr Eglwys.[32] Sonnir yn y nofel am aelodau o'r Mudiad Gweddi yn erfyn ar Dduw i anfon arweinydd i Gymru:

'Ni ellid sicrwydd weithiau ai rhyw Owain Glyn Dŵr ai rhyw Evan Roberts ai rhyw gyfuniad o'r ddau a oedd ym meddwl y gweddïwr.'[33] Mae'r cyfuniad meseianaidd apocalyptaidd yn amlycach byth yn yr adran lle sonnir am berfformiad o *Judas Maccabaeus*, Handel:

> Pan ganodd y côr y darn cyffrous sydd yn deisyf ar yr Arglwydd anfon arweinydd hyf a gwrol, cododd llawer o bobl yn y gynulleidfa a bloeddio gwerthfawrogiad, ac yr oedd y gweddill o'r oratorio'n brofiad anghyffredin i lawer. Bu hyn yn symbyliad i lawer weddïo'n ddewrach ac yn fwy agored am ddyfodiad un a allai uno a rhyddhau Cymru, a chredai rhai y byddai hyn yn foddion cychwyn oes newydd i Anglosaxonia a'r Gorllewin oll a'r byd.[34]

Nid llai proffwydol ei naws ac apocalyptaidd ydyw *Mabinogi Mwys* (1979) gan yr un awdur. Gwelwn febyd Arthur Morgan yn y nofel hon a'r gobaith dwys am ei weld yn codi'n arweinydd ysbrydol yn y byd. Mae'r Arthur hwn yn ymglywed â rhith a hud rhyw fro guddiedig a delfrydol :

> Yr oedd gan Arthur ei weledigaeth fach breifat am ryw fro na welwyd efallai erioed ond y gwelir ei thebyg gan laweroedd.[35]

Mae'r hanes apocalyptaidd hwn yn wahanol i naws y nofel flaenorol. Yn yr ail nofel pwysleisir hunanaberth ac argyfwng dyfnach. Dehonglir hunanaberth fel math o feseianaeth Gristaidd ac Arthuraidd lle bydd yr arwr yn marw er mwyn achub ei bobl. Dioddefaint bellach sydd wrth wraidd amodau achubiaeth i Gymru, fel y dywed tad Arthur:

> Ond mae eisie rhywbeth arall i newid rhagolygon Cymru. Mae eisie mwy o'r math o weithredu yr ydych chi wedi dioddef carchar amdano.[36]

Ni ellir osgoi'r ymdeimlad mai yn y dyfodol y mae swyddogaeth Arthur: 'efe yw'r Arthur disgwyliedig'.[37] Er mor fwyn yw'r Arthur cyfoes, mae ei wers am rym dioddefaint yn ddamniol o greulon:

> Rhaid i bawb ddiodde. Y peth mawr ydi troi'r diodde'n gymorth i wneud y byd yn well.[38]

Mae'r ymdeimlad o argyfwng apocalyptaidd yn cynyddu'n gresendo tua diwedd y llyfr, ac ofnau am y dyfodol yn ddifrifol:

> Yr oedd Eifion ei hun yn dechrau ofni'r dyfodol. Yr oedd cyflwr Cymru a chyflwr y byd, neu felly y tybiai, yn prysur symud i argyfwng peryclach nag erioed. Anghyfiawnder ac anghydraddoldeb a deyrnasai ymhobman . . . Yng Nghymru yr oedd hunaniaeth – enaid – yr hen genedl ynghlwm wrth yr hen iaith, ac yr oedd gormes ymerodrol a oedd ar ffo mewn llawer o rannau eraill o'r byd yn ymegnïo i ladd yr iaith . . .[39]

Er bod elfennau yn ei gerddi y gellir eu cysylltu â gwaith y llenorion apocalyptaidd eraill, mae'n amlwg na ellir gwneud cyfiawnder â gwaith bardd mor fawr â Waldo Williams. Er nad yw Waldo bob amser yn cyfeirio'n ddieithriad at Gymru yn ei farddoniaeth, fe geir nifer o gerddi lle defnyddir symboliaeth alltudiaeth neu gaethiwed. Mae rhyfel 1939 a'r paratoadau fu ynghlwm wrtho yn peri iddo weld caethglud yn dod i'w fro yn 'Plentyn y Ddaear',[40] er iddo'n nodweddiadol weld gobaith am frawdoliaeth hyd yn oed yn wyneb rhyfel. Mae tinc mwy gwleidyddol a chenedlaethol i gerdd yn perthyn i'r un flwyddyn, sef 'Diwedd Bro'. Ym marn Donald Hughes, mae'r gerdd chwedlonol honno yn 'symbol o argyfwng y gymdeithas fodern yn Nyfed, ac yn wir yng Nghymru drwyddi draw efallai, a'r hyn a wnaeth oedd gwneud y chwedl yn gyfrwng i'w weledigaeth bersonol ef ar natur y perygl sy'n bygwth seiliau ein diwylliant heddiw'.[41] Neges y gerdd yw nad yw gwerin Dyfed mwyach yn 'wreiddiedig' ym mro eu geni ac yn gorfforol, a hefyd yn seicolegol ymhen amser, maent yn codi pac a throi am Loegr:

> A'r ddau amddifad bro
> Dan dristyd hwnt i'r deigr,
> Ebr ef, 'Awn ymaith dro',
> Ac aethant, parth â Lloegr.[42]

Daw'r cyfeiriadau at Gymru gyfan fel gwlad mewn 'alltudiaeth' yn fwy niferus yn y cerddi a gyfansoddwyd ar ôl y rhyfel. Mae defnyddio patrwm y Gaethglud Feiblaidd yn rhagdybio dychweliad rywdro yn y dyfodol; gall hefyd awgrymu'r ffigur meseianaidd, achubydd y genedl. Gwelsom eisoes fod ffigur y Mab Darogan yn elfen bwerus yn y traddodiad

Cymraeg. Mae'r gerdd, 'Eu Cyfrinach', hefyd yn berthnasol. Hanes Moses a geir yn rhan gyntaf y gerdd; roedd y gobaith a'r addewid Feiblaidd yn drech na cherbydau Pharo. Fel Gwenallt, gwelir hanes Cymru yn ddrych i'r cyflwr y bu Israel ynddo yn ystod ei halltudiaeth:

> O! Gymru, fy mhobl, gwybyddwch ein rheibio'n
> Oesol wrth air Pharao brwnt.
> Eto'n dalgryf y casgl ef eich meibion
> I'w taflu i hap ei folrythi hwnt.
> Tywalltodd ein cyfoeth i lestri ei wledd,
> A'n hoedl, pa hyd? i'w lwth gwerylon.[43]

Yn yr un flwyddyn (1946) cyhoeddodd Waldo gerdd arall, lle defnyddir chwedl Gymraeg i fynegi alltudiaeth, sef 'Caniad Ehedydd'. Fel merch a ddelir yn garcharores y gwelir Cymru, merch y mae'n rhaid ei rhyddhau:

> Gwiwfoes yr oesoedd
> Hardd yr ynysoedd,
> Branwen cenhedloedd
> Codaf i'w hadfer.[44]

Defnyddir ffigur y ferch y mae'n rhaid ei hachub eto yn ei gerdd fawr i'r iaith Gymraeg, lle'r ymrithia'r iaith fel symbol y gymuned oll, yn bresennol ac fel rhywbeth yn y gorffennol ac mewn dyfodol dichonadwy. Yr iaith, wedi'r cwbl, yw'r unig linyn arian sydd yn dal cenedl ar hyd trac amser. Awgryma'r iaith alltudiaeth fewnol gan nad yw Waldo yn ei lleoli yn y llys (neu'r tŷ – un o symbolau'r bardd am gartref y genedl wreiddiedig), ond ar y tu allan:

> ... Ond nid harddach na hon
> Sydd yn crwydro gan ymwrando â lleisiau
> Ar ddisberod o'i gwrogaeth hen;
> Ac sydd yn holi pa yfory a fydd, ...[45]

Diddorol yw sylwi sut y mae'r bardd yn mynegi'r hunaniaeth amwys a goleddir gan drwch y boblogaeth, drwy rannu'r iaith fel merch oddi wrth ei phobl. Mae'r ferch yn rhychwantu'r

---

oesoedd, yn noddwraig famol yn rhoi asbri i enaid y genedl. Ond mae'r hunaniaeth amwys yn tanseilio cof hanesyddol y genedl, a'i gadael yn 'alltud':

> Ond mae tir ni ddring ehedydd yn ôl i'w nen,
> Rhyw ddoe dihiraeth a'u gwahanodd.
> Hyn yw gaeaf cenedl, y galon oer
> Heb wybod colli ei phum llawenydd.[46]

Er bod tinc meseianaidd o bryd i'w gilydd ym marddoniaeth Waldo fel 'Pan ddaw fy Arthur i i'r lan', 'Eu cyfrinach', ac 'Eneidfawr', nid drwy'r Mab Darogan yr ystyriai Waldo y deuai diwedd ar yr alltudiaeth genedlaethol a phersonol. Mae'r sicrwydd y daw'r ymddatod pan fydd 'cydeneidiau'n ymagor' yn seiliedig ar obaith apocalyptaidd y byddai plant dynion yn ymgasglu lle byddai cyfeillach a gwir adnabod:

> Cod ni, Waredwr y byd,
> O nos y cleddyfau a'r ffyn.
> O! Faddeuant, dwg ni yn ôl,
> O! Dosturi, casgl ni ynghyd.
> A bydd cyfeillach ar ôl hyn.[47]

O fewn y patrwm apocalyptaidd hwn, a'i bwyslais ar ailgyfannu a chasglu ynghyd, y gwelir y balm i friw alltudiaeth genedlaethol yng ngwaith Waldo. Mae'r undod y mae'n chwilio amdano yn bodoli ym meddwl y bardd ar ffurf cymdogaeth. Mae pwyslais Waldo ar fro a chymdogaeth a gwreiddiedigrwydd dynion yn hysbys. Yn ei ymchwil am ailgyfannu dynion a chenedl, gellir gweld peth tebygrwydd rhyngddo a Gaston Miron a fynnai 'ailgyfannu' (*rapailler*) pobl Québec. Mae'n sicr mai'r gerdd lle gwelir yr awydd hwn ar waith ar ei wedd gliriaf yw 'Cymru'n Un', a gyhoeddwyd gyntaf yn 1947, ac sydd fel adlais o eiriau O. M. Edwards am fynyddoedd Cymru ('Hwy fedr esbonio datblygiad hanes Cymru – dangos paham y mae'n wlad ar wahân, pam mae'n rhanedig, ac eto'n un'):

> Ynof mae Cymru'n un. Y modd nis gwn.
> Chwiliais drwy gyntedd maith fy mod, a chael
> Deunydd cymdogaeth . . .[48]

Daw'r ymgais gan rywrai i ddryllio'r hunaniaeth amwys sydd wrth wraidd colli cyfanrwydd y genedl yn gam pendant yn y gwaith o ddwyn cenedl yn ôl at ei phethau a chywiro hen gamwedd:

A gall mai dyna pam yr wyf am fod
Ymhlith y rhai sydd am wneud Cymru'n bur
I'r enw nad oes mo'i rannu; am ddryllio'r rhod
Anghenedl sydd yn gwatwar dawn eu gwŷr;
Am roi i'r ysig rwydd-deb trefn eu tras.[49]

Rhan eto o'r ailgyfannu yw sicrhau gafael sicr ar y gofod diwylliannol a daearol. Mae Waldo yn hoffi cyfuno'r ddau beth, fel y gwelir yn y gerdd adnabyddus iawn 'Cymru a Chymraeg', lle sonnir am yr iaith megis yn ymdreiddio i'r mynyddoedd. Tirwedd Cymru yw'r llwyfan lle gwelir tynged a ffawd y genedl yn cael eu penderfynu. Mae'r argyfwng a wynebai'r genedl a'r iaith yn amlwg yn y modd y sonnir am yr iaith fel 'merch perygl'. Ond ceir rhagflas yng ngwaith Waldo hefyd o'r crebachu yn y gofod diwylliannol ac, fel y gwelsom, mae hyn yn nodwedd ar y trydydd argyfwng a all arwain at chwalfa. Hyn sy'n cyfrif am ddefnydd Waldo o'r gair 'hawlio' wrth gyfeirio at yr angen i adfeddiannu tiriogaeth goll neu'r peuoedd (*domains*) sydd yn wynebu bygythiad:

Tŷ teilwng i'w dehonglreg! Ni waeth a hapio,
Mae'n rhaid inni hawlio'r preswyl heb holi'r pris.[50]

Os y profiad hanesyddol sy'n rhan o hunaniaeth a chyfanrwydd cenedl, wedyn mae'r llwyfan lle bu i'r pethau hyn ddigwydd yn rhan anhepgor hefyd, dyna'r neges a geir yn ei gerdd 'Daear Cymru' a gyhoeddwyd yn *Y Ddraig Goch* yn 1947:

Dan haul a chwmwl ein profiad a'i prynodd.
Rhed yr arial trwom ni
O'r fraich o danom, ac onid affwys
Os peidiwn â'i hawlio hi.[51]

Yn y diwedd estynnir y syniad o 'hawlio' i'r genedl gyfan, a ddisgrifir yn drosiadol fel 'tŷ', yn erbyn cefnlen proffwydoliaeth

Hen Ŵr Pencader; eto arferir geiriau'n awgrymu undod a chyfanrwydd fel 'cydio', ac 'ieuo':

> Bydd cynnal nerth a bydd canlyn Arthur.
> Bydd hawlio'r tŷ, bydd ail alw'r towyr,
> Bydd arddel treftâd yr adeiladwyr . . .
>
> Hen ŵr Pencader, a'th grap yn cydio
> Hen a newydd, bydd awen i'n hieuo,
> Anadl i ateb, yn genedl eto.[52]

Ond ni ellir gorffen hyd yn oed ymdriniaeth fer â rhai agweddau ar waith Waldo heb nodi mai rhywbeth o fewn gweledigaeth ehangach oedd y 'cyfannu' cenedlaethol, sef y cyfannu a'r casglu a welodd yn 'Mewn Dau Gae'. Drwy'r frawdoliaeth a'r adnabod hyn y deuai'r berthynas iawn a arweiniai at frawdoliaeth. Bu dylanwad yr athronydd Rwsiaidd, Berdiaeff, yn bwysig i Waldo yn arbennig ar ôl yr Ail Ryfel Byd, ac mae peth o'i ddylanwad ar ysgrif Waldo 'Brenhiniaeth a Brawdoliaeth' (1956). Mae Waldo, fel Berdiaeff, yn defnyddio'r gair brenhiniaeth i olygu'r wladwriaeth fawr ryfelgar. Mae bywyd gwâr y cenhedloedd 'anhanesiol' yn ymddangos fel agwedd ar y frawdoliaeth yr hoffai Waldo sôn amdani:

> Lle mae brenhiniaeth yn rhannu'r byd rhwng ei chyfryngau y mae brawdoliaeth yn ei uno â'i hysbryd. Lle mae brenhiniaeth yn gafael ar ddyn yng ngrym awdurdod a thraddodiad y mae brawdoliaeth yn ei gynnal yn ei anian. Y mae brawdoliaeth yn ehangach ac yn ddyfnach na brenhiniaeth, ac y mae'n rhaid barnu brenhiniaeth gerbron brawdoliaeth.[53]

Bu colli'r syniad llywodraethol a greai ddolen annatod rhwng Cymreictod a chrefydd, sef y patrwm a leisiwyd mor groyw gan Emrys ap Iwan, yn ergyd ddifrifol i'r ddarpariaeth angenrheidiol er mwyn wynebu argyfwng ein dyddiau ni. Mae'r hunaniaeth genedlaethol seciwlar yn gorfod chwilio am egwyddorion sydd yn gysylltiedig â gwerthoedd gorau'r gwladwriaethau mawr. Bellach, yn lle honni mai rhan o greadigaeth Duw yw'r Gymraeg, pwysleisir amrywiaeth cynhenid y ddynolryw, a'r angen am gadw'r cyfoeth hwn rhag ei gymathu o fewn unffurfiaeth gynyddol. Cawn ddatganiad clir o hyn ym *Maniffesto Cymdeithas yr Iaith Gymraeg* (1972):

Pe bai'r Gymraeg farw, fel y dichon nifer fawr o ddiwylliannau lleiafrifol eraill farw o hyn i ddiwedd y ganrif, byddai hynny'n tlodi dynoliaeth yn yr ystyr y byddai un edefyn ymhlith y miloedd a gynhwysir ym mhatrwm diwylliant dyn – patrwm sy'n ogoneddus am ei fod yn amrywiol – wedi'i golli.[54]

Fel y gwyddys, bu syniadau J. R. Jones yn ddylanwad pwysig ar ddiwedd y chwedegau a dechrau'r saithdegau, ac erys eu hôl hyd heddiw ar feddylwaith cenedlaetholdeb Cymreig. Rhoddai ef gryn bwyslais ar wreiddiedigrwydd mewn gofod ac amser. Tiriogaeth a thraddodiad yw dau o'r pethau angenrheidiol yn ei ddiffiniad o genedligrwydd ar gyfer parhad. Gellir gweld fod y gofod yn gallu crebachu'n ddifrifol fel y gwnaeth yn Ocsitania a Llydaw, nes creu sefyllfa lle nad yw'r hunaniaeth ond yn bodoli fel rhan o drac mewn amser. Mae pwysigrwydd y gwreiddiedigrwydd hwn wedi darparu syniad llywodraethol arall sydd yn rhoi ystyr i'r frwydr dros iaith a diwylliant, ac yn y pen draw hunaniaeth, sef honni fod y gwreiddiedigrwydd a'r amrywiaeth ieithyddol yn wrthglawdd yn erbyn y 'gwrth-ddiwylliant Eingl-Americanaidd'. Cynog Davies biau'r geiriau canlynol:

> Rydym ni'n gweld yr amrywiaeth ieithyddol a diwylliannol hyn hefyd yn wrthglawdd cryf yn erbyn y baseiddio a'r llygru a wneir gan y gwrth-ddiwylliant Anglo-Americanaidd sy'n llifo trwy gymorth holl gyfarpar cyfalafiaeth i bob cwr o'r byd . . . Rydym ni, felly, yn gweld ein brwydr dros y Gymraeg yn rhan o'r frwydr fydeang yn erbyn diwreiddiad a'r unffurfiaeth ddiwylliannol, . . . 'herio, yn bersonol ac yn gyhoeddus, ac o ba le bynnag yr ydym, y grymusterau anferth sydd nid yn unig yn gwastatáu ond yn rhwystro dirweddau hunaniaeth a diwylliant.[55]

Ymgais, yn ddigon naturiol, yw'r uchod i greu syniadaeth i gyfiawnhau'r frwydr dros iaith a hunaniaeth drwy gyfeirio at elfennau y tu allan i iaith a hunaniaeth arbennig. Yn gynyddol, o hyn allan, ceir tystiolaeth fod argyfwng o'r trydydd math, argyfwng y dadelfennu, yn wynebu'r hunaniaeth Gymreig. Hynny yw, y gofod diwylliannol yn crebachu, a diffyg syniad llywodraethol pendant a dderbynnir yn gyffredinol. Gwelwyd eisoes fod hyn yn un o nodweddion y trydydd argyfwng, lle gwelir perygl chwalfa i'r gymuned a'r hunaniaeth genedlaethol.

Fel y gellir disgwyl, mae trosiad alltudiaeth fewnol eto'n ailgodi, ond nid o fewn y patrwm Beiblaidd. Soniodd R. S. Thomas am yr ymdeimlad o fod yn alltud yn ei wlad ei hun mewn araith a draddododd fel Llywydd y Dydd gerbron Eisteddfod Genedlaethol Llangefni yn 1983. Ar ddechrau'r araith mae'n trafod alltudiaeth o fath gwahanol, sef yr alltudiaeth i wlad arall a fu'n brofiad cyffredin i lawer o Gymry. Roedd R. S. Thomas ei hunan hefyd mewn rhyw fath o alltudiaeth pan nad oedd yn gallu cydgwmnïa â'r Cymry Cymraeg yn eu hiaith eu hunain, ond o dipyn i beth, ymbalfalodd ar hyd y ffordd tuag at Gymru a Chymreictod Cymraeg, nes cael ei dderbyn yn llwyr. Ond o achos y mewnlifiad i Gymru, daw'r bardd i gasgliad fod alltudiaeth arall yn bosibl, sef bod yn alltud yn eich gwlad eich hun oherwydd mewnlifiad, sef ffenomen sydd yn achosi fod y gofod diwylliannol yn crebachu:

> Dros y blynyddoedd diwethaf cefais innau brofiad newydd. Er fy mod i wedi ennill fy ffordd yn ôl i blith y Cymry Cymraeg, fel y gallaf gael mynediad i unrhyw gymdeithas Gymraeg, 'rydw i wedi dechrau sylweddoli pa mor hawdd ydi hi heddiw bod yn alltud yn fy ngwlad fy hun. Fel y gwyddoch, y mae 'na fwy a mwy o bobl ddieithr yn dod i fyw i Gymru bob mis bellach . . .[56]

Mae'r darlun o alltudiaeth yn un parhaol yng ngwaith nifer o lenorion o'r 1960au ymlaen, wrth weld yr hen gyfundrefn grefyddol yn chwalu, a ffyddlondeb y bobl tuag at y Gymraeg yn newid, a hwythau'n mabwysiadu iaith y pleidiau Prydeinig ac iaith grym. I Kate Roberts ac eraill, mynegir yr ymdeimlad o alltudiaeth fewnol gan ei theimlad mai peth mwy poenus na gadael eich gwlad yw gweld eich gwlad yn eich gadael chi.[57] Ceir parhad o'r un syniad yng ngwaith Alan Llwyd (a'i *alter ego* Meilir Emrys Owen). Yn ei gerdd fwyaf digalon a diobaith, 'Cymro Di-wlad', mae Meilir Emrys Owen yn ymdrin â'r ymddieithrwch a'r crebachu a fu ar y gofod diwylliannol:

> Aeth y Cymry'n gyn-genedl:
> teirw gwyllt lle trig alltud
> yn bugunad – heb genedl.
>
> Cynnen yw hanfod cenedl:
> ei bedd yw huodledd dadl,
> bedd tranc yw Canaan cenedl.

Nid yw cân enaid cenedl
Na'r iaith ychwaith ond rhith chwedl.
Angau'i hun yw fy nghenedl.[58]

Yn yr un gyfrol, sef *Yn y Dirfawr Wag* (1988), y gerdd sydd yn
mynd i'r afael â'r ymdeimlad o alltudiaeth fewnol yw 'Monallt'.
Hanes dwy alltudiaeth a geir yn y gerdd honno. Adroddir sut y
bu i ŵr ifanc adael cefn gwlad Môn, i chwilio am lowyach nen yn
y ddinas. O edrych yn ôl, mae cefn gwlad yn 'baradwys' a'r
ddinas bell yn 'uffern':

Er rhoi nef i'r un ifanc
Tynn uffern bell ambell lanc;
Tynfa'n bont i annwfn byd
Yw ein tynfa at wynfyd:
Newidiodd fyd: ddoe o Fôn
Ciliodd er torri calon:
Cyfnewid cof anniwall
Am gof bas y ddinas ddall.[59]

Mae'r gŵr ifanc yn hiraethu am ei hen gynefin, ond nid yw'n
ymwybodol iawn o gyflwr ei wlad. Mae'n hanner ymwybodol,
efallai, oherwydd mae hyn yn egluro i raddau pam y mae am
ddianc o realiti ei gynefin:

Lle bo'i wlad dan henfrad hir
Dedwydd yw a alltudir: . . .[60]

Mae'r profiad o hiraeth personol, o'i gael ei hun mewn dinas
mor wahanol ei gwerthoedd a'i hiaith, i'w gartref, yn ei rwystro
rhag deall holl realiti y Gymru gyfoes:

Gwell gan lygad baradwys
Y fro bell na'r nef ar bwys,
Ond taer drwy lygad hiraeth
Yw'r drem ar frodir a aeth.
Rhy ddall drwy'i ddagrau'r alltud
I weld gwarth ei wlad i gyd: . . .[61]

Yn y pen draw, mae'r gŵr ifanc yn cyfarfod â beirdd sydd yn ei
roi ar ben ffordd fel prentis bardd. Mae'n dysgu'r cynganeddion,
a thrwy hynny, llwydda nid yn unig i ymleoli yn nhrac amser,

chwedl J. R. Jones, ond daw hefyd i ddeall ystyr ei 'wreiddiedig-rwydd' mewn ardal arbennig. Drwy'r iaith Gymraeg, yn ei ffurf aruchel, gynganeddol, y mae'n medru cymuno â meistri'r gorffennol, mewn modd sy'n anodd gyda'i gyfoedion:

> Rhodd Duw yw breuddwyd awen;
> Rhodd yr hil o'r ddaear hen
> Yw rhin a geiriau'r heniaith,
> A'r grefft sy'n mawrygu'r iaith.
> Min nos cymuno a wnaeth
> Â'i dadau'n ei alltudiaeth,
> A lleoliad eiliad oedd
> Fin nos yn gyrchfan oesoedd.[62]

Gwêl y bardd newydd bwysigrwydd aruthrol yn hen awen gynganeddol y Cymry. Drwy ddefnyddio'r 'iaith' arbennig hon, llwydda i gysylltu â'r hen oesoedd, oesoedd Cymreictod hanesyddol, ac mae hyn yn achos dadeni iddo ef ac yn ernes o ddadeni cenedlaethol. Meddai:

> Pob camp gron o'n heiddo ni,
> Awen doe'n ein dadeni.
> Nid mewn gwagle y creai
> Yn arddull lofr y beirdd llai,
> Ond ail-greu yn genedl gron
> Ei linach â'i englynion . . .
> Onid oedd yn gywrain deg
> Wareiddiad ym mhob brawddeg.[63]

Ond wedi trechu un alltudiaeth, drwy adfeddiannu traddodiad llenyddol ei wlad (sy'n sylfaen parhad y wlad honno yn ei farn ef), caiff ei wynebu gan alltudiaeth fewnol wrth ddychwelyd i gefn gwlad. Fel y dywedais gynnau, sylfaen ei hunaniaeth a'i barhad fel Cymro yw'r iaith fel dolen gyswllt â'r gorffennol, ond o'i gwmpas ni chlyw ond bratiaith garbwl, sydd yn ei droi'n ddieithryn yn ei wlad ei hun:

> Un dydd i'r Penrhyn y daeth,
> Adref i Benrhyndeudraeth,
> Adref i fynnu brwydro
> Dros barhad i dras a bro,
> Ond wele'n alltud eilwaith
> Y gŵr a fawrygai'i iaith:

Nid oedd ond gweddill sillaf
Lle bu'r iaith yn briod-ddull braf:
Rhai bloesg yn garbwl eu hiaith,
Mwmial lle gynt bu mamiaith.[64]

Gan feirdd eithaf ceidwadol eu Cymreictod y ceir y mynegiant croywaf o alltudiaeth neu ymddieithrwch yn wyneb cyflwr y Gymru gyfoes. Collwyd y syniad llywodraethol a gynhwysai brif deithi Cymreictod a'i hanes o fewn rhyw batrwm ehangach, ond cadwyd y pwyslais ar draddodiad, a thraddodi elfennau Cymreictod o genhedlaeth i genhedlaeth. Mae dinistr a dieithrwch y gofod diwylliannol drwy gyfrwng ymgymathiad yn cael eu cystwyo'n hallt gan feirdd y 1960au a'r 1970au, fel, er enghraifft, y gerdd 'Etifeddiaeth' gan Gerallt Lloyd Owen o'i gyfrol *Cerddi'r Cywilydd*:

> Troesom ein cenedl i genhedlu
> estroniaid heb ystyr i'w hanes,
> gwymon o ddynion heb ddal
> tro'r trai.
> A throesom iaith yr oesau
> yn iaith ein cywilydd ni.[65]

Mae ganddo gryn dipyn o ganu pesimistaidd, nodweddiadol o lenyddiaeth y trydydd argyfwng. Yn ei gerdd 'Gwenoliaid', adar sydd fel arfer yn symbol cyfleus am obaith, ond sydd yn absennol o '(g)aeafol hin ein gwlad', yr unig adar a wêl y bardd yw beirdd Cymru, na chlywir eu neges broffwydol gan drwch y boblogaeth:

> Fy ngwlad, gwêl yr adar
> dewr a genhedlaist ti!
> Y beirdd na wyddom eu bod
> yng ngaeaf diwethaf ein dydd.[66]

Er y gellir dweud nad yw llenyddiaeth Gymraeg yn ymdrin yn uniongyrchol gyson â ffawd y genedl, y mae'n bosibl gweld o hyd rai o nodweddion y trydydd argyfwng yn ymwthio i'r wyneb. Erys peth o hinsawdd yr apocalyps o hyd. Mae nofel Wiliam Owen Roberts, *Y Pla* (1987), yn enghraifft nodedig gyda'i dyfyniad o waith Gwyn A. Williams ar yr wyneb-ddalen: 'Yr ydym ninnau'n bobl sydd wedi rhedeg oddi ar ein mapiau. Gwelsom ninnau flynyddoedd y pla.' Mae'r crebachu a'r difa a ddaeth i'r gofod diwylliannol yn ennyn ymateb gwahanol gan un o gymeriadau *Cadw'r Chwedlau'n Fyw* gan Aled Islwyn (1984). Gwelir y 'chwedlau' am hanes Cymru yn rhywbeth ansylweddol, lle na ellir gweld y gwahaniaeth rhyngddynt a chwedlau gwerin, ac felly'n fodd i swcro celwydd am wir natur Cymreictod cyfoes:

> Fu ganddi [Cymru] ddim hanes ers cenedlaethau. Rhygnu ymlaen i oroesi o un ganrif i'r llall. Rhamanteiddio'r gorffennol. Dyna wnaeth Cymru. Nid hanes yw peth felly. Brwydr ddylai pob gwir hanes fod. Brwydr dros ryw bobloedd neu egwyddorion neu fuddiannau. Mae hanes yn rym byw . . . ond fu 'run grym o'r fath yn ysbryd y Cymry ers amser maith. Dydw i ddim hyd yn oed yn siwr ydy e'n fyw yn y Gymdeithas nawr. Cadw'r chwedlau'n fyw; dyna i gyd yw hanes diweddar Cymru.[67]

Ond yn nofel Wiliam Owen Roberts, nid hanes cenedl yn ceisio dod i fodolaeth a welir, ond hanes yn terfynu gyda dyfodiad yr Anghrist, yr un sy'n cyhoeddi'r mil blynyddoedd, mil blynyddoedd y genedl pan brofir y ffyddlon rai:

> Fe ganiata Duw iddo erlid ei bobol er mwyn eu profi. Yn y modd hwn y dysgir gwers i'r ffyddlon rai. Yn y dyddiau olaf fe dry llawer oddi wrth Duw (*sic*) ac fe lenwir yr eglwys â rhagrithwyr, hereticiaid a gau Gristnogion . . . Anrhydeddir yr etholedig rai yn llygaid y nefoedd ac fe'u darperir i gwrdd â'u Creawdwr. Yr enw cyffredin a roir ar y gelyn hwn yw'r Anghrist.[68]

Bydd cyfle inni yn y penodau nesaf i weld datblygiad argyfwng alltudiaeth yng ngwaith tri o feirdd a fu'n wynebu cyflwr eu gwledydd yng nghyfnod 'cadw'r chwedlau'n fyw', heb sôn am ddyddiau pan fu'n rhaid cael eu 'profi' yn ystod yr alltudiaeth hir.

Nodiadau

[1] Dyfynnir yn R. Tudur Jones, *The Desire of Nations* (Llandybïe, 1988), 74.

[2] W. L. Richards (gol.), *Gwaith Dafydd Llwyd* (Caerdydd, 1964), 31:29.

[3] C. Edwards, *Y Ffydd Ddi-Ffuant* (Caerdydd, 1936), 159–60.

[4] Ibid., 185–6.

[5] Ibid., 208.

[6] D. J. Williams, *Y Gaseg Ddu a Gweithiau Eraill* (Llandysul, 1970), 57.

[7] D. Gwenallt Jones (J. E. Caerwyn-Williams, gol.), *Ffwrneisiau: Cronicl Blynyddoedd Mebyd* (Llandysul, 1982), 297.

[8] R. Tudur Jones, op. cit., 148–9.·

[9] R. M. Jones (gol.), *Blodeugerdd Barddas o'r Bedwaredd Ganrif ar Bymtheg* (Llandybïe, 1988), 12.

[10] O. M. Edwards, *Er Mwyn Cymru* (Wrecsam, 1922), 28.

[11] Idem, *Llynnoedd Llonydd* (Wrecsam, 1922), 11.

[12] Idem, *Cartrefi Cymru* (Gwrecsam, 1896), 139–40.

[13] Idem, *Llynnoedd Llonydd*, 11–12.

[14] E. ap Iwan, *Homilïau* (Dinbych, 1943), 50.

[15] Ibid., 53.

[16] Ibid., 51.

[17] Ibid.

[18] Heini Gruffudd, *Achub Cymru* (Talybont, 1983), 101.

[19] K. O. Morgan, *Rebirth of a Nation 1880–1980* (Oxford & Cardiff, 1981), 98.

[20] C. Edwards, op. cit., 364.

[21] N. Thomas, *Waldo* (Caernarfon, 1985), 22.

[22] Ibid., 24.

[23] Ibid., 19.

[24] Tony Bianchi yn Robert Rhys (gol.), *Waldo Williams* (Abertawe, 1981), 306.

[25] R. Tudur Jones, op. cit., 205.

[26] A. Bebb, *Canrif o Hanes 'Y Tŵr Gwyn'* (Caernarfon, 1954), 340.

[27] Ibid., 354.

[28] A. Bebb, *Yr Argyfwng* (Llandybïe, d.d.), 24.

[29] Idem, *Canrif o Hanes 'Y Tŵr Gwyn'*, 354.

[30] Pennar Davies, *Cudd Fy Meiau* (Abertawe, 1957), 117.

[31] Ibid., 149.

[32] Pennar Davies, *Anadl o'r Uchelder* (Abertawe, 1958), 206.

[33] Ibid., 81.

[34] Ibid., 82.

[35] Pennar Davies, *Mabinogi Mwys* (Abertawe, 1979), 118.

[36] Ibid., 134.

[37] Ibid., 140.

[38] Ibid., 146.

[39] Ibid., 149.

[40] Waldo Williams, *Dail Pren* (Llandysul, 1957), 68.

[41] R. Rhys (gol.), *Waldo Williams* (Abertawe, 1981), 144–5.

[42] *Dail Pren*, 65.

[43] Ibid., 57.

[44] Ibid., 94.

[45] Ibid., 95.

[46] Ibid., 95.

[47] Ibid., 73.

[48] Ibid., 93.

[49] Ibid.

[50] Ibid., 100.

[51] *Y Ddraig Goch*, 1 Mai, 1947.

[52] *Dail Pren*, 87.

[53] James Nicholas (gol.), *Waldo* (Llandysul, 1977), 270.

[54] Cynog Davies, *Maniffesto Cymdeithas yr Iaith Gymraeg* (Aberystwyth, 1972), 12.

[55] Ibid., 12.

[56] Tony Brown a Bedwyr Lewis Jones (goln), *Pe Medrwn yr Iaith ac Ysgrifau Eraill* (Abertawe, 1988), 129–30.

[57] Dyfynnir yn E. Humphreys, *The Triple Net, A Portrait of the Writer Kate Roberts* (London, 1988), 28–9.

[58] Alan Llwyd, *Cerddi Alan Llwyd 1968–1990* (Llandybïe, 1990), 198.

[59] Alan Llwyd, *Y Dirfawr Wag* (Llandybïe, 1988), 43.

[60] Ibid., 44.

[61] Ibid.

[62] Ibid., 45–6.

[63] Ibid., 46–7.

[64] Ibid., 47.

[65] Gerallt Lloyd Owen, *Cerddi'r Cywilydd* (Caernarfon, 1990), 11.

[66] Ibid., 18.

[67] Aled Islwyn, *Cadw'r Chwedlau'n Fyw* (Caerdydd, 1984), 46–7.

[68] Wiliam Owen Roberts, *Y Pla* (Llanrwst, 1987), 354.

4

Gaston Miron

I

Er mwyn astudio'r 'ail argyfwng', sef argyfwng alltudiaeth, yn llenyddiaeth Québec, dewiswyd prif gynrychiolydd cenhedlaeth *la poésie du pays*, Gaston Miron. Ganed yn 1928 yn Sainte-Agathe-des-Monts i'r dwyrain o ddinas Québec. Pan oedd yn dair ar ddeg oed aeth i goleg offeiriadol yn Granby yn Estrie (Cantons de l'Est) i'r de-ddwyrain o Montréal i'w hyfforddi i fod yn offeiriad. Dechreuodd farddoni dan ddylanwad gwaith beirdd cenedlaethol fel Octave Crémazie a Louis Fréchette. Rhoes y gorau i'r syniad o fod yn offeiriad a symudodd i fyw i Montréal yn 1947. Mae gwaith a phersonoliaeth Miron wedi bod yn hynod ddylanwadol ers y 1950au. Yn 1953 sefydlodd y cwmni cyhoeddi, L'Hexagone, a fu'n gymaint o ddylanwad ar y byd barddonol yn Québec, yn arbennig yn y 1960au a'r 1970au. Yn genedlatholwr pybyr, a fu'n sefyll mewn nifer o etholiadau ffederal a thaleithiol, cyhoeddodd ei waith ar wasgar mewn nifer o gylchgronau llenyddol. Dim ond yn 1970 y cyhoeddwyd ei gyfrol bwysicaf o farddoniaeth, *L'Homme rapaillé*, sydd yn casglu ynghyd gerddi'n ymestyn dros dri degawd. Ond roedd y croeso a gafodd y gyfrol yn unfryd ei ganmoliaeth, a gwelir Miron fel prifardd 'cenedlaethol' y Québécois yn eu brwydr i fynnu eu hunaniaeth a'u sofraniaeth. Dyfarnwyd nifer o wobrau llenyddol i'r bardd, gan gynnwys Gwobr Guillaume-Apollinaire yn Ffrainc yn 1981 a Gwobr Molson yn 1985. Bu farw yn 1996. Yn ôl André

Gaulin roedd *L'Homme rapaillé* yn sylfaen llenyddiaeth newydd, sef llenyddiaeth y Québécois fel llenyddiaeth 'genedlaethol':

> L'accueil de *L'Homme rapaillé* dans le monde, ses traductions, laissent à penser que le poète québécois, comme il aime à le dire, apparaît comme un poète 'identitaire et nationaliste', un témoin de l'anthropoésie, un des fondateurs d'une littérature, – la québécoise, – dorénavant capable de se représenter parmi les littératures nationales où elle a accédé.[1]

Ym marddoniaeth a rhyddiaith 'ddidactig' Gaston Miron, fe ddown wyneb yn wyneb â holl oblygiadau'r alltudiaeth fewnol sy'n ymgodi fel agwedd ar yr ail argyfwng. Mae Gaston Miron, a fu'n llais proffwydol arbennig o ddirdynnol ym mhumdegau a chwedegau'r ugeinfed ganrif yn Québec, wedi adleisio holl gyni'r sefyllfa honno, gan chwilio am y rhesymau am ymddieithrwch ac alltudiaeth ei bobl, a thrwy ei holl waith gwelwn sut yr ymuniaethodd â'r frwydr i dorri'r cylch anfad a fu'n llesteirio datblygiad hanesyddol y gymdeithas Ganadaidd-Ffrengig. Ceir cyfeiriad cynnar at yr alltudiaeth hon mewn llythyr ganddo yn 1956. Yn y llythyr hwnnw, sonia am y teimlad o fod dan fygythiad o bobtu nes peri fod y bobl megis bloc gwrthwynebol, a'r holl egni yn mynd ar wrthsefyll y nerthoedd cymhathol:

> Nous sommes à un tel point menacés, du dedans et du dehors à la fois, par le haut et par le bas, que nous nous sommes peu à peu pétrifiés en un bloc de résistance, long à réagir positivement. Toutes nos forces intimes aussi bien que collectives sont dirigées immédiatement vers un front d'urgence toujours nouveau et surgissant.[2]

Mae llawer o ganu Miron yn cyfateb yn gyffredinol i rai o'r categorïau escatolegol a welir droeon ymhlith llenorion yr ail argyfwng: hynny yw, patrwm hanes yn symud yn ddiwrthdro tuag at *dénouement* penodol, ar ôl mynd drwy nifer o weddau, sef alltudiaeth fetafforaidd (neu israddoldeb y bobl a drafodir gan mwyaf yn y bennod hon), a'r ymdaith hir (neu'r broses o symud o'r cyflwr 'anhanesiol' i'r un 'hanesiol'), ac wedyn cyrraedd sofraniaeth y wlad. Gwelwn y symudiad yn bennaf yn y modd y trafodir y 'gerdd' ac iaith gan y bardd. Mae'r broses hon wrth gwrs yn cyfateb yn aml i'r patrwm Beiblaidd lle yr adferir Israel, weithiau ym mherson ffigur meseianaidd. Mae'r patrwm yn amlwg yng ngwaith Miron er bod y cysylltiadau crefyddol yn brin.

Bydd darllenydd ei gerddi yn sylweddoli'n fuan fod barddoniaeth Gaston Miron yn fyfyrdod hir ar ymddieithrwch (alltudiaeth) y Canadiaid Ffrengig, a'u hymdaith tuag at sefyllfa pan na fyddant mwyach yn 'anhanesiol', ond yn wladwriaeth 'sofran'. Gellir gweld yn ei waith ystyriaeth hir ynglŷn ag 'alltudiaeth', yr ymdaith hir tuag at hanes, a phosibiliadau cyrraedd y dyfodol neu'r 'apocalyps' lle bydd y genedl yn 'gyfan' (*rapaillé*), ac yn hanesiol. Mae un o gerddi cynharaf Miron, er enghraifft, yn sôn yn benodol am alltudiaeth fewnol y bardd a diwedd hyn yn y dyfodol. Dyma hefyd un o'r cerddi prin sydd yn defnyddio'r gair *exil* yn hytrach na geiriau fel *aliénation*. Mewn cyd-destun o ymdeithio tuag at wlad y dyfodol y gwelir alltudiaeth fewnol y bardd a'i gymuned:

> je n'ai jamais voyagé
> vers autre pays que toi mon pays.[3]

(Ni theithiais erioed at wlad arall ond atat ti, fy ngwlad.)

A chaniatáu fod llawer iawn o'i ganu yn fyfyrdod ar alltudiaeth fewnol ei bobl, a'r canlyniadau a ddaw yn sgil hynny, rhaid cyfaddef fod Gaston Miron yn trafod ymddieithrwch mewn modd sy'n golygu fod holl elfennau'r ymddieithrwch a'i ddatrysiad yn gymysg ac ar chwâl yn ei waith nes bod hwnnw'n ymddangos fel rhywbeth dros dro ac anorffen tra bod wal ddiadlam yr ymddieithrwch hwn yn llesteirio'r bardd a'i bobl. Mae'n arwyddocaol fod un beirniad wedi sôn amdano fel 'bardd y dechreuadau di-baid'.[4] Sonnir am ben draw'r ymdaith yr ymgyrchir ato o'r alltudiaeth, sef y wlad ei hun, na fedr fodoli eto, fel gwlad yr addewid. Ond wrth gwrs yr hyn a olygir yma yw gwlad sydd yn mynd yn gwbl ddiriaethol, ac sy'n wrthwyneb llwyr i 'afrealiti' bywyd y Canadiaid Ffrengig yn eu cyflwr fel pobl drefedigaethol. Dyna'r Québec hanesiol, yn hytrach na diddymdra breuddwydiol a diafael y math o wlad a ddisgrifiwyd gan Aquin ac Hébert. Yn wahanol i'r syniad o escatoleg draddodiadol sy'n gweld diwedd amser fel y nod yr anelir ato, mae'r escatoleg arbennig hon yn perthyn i fyd o amser, ond yr afreal a'r trefedigaethol yn Québec yw'r amser sydd yn dod i ben.

Braslun moel yn unig yw hyn o strwythurau gwaith Miron. Cawn weld maes o law fod ei waith yn gymhlethdod o themâu wedi'u cyd-weu o fewn y patrwm hwn; weithiau ceir nifer ohonynt wedi'u cydblethu mewn un gerdd gyfoethog, ond po fwyaf yr eir ati i ddidoli'r gwahanol edafedd, mwyaf eglur y daw'r patrwm uchod i'r amlwg. Fy mwriad yn y bennod hon fydd edrych ar ddatblygiad yr ymwybod o alltudiaeth fewnol ac ymddieithrwch yng ngwaith rhagflaenwyr Miron, ac wedyn agor trafodaeth drwy edrych yn weddol fanwl ar dair cerdd o waith Miron, lle gwelir datblygu rhai o'r elfennau amlycaf hyn yn ymwneud â chyflwr gorthrymedig y Canadiaid Ffrengig yng nghanol yr ugeinfed ganrif, a'r ymgais i symud tuag at sofran-iaeth, er na welai Miron hyn ar y pryd ond fel rhywbeth annelwig a ddychmygai drwy gyfrwng niwlog y 'gerdd'. Byddaf yn trafod tair cerdd 'feseianaidd' yn ymwneud â dyfodiad y 'wlad', cyn edrych ar agweddau eraill ar yr alltudiaeth fewnol yng ngherddi'r bardd, yng nghyd-destun sefyllfa drefedigaethol. Cyn ystyried y cerddi hyn, bydd yn fuddiol ceisio gweld i ba raddau y mae'r obsesiynau gwleidyddol yn ffrwyth profiad unigryw neu'n adleisiau posibl o brofiadau tebyg yng ngwaith beirdd eraill.

Yn ôl cyfaddefiad Miron, bu'r beirdd Canadaidd-Ffrengig, Octave Crémazie a Louis Fréchette, yn ddylanwadau cynnar arno. Mae enw Crémazie yn arwyddocaol iawn yn y cyswllt hwn. Mae tuedd i feddwl fod yr holl sôn am alltudiaeth (neu ym-ddieithrwch) y bobl Ganadaidd-Ffrengig wedi codi'n union-gyrchol o'u profiad o fyw yng nghanol yr ugeinfed ganrif, ond dichon y dylid addasu'r farn honno a gweld bod ymdeimlad o alltudiaeth yn ymateb sy'n digwydd cyn hynny. Dangosodd y beirniad llenyddol, Gilles Marcotte, yn ei gyfrol o ysgrifau beirniadol am lenyddiaeth Canada Ffrengig, sef *Une littérature qui se fait* (1971, ail argraffiad gydag ychwanegiadau), fod yr ymdeimlad o ymddieithrwch ac alltudiaeth ac unigrwydd yn bell o fod yn brofiad cyfoes yn unig. Yn nwy o benodau'r gyfrol hon ceir rhagarweiniad diddorol iawn i'r safbwynt hwn, sef 'L'expérience du vertige dans le roman canadien-français' (a ymddangosodd am y tro cyntaf yn 1963), a'r bennod ganlynol 'Le double exil d'Octave Crémazie' (sy'n perthyn yn wreiddiol i'r flwyddyn 1955). Mae'r bennod gyntaf yn arwyddocaol inni oblegid fod Miron yn defnyddio'r gair *vertige* ar nifer o achlysuron yn ei gerddi ac mewn un ysgrif hefyd. O gofio dyddiad cyhoeddi'r erthygl wreiddiol, a'r ffaith fod Miron, eto yn ôl ei addefiad ei hun, yn clodfori gwaith arloesol Marcotte fel beirniad, nid yw'n gwbl amhosibl fod nifer o ysgrifau'r beirniad wedi dylanwadu ar eirfa ganolog y bardd, boed yn ymwybodol neu'n anymwybodol. Mae Marcotte yn deall y gair *vertige* yn ei ystyr fwyaf geiriadurol, sef 'ymdeimlad o anghydbwysedd mewn gofod'. I Marcotte, mae pob creadigaeth artistig yn ymgais i ymladd yn erbyn yr anghydbwysedd hwn, er mwyn cael hyd i graig safadwy o ryw fath. Gair allweddol hefyd wrth ystyried hyn yw breuddwyd. Gwelsom fod y gair yn digwydd droeon yng ngwaith y bardd Anne Hébert. Mae Marcotte yntau'n cyfeirio at y gair yn yr ysgrif hon, ac mae'n air sy'n arwyddocaol i Miron fel gair sy'n mynegi'r gwrthwyneb llwyr i realiti (sef y gair sydd yn awgrymu meddiant y Québécois o'i fyd diriaethol – ei wlad, ei iaith a'i ddyfodol). Yn ôl Marcotte, mae gwaith cynnar y nofelydd, Marie-Clair Blais, yn cyplysu elfennau o'r anghytbwys a'r breuddwydiol, ac yn yr ystyr hon yn disgrifio nodweddion amlwg y bywyd Canadaidd-Ffrengig yn y cyfnod hwnnw. Mae'r anghydbwysedd yn rhywbeth mewnol, teimladol a diwrthdro:

> Dès le départ, l'œuvre de Marie-Clair Blais s'installe dans le vertige pur, absolu . . . Les personnages du *Jour est noir*, comme ceux de *Tête blanche* et de *La Belle bête*, habitent le lieu abstrait du rêve où ne s'exerce qu'une attraction, celle du plus radical vertige intérieur.[5]

Er gwaethaf yr hyn sy'n ymddangos yn fwriadol negyddol, mae'r llenyddiaeth honno, meddai Marcotte, yn dyheu am fwynhau lle yn yr haul, ac o'r herwydd mae nifer o werthoedd elfennol ond angenrheidiol yn ymdreiddio drwy'r holl alanas. Yn yr ystyr hon, maent yn ymddangos fel blaen gwawr rhyw benderfyniad i ymaflyd yn y real a'r dyfodol. Mae un o gymeriadau cynnar Anne Hébert yn sôn am ymadael â byd breuddwydion wrth iddi chwilio am fywyd serch go-iawn; ac eto dim ond o dipyn i beth y mae'r real yn troi'n sylwedd yn ei bywyd:

> Le réel ne s'est pas fait assez dense, assez présent, pour imposer définitivement une autre loi que celle de l'absence.[6]

Yn y dyfyniad hwn defnyddia Marcotte air allweddol i'n dealltwriaeth o waith Miron, sef *absence*. Mae'r gair yn digwydd droeon drwy ei waith, yn ogystal â'r syniad o realiti 'trwchus' neu 'sylweddol'. Mae Miron yn disgrifio'r *absence* fel diffyg realiti. Mae'n gweld un o'i gyd-Québécois fel dyn sydd wedi anghofio sut i fod yn ddyn:

> il vous regarde, exploité, du fond de ses carrières
> et par à travers les tunnels de son absence, un jour
> n'en pouvant plus y perd à jamais la mémoire d'homme.[7]

> (Mae'n edrych arnoch, dyn y cymerir mantais ohono, o waelod ei chwareli [Cyfeiriad at yr adeg pan oedd llawer o chwareli tywod yn Québec.], ac ar hyd twneli ei absenoldeb, un dydd, heb fedru gwneud mwy, mae'n colli am byth ei gof fel dyn.)

Ni cheir mynegiant amlwg o'r ymdeimlad o alltudiaeth yng ngwaith y nofelwyr y bu Marcotte yn eu darllen yn y 1950au, ond daeth o hyd i'r ymdeimlad yn ddiamwys yng ngwaith Octave Crémazie. Meddylir am feirdd gwlatgar y bedwaredd ganrif ar bymtheg fel rhai a oedd yn sentimentalaidd neu'n grefyddol eu hymateb wrth sôn am y genedl, ond o dan y 'cefnlen' cenedlaetholgar a chrefyddol mae Marcotte yn datguddio haen lle yr ymdeimlir â dieithrwch. Nid erys ond dieithrwch ac alltudiaeth:

> Quand la poésie de cette époque renonce à ses alibis patriotiques, sentimentaux ou religieux, c'est cela qui reste: un sentiment d'étrangeté à la vie, *d'exil radical*.[8] [Fi biau'r italeiddio.]

Nid oedd y Canadiaid Ffrengig hyn, y genhedlaeth gyntaf o lenorion yn y rhan honno o'r byd, yn dechrau o ddim. Ewropeaid dadwreiddiedig oeddynt, yn dal i berthyn i Ffrainc o safbwynt pethau'r meddwl, er bod eu cynefin daearyddol yn gwbl wahanol. Ar ryw wedd, ni chrëwyd eto y dyn newydd a oedd mewn cytgord llwyr â'i amgylchfyd newydd. Ar ben hynny câi'r Canadiaid Ffrengig eu hunain mewn sefyllfa o alltudiaeth oherwydd canlyniadau'r goncwest, gyda bygythiad i'w hiaith a'u crefydd. Nid rhyfedd mewn gwirionedd oedd iddynt leisio themâu fel alltudiaeth. Ac eto i gyd, fel y dengys Marcotte, gan ddefnyddio geirfa a fydd yn ein hatgoffa maes o law o waith Miron, mae'r ymdeimlad o alltudiaeth yn peri i'r bardd droi at realiti sy'n bell ar y gorwel a cheisio anwybyddu'r *absence* o'i gwmpas:

> L'exil que subit la poésie canadienne-française est celui, sans forme ni visage, qui se loge au coeur, et nourrit la tentation de l'absence. Absence à la réalité extérieure, à la réalité sociale.[9]

Mor bwysig yw'r geiriau *absence* a *réalité* yn y cyswllt hwn, gan eu bod ynghyd â *vertige* yn rhan anhepgor o eirfa farddonol a gwleidyddol Miron. Sylwodd Marcotte fod y farddoniaeth hon ynghanol y bedwaredd ganrif ar bymtheg megis yn anwybyddu'r realiti allanol a oedd o flaen llygaid y beirdd hyn yn feunyddiol – yr eangderau mawr, y fforestydd diderfyn a'r peithdiroedd gwyn. Yr unig realiti a oedd yn werthfawr yng ngolwg y beirdd hyn oedd y byd mewnol, y byd breuddwydiol disylwedd, byd caethiwus yr unigolyn heb gyfathrach union-gyrchol ag allanolion y byd o gwmpas. Roedd hyn yn arbennig o wir o sylweddoli mai byd Seisnig a Saesneg oedd fframwaith gwleidyddol eu byd. O gofio am agwedd meddwl yr Eglwys, a'i phwyslais ar genhadaeth ysbrydol y Canadiaid Ffrengig, gellir gweld yr ymgilio a'r ymwrthod â'r byd allanol bron fel rhywbeth a wneir yn fwriadol.

Oherwydd y mewnblygrwydd hwn, lle collir y ddolen gyswllt uniongyrchol â'r tu allan gwaharddedig, mae bygythiad cyn-yddol a pharhaol i gyfanrwydd yr hunan. Er mwyn diogelu neu ailadeiladu'r hunan, mae'n rhaid i'r bardd (yn gyffredinol) adennill fesul modfedd ei reolaeth dros bethau'r tu allan. Yma hefyd ceir un arall o eiriau allweddol Miron, sef *aliénation*:

> Car si la possession des choses paraît menacée, le poète n'éprouve pas moins de difficulté à se posséder lui-même, à réaliser sa propre unité. La figure définitive de l'absence, nous la trouverons ici: dans une aliénation intérieure, dont la poésie canadienne-française n'a jamais cessé de porter témoignage.[10]

Er mwyn cael canolbwyntio ar rai o'r prif elfennau a geir yng ngwaith Miron, dewisais dair cerdd, sef 'Compagnons des Amériques', 'L'Octobre' a 'Les Années de déréliction', ill tair yn datblygu amryw o'r themâu nodweddiadol o Miron wrth iddo ddangos y gweddau hanesyddol ar waith ym mywyd y gymuned y mae'n ei gwasanaethu.

Mae 'Compagnons des Amériques' yn eithriadol ar lawer ystyr gan fod y bardd yn defnyddio delwedd escatolegol drwyddi draw. Yn yr ystyr hon, mae'n gerdd obeithiol gan ei bod yn rhagweld 'dyfodiad' meseianaidd y wlad, sef Québec. Mae'n perthyn i'r cyfnod o aros, o ddisgwyl am ddyfodiad yr achubiaeth genedlaethol. Mae canu Miron yn gwbl wahanol i'r math o feseianaeth fwy cyfarwydd sydd yn pwysleisio'r mab darogan, fel achubydd hanesyddol; nid yw chwaith, fel y byddid yn disgwyl, yn tynnu ar y syniad meseianaidd, gwledig a oedd mewn bri yn y bedwaredd ganrif ar bymtheg yn y dalaith. Yn hytrach, mae ei feseianaeth ynghlwm wrth y wlad ei hun. Y wlad yw'r mab darogan, os mynner; dim ond drwy ymdrechu gyda'i gilydd y gall ei bobl droi'r wlad yn realiti. Rhywbeth ar y gorwel yw'r wlad o hyd, ond gwlad sydd yn prysur droi'n sylwedd. Yn ôl y barddbroffwyd hwn, mae'r wlad yn dibynnu am ei realiti ar ymdrech a chyd-ddyhead y bobl, ac nid ar ragluniaeth o fath crefyddol. Yn y gerdd hon sy'n traethu am farwolaeth ac atgyfodiad y wlad, mae'r bardd yn defnyddio'r ddelwedd o'r Crist. Mae'r eirfa yn y gerdd yn dwyn ar gof nifer o ddigwyddiadau a gysylltir â'r Dioddefaint: *blessure, agonie, roseaux.* Ond mewn cerdd o'r fath sydd yn sôn am ddyfodiad meseianaidd y wlad, prin y gellir synio am y wlad honno yn nhermau ei sylwedd daearyddol yn unig; ni all y wlad honno ddod i realiti, hynny yw ymrithio, oni bai inni ei deall yn rhannol fel delwedd am y bobl hynny yn byw yn y wlad honno. Yn y gerdd hon, felly, Québec yw'r bobl sydd yn ceisio byw yno. Mae'r defnydd o ddelwedd Crist yn fwy bywiol gan ei bod yn ddelwedd o gyflwr dirmygedig, gwaradwyddus y Québécois. Dychmygir map Québec fel wyneb Crist:

j'ai de toi la difficile et poignante présence
avec une large blessure d'espace au front
au-delà d'une vivante agonie de roseaux au visage.[11]

(Rwyt ti imi yn bresenoldeb anodd a dirdynnol, gydag anaf mawr dy ehangder ar y talcen, y tu hwnt i ing bywiol y gwialennod yn yr wyneb.)

Fel y cawn weld, mewn nifer o'i gerddi mae Miron yn ymdrin yn fanwl ag alltudiaeth fewnol ac ymddieithriad ei bobl yn nhermau'r gwaradwydd a ddaeth i'w rhan hwy fel pobl. Cyn ymadael â'r pennill cyntaf, rhaid sylwi hefyd ar ei ddefnydd o'r gair *haleine* (anadl): 'Mon Québec ma terre amère ma terre amande/ ma patrie d'haleine dans la touffe des vents'. Defnyddia Miron y gair hwn droeon yn ei farddoniaeth, ac yn y cyswllt hwn, gellir ei ddehongli ar un wedd fel grym sydd yn ysbrydoliaeth i'r bardd (hen syniad cyfarwydd, mae'n wir), ond hefyd fe'i defnyddia fel grym symudol, ymwthiol a rydd rwydd hynt i farddoniaeth y bardd a deinameg y bobl i symud tuag at ddiben eu dyheadau. Ar ben hyn oll, mae rhythmau llafar y gerdd i gyd yn swnio fel dyn â'i wynt yn ei ddwrn, ac yn rhoi'r argraff o frys a braw, dyhead a symudiad egnïol a chyflym, diffyg amynedd wrth ymdrechu i gyrraedd y nod hirddisgwyliedig.

Mae'r ail bennill yn ddisgrifiad eto o'r Canadiaid Ffrengig heb ddefnydddio ar hyn o bryd ddelwedd y Crist Dioddefus, ond y tro hwn, ymedy'r bardd â'i safle didoledig fel bardd gan ymdoddi i gymuned y 'ni cyffredinol', sef y bobl ddolefus:

> je parle avec les mots noueux de nos endurances
> nous avons soif de toutes les eaux du monde
> nous avons faim de toutes les terres du monde
> dans la liberté criée de débris d'embâcle.[12]

> (Siaradaf â geiriau cnotiog ein gwydnwch, rydym yn sychedu am holl ddyfroedd y byd, rydym yn newynu am holl diroedd y byd, yn y floedd am ryddid a weiddir o'r rhwystrau rhew.)

Mae hyn yn ffordd arall o ddatgan cyflwr ei bobl, eu caethiwed mewn tlodi ysbrydol a bydol. Rhan o swyddogaeth ei farddoniaeth yw datgan y cyflwr arswydus hwn, gan mai peth nas mynegwyd yn llenyddiaeth y dalaith oedd hyn. Yma mae'r bardd fel proffwyd yn amlwg eto, gan ei fod yn dehongli'r hyn a ddigwyddodd i'w bobl, ac yn rhagweld diwedd eu halltudiaeth yn achubiaeth y wlad.

Cawn y rhagflas cyntaf o newid yn ymwybyddiaeth ei bobl yn y trydydd pennill – yma ceir pwyslais ar y gair deinamig *marche* a leferir bedair gwaith:

> et marche au rompt le cœur de tes écorces tendres
> marche à l'arête de tes dures plaies d'érosion

marche à tes pas réveillés des sommeils d'ornières
et marche à ta force épissure des bras à ton sol.[13]

(A cherdda yn ddrylliedig fel y coed tyner, cerdda hyd at asgwrn
dy erydiad anafus, cerdda gyda chamrau effro ar hyd y rhigolau
cwsg, a cherdda â grym dy freichiau torchog at dy ddaear.)

Mae i'r gair *marche*, naill ai fel berf neu enw, arwyddocâd
allweddol yng ngwaith Miron, a pherthyn i'r strwythur escatoleg-
ol yn yr ystyr ei fod yn mynegi'r ymdaith oddi wrth y stad o
alltudiaeth farwaidd hyd at nod terfynol y broses wleidyddol.
Gellir ymdeimlo â grym ymdaith yr Iddewon o'u halltudiaeth, yn
ogystal ag ymdeithiau mwy diweddar, fel Ymdaith Hir y
Tseineaid cyn y chwyldro yn Tseina. Mae grym hynod ddeinamig
i'r gair felly. Yn y gerdd hon hefyd, mae'n bosibl y gellir gweld
arwyddocâd pellach i'r gair oherwydd y defnydd o ddelwedd
ganolog y Dioddefaint a'r Croeshoeliad. Awgrymir bod y
'cerdded' yn y llinellau hyn yn rhan o'r patrwm delweddol ac yn
cyfeirio at 'lwybr y Groes'. Wrth ymadael â'i chyflwr dirmygedig,
rhaid i'r wlad hefyd droedio ei llwybr at y Groes er mwyn
cyrraedd ei hachubiaeth. Daw'r llinellau canlynol yn syth ar ôl y
llinellau am gerdded, ac eir yn ôl at y ddelwedd ganolog o Grist:

je me ferai passion de ta face,
je me ferai porteur des germes de ton espérance.[14]

(Cymeraf arnaf ddioddefaint dy wyneb, byddaf yn cludo hadau dy
obaith.)

Mae'r bardd yn sôn am ei swyddogaeth yn y gymdeithas
ddioddefus hon drwy haeru ei fod am gario 'croes' y wlad. Ceir
cyfeiriad yn y llinell gyntaf at yr Wyneb Sanctaidd, ond y mae
sôn am gario'r groes fel atgof am hanes Simon yn cario'r groes
am ysbaid, oherwydd yn y ddelwedd hon, y wlad yw'r 'Meseia'.
Myn y bardd gymryd y groes hon, oherwydd fod ei chyflwr yn ei
llethu. Ond mae'r llinellau hyn yn llawn gobaith at y dyfodol, fel
y mae'r ddelwedd Feiblaidd yn awgrymu:

je me ferai porteur des germes de ton espérance
veilleur, guetteur, coureur, haleur de ton avènement.[15]

(Byddaf yn cludo hadau dy obaith, byddaf yn wyliwr, yn warchodwr, yn rhedwr, yn haliwr dy ddyfodiad.)

Mae'r ddau air, *espérance* ac *avènement* yn llawn cynodiadau crefyddol yn y Ffrangeg. Y mae *espérance* yn derm am y gobaith Cristnogol, a defnyddir *avènement* yn benodol am naill ai adfent neu'r Ailddyfodiad, sef dyfodiad y Meseia. Fel proffwyd (ond proffwyd cwbl seciwlar, rhaid cofio), mae geiriau'r bardd yn rhagflas ac yn rhagargoel o ddigwyddiadau'r dyfodol, sef dyfodol atgyfodiad y wlad.

Ailgydir eto yn ail hanner y pedwerydd pennill yn y syniad o ddyfodiad agos y wlad drwy fynegi natur egnïol, ffrwythlon a phwerus ei thirwedd; nid yn unig yr anialdir dan yr eira, ond nerth byrlymus y dinasoedd. Meddylia am y Québécois yn byw yn y wlad fyrlymus honno:

> l'homme artériel de tes gigues
> dans le poitrail effervescent des poudreries
> dans la grande artillerie de tes couleurs d'automne
> dans tes hanches de montagnes
> dans l'accord comète de tes plaines
> dans l'artésienne vigueur de tes villes.[16]

> (Dyn gwythiennog dy ddawnsiau jig, yn llygad cythryblus y stormydd eira, ym magnelau mawr dy liwiau hydrefol, ym morddwydydd dy fynyddoedd, yn llyfnder comedol dy wastadeddau, yn nerth artesiaidd dy drefi.)

Er gwaethaf treigl hir ei genedl tuag at gyflwr o ymwybyddiaeth genedlaethol a gwleidyddol, nid erys yr ymdaith tuag at gyflawnder yr hunan a'r genedl yn ddi-rwystr, fel yr awgrymwyd uchod. Dyna yw byrdwn cryn swmp o ganu a rhyddiaith ddidactig Miron. Hyn sy'n cyfrif am wermod llinellau'r pedwerydd pennill, lle gwelir sawl bwgan yn codi ei ben, megis:

> . . . toutes les litanies
> de chats-huants qui huent dans la lune
> devant toutes les compromissions en peaux de vison
> devant les héros de la bonne conscience
> les émancipés malingres
> les insectes des belles manières.[17]

(Holl litanïau'r tylluanod yn sgrechian yng ngolau'r lleuad, o flaen yr holl fargeinio dan-din a wneir yn y cotiau ffwr, o flaen arwyr y gydwybod dawel, y rhai edlych sy'n meddwl eu bod wedi dod o hyd i ryddid, trychfilod y cwafers cwrtais.)

Unwaith eto ceir awgrym o gyflwr israddedig ei bobl, a'r bardd yn ymuniaethu'n llwyr â'r bobl hynny yn eu hing a'u loes, tra bod yr ychydig wedi manteisio ar sefyllfa sydd yn eu codi o'r cyflwr israddol drwy fabwysiadu dull a modd yr hunaniaeth amwys.

Mae'r pumed pennill yn dod â'r gerdd yn ôl at ei delwedd ganolog, sef y patrwm escatolegol a welwyd eisoes. Mae'r pennill olaf yn bennill buddugoliaeth y genedl atgyfodedig; dyfodol terfynol y wlad feseianaidd:

mais donne la main à toutes les rencontres, pays ô toi qui apparais
par tous les chemins défoncés de ton histoire
aux hommes debout dans l'horizon de la justice.[18]

(Ond estyn dy law i'r holl gyfarfodydd, o wlad, ti sydd yn ymddangos ar hyd holl ffyrdd adfeiliedig dy hanes, i'r dynion yn sefyll ar orwel cyfiawnder.)

Fe geir nifer o eiriau cyfarwydd yng ngeirfa Miron yn y penillion olaf hyn. Mae 'hanes' (*histoire*) yn gyd-destun priodol ei wlad, ond fe'i gwelir yn fynych y tu allan i hanes, yn atodiad o fewn gwladwriaeth fwy. Yn y rhan fwyaf o gerddi Miron, ymddengys Québec fel cymuned anhanesiol, yn ymdrechu am le yn yr haul. Yn yr ystyr hon, mae hanes yn rym deinamig iddo ac yn nerth creadigol. Yn y gerdd hon, er enghraifft, mae'r genedl yn medru 'ymddangos' o'r diwedd, oherwydd fod dynion (y mae pwyslais a thuedd at y gwrywaidd yng nghanu Miron, yn enwedig pan sonia am y gymuned genedlaethol), bellach ar eu sefyll (*debout*), a chan eu bod wedi ymagweddu unwaith eto fel dynion ac wedi diosg eu taeogrwydd (sef hunaniaeth amwys), mae dichon iddynt gyfarch y wlad achubol ac achubedig 'qui te saluent / salut à toi territoire de ma poésie / salut les hommes des pères de l'aventure'. Wrth gwrs, mae amwysedd bwriadol yn perthyn i'r geiriau unsain *saluent* (cyfarchant), a *salut* (henffych neu achubiaeth). Gwelir yn syth fod arwyddocâd y llinellau hyn yn ogleisiol o amwys, gan nad yw'r cyfarchiad yn bosibl heb yr achubiaeth hefyd. Mae hyd yn oed y llinell olaf yn cynnwys elfen o'r un amwysedd, gan y gellir ei deall naill ai fel 'henffych, feibion i dadau'r anturiaeth', neu 'henffych ddynion – tadau'r anturiaeth'. Gellir tybio fod y sôn am anturiaeth yn gyfeiriad coeglyd at un o weithiau'r Tad Groulx, sef *Notre Grande Aventure* a olrheiniai hanes cynnar yr ymsefydlwyr Ffrengig yng Nghanada. Mae modd dehongli'r frawddeg fel gosodiad sy'n dweud mai'r dynion hyn sydd yn cyfarch y wlad atgyfodedig yn awr yn creu gweithredoedd newydd, sef yr anturiaeth newydd o feddiannu'r wlad sydd wrthi'n ymddangos ar y gorwel.

Sonia Miron hefyd am y wlad newydd hon fel 'territoire de ma poésie', ac er y gall hyn ymddangos fel dweud digon cyffredin, rhaid ei ddeall yng nghyswllt syniad Miron am farddoniaeth a gysylltir yn ei thro yn ddeinamig â dyfodiad y wlad; yn ei farn ef ni all ei farddoniaeth ef fodoli'n iawn a dod i'w llawn dwf hyd nes y daw'r wlad feseianaidd hon i fodolaeth. Trafodir hyn yn llawnach yn ail ran y bennod hon.

Un o'r cerddi mwyaf adnabyddus am Québec gan Miron yw 'L'Octobre' (1963), sydd eto'n defnyddio dioddefaint Crist yn drosiadol, ac felly i'w chynnwys gyda'r cerddi meseianaidd yn ei waith. Yn y gerdd hon, mae'r gŵr o Québec a Québec ei hun megis yn ymdoddi yn y symboliaeth Gristaidd yn y llinell gyntaf:

> L'homme de ce temps porte le visage de la flagellation
> et toi, Terre de Québec, Mère Courage
> dans ta longue marche, tu es grosse
> de nos rêves charbonneux douloureux
> de l'innombrable épuisement des corps et des âmes.[19]

> (Mae gŵr y dwthwn hwn yn dwyn wyneb y fflangellu, a thi, Wlad Québec, Mam Gwroldeb, yn dy ymdaith hir, rwyt ti'n feichiog gan ein breuddwydion tywyll a phoenus, gan flinder dirfawr ein cyrff a'n heneidiau.)

Yn y llinellau cyfoethog hyn, cyfunir nid yn unig dioddefaint y wlad (mae'r fflangellu'n adlais amlwg o ddioddefaint Iesu ac ynddo'i hun yn rhagargoel o'r atgyfodiad yn y pen draw), ond hefyd gobaith am y dyfodol, yn bodoli fel breuddwydion o hyd. Ond defnyddir delwedd arall, sef ffigur y Fam Gwroldeb o ddrama Brecht, yn symbol o ffrwythlondeb y dyfodol, pan esgorir ar Québec.

Cawn eto'r ymdaith hir (*la longue marche*), nad yw'n gyfeiriad at ymdaith hir Mao Tse Tung yn unig, ond hefyd gellir ei ddeall ar lefel ddyfnach, fwy cynddelwaidd efallai, fel cyfeiriad at broses hir hanesyddol sydd ar fin cyrraedd ei nod arbennig. Ni ollyngir y ddelwedd Gristaidd yn hir chwaith, yn enwedig yn y trydydd pennill lle sonnir am ddirmyg a gwaradwydd y bobl. Mae'n bennill sy'n llawn geiriau'n sôn am ddioddefaint, sen a thrallod: *humilier, s'avilir, la honte, le mépris, la souffrance, la douleur a ravalé*. Ond mae'r cyfeiriad at y ddelwedd Gristaidd yn fwy amlwg yn y pennill canlynol lle cyfeirir at 'dorri'r bara' sy'n awgrymu'r Swper Olaf a'r cymun. Defnyddia'r ddelwedd i ddatgan ei ymlyniad wrth y rhai sy'n ymgyrchu yn Québec:

> je vais rejoindre les brûlants compagnons
> dont la lutte partage et rompt le pain du sort commun
> dans les sables mouvants des détresses grégaires.[20]

(Af i gyfarfod â'r cyd-ymgyrchwyr brwd, lle mae'r frwydr yn rhannu ac yn torri bara'r dynged gyffredin, yn nhywod symudol yr adfyd torfol.)

Daw'r gerdd i uchafbwynt gorfoleddus yn y pennill olaf lle sonnir am atgyfodiad Québec mewn dull meseianaidd, o gofio am y cyfeiriadau cynnil at Grist o'r blaen, ond hefyd mewn cyddestun apocalyptaidd o newidiadau mawr. Gellir ymdeimlo hefyd â grym erotig yn y modd y sonnir am 'wely o atgyfodiadau' sydd yn agwedd arall ar ddull gwryw-ganolog Miron o synio am ymwared terfynol y wlad:

> nous te ferons, Terre Québec
> lit des résurrections
> et des mille fulgurances de nos métamorphoses
> de nos levains où lève le futur
> de nos volontés sans concessions.[21]

(Fe'th wnawn, Wlad Québec, yn wely o atgyfodiadau, ac yn achlysur ysblennydd ein myrddiwn newidiadau, ein lefain lle mae'r dyfodol yn codi, ein hewyllys ddigyfaddawd.)

Mae'r drydedd gerdd, 'Les Années de déréliction' (1964), ar batrwm cyfarwydd yr ymdaith tuag at nod penodol, ond hefyd, mae'n cynnwys nifer o gyfeiriadau cyfoes. Gwelwn hefyd rai o'r geiriau allweddol a nodwyd wrth drafod Gilles Marcotte. Egyr ar nodyn o ddüwch anobeithiol yng nghanol ymddieithriad cyffredinol y bobl. Cerdd yw hon a luniwyd yn ystod y 'düwch mawr', sef cyfnod y prif weinidog, Maurice Duplessis:

> la noirceur d'ici qui gêne le soleil lui-même
> me pénètre, invisible comme l'idiotie teigneuse.[22]

(Mae'r tywyllwch yma sydd yn rhwystro'r haul ei hun yn fy nhreiddio, yn anweledig fel rhyw hurtrwydd clafrog.)

Hoffai'r bardd gyfeirio ei daith tuag at nod arbennig, ond am y tro mae'n troi yn ei unfan neu'n cerdded yn ddiamcan neu'n ofer. Mae'r düwch cyffredinol yn effeithio ar iaith a chyneddfau'r ymdeithiwr nes peri iddo fynd o chwith a methu yn ei fwriad:

> comment me retrouver labyrinthe ô mes yeux
> je marche dans mon manque de mots de pensée
> hors du cercle de ma conscience, . . .[23]

(Sut y gallaf ddod o hyd imi fy hun, labyrinth, o fy llygaid, cerddaf yn fy niffyg geiriau a meddwl, y tu allan i gylch fy ymwybod . . .)

Ar ben hynny i gyd, mae'r bardd fel ei gyd-ddynion o'i gwmpas wedi colli pob urddas, hunan-barch, nes colli hyd yn oed ei gof:

> puisque j'ai perdu, comme la plupart autour
> perdu la mémoire à force de misère et d'usure
> perdu la dignité à force de devoir me rabaisser
> et le respect de moi-même à force de dérision, . . .[24]

(Gan fy mod wedi colli, fel y rhan fwyaf o'm cwmpas, wedi colli fy nghof oherwydd y tlodi a'r lludded, wedi colli urddas oherwydd gorfod darostwng, a cholli hunan-barch oherwydd fy ngwawdio . . .)

Ond er ei fod – fel nifer o rai eraill – wedi ymlafnio i godi uwchben y cyflwr hwnnw, er mwyn cael gwybod ei enw, mae Miron yn aml yn cyfeirio at y ffaith mai o'r tu allan y mae'r Canadiaid Ffrengig fel cenedl wedi cael eu henw – dyna sy'n egluro pam y dewisodd ddefnyddio'r enw *Québécois* yn lle 'Canadiaid Ffrengig'. Ond yr unig enw a gaiff y criw bychan o genedlaetholwyr yw *engeance* (ciwed):

> puisque je suis devenu, comme un grand nombre
> une engeance . . .[25]

(Gan fy mod wedi mynd, fel llawer un, yn un o ryw giwed ddi-gywilydd . . .)

Mae'r gair difrïol, *engeance,* yn gyfeiriad cwbl fwriadol, yn fy marn i, at sylw a wnaed gan P. E. Trudeau mewn ysgrif a ymddangosodd yn y cylchgrawn *Cité Libre* yn 1964, lle disgrif-iai'r cenedlaetholwyr Québécois fel rhai gwrth-chwyldroadol, a'r awgrym eu bod yn adweithiol yn bennaf:

> Je me rase, quand j'entends notre engeance nationaliste se donner pour révolutionnaire. Elle conçoit la révolution comme un bouleversement profond, mais oublie que ceci caractérise aussi la contre-révolution.[26]

Mae'n arwyddocaol fod cerdd Gaston Miron yn perthyn i'r un flwyddyn. Mae'r ymdeimlad fod y cenedlaetholwyr (neu'r rhai sy'n medru gweld dyfodol Québec, yng ngolwg Miron), yn cael eu gwrthod yn ystod y cyfnod hwn yn cael ei gadarnhau ymhellach ar ddiwedd y pennill hwn lle sonnir am dir Québec fel corff gwraig nad yw'n ymateb i serchiadau ei gŵr:

> terre, terre, tu bois avec nous, terre comme nous
> qui échappes à toute prégnance nôtre et aimante
> tu bois les millénaires de la neige par désespoir.[27]

(Ddaear, ddaear rwyt ti'n yfed gyda ni, daear fel ninnau, sydd yn dianc rhag cael dy ffrwythloni ac yn dianc rhag ein serchiadau, rwyt ti'n yfed eangderau oesol yr eira oherwydd dy anobaith.)

Yn ail adran y gerdd, mae'r bardd yn datblygu un o'i themâu mwyaf cyffredin, sef 'afrealedd' ei fyd, a negyddoldeb haniaethol ei fodolaeth. Yma gwelwn wythïen sydd yn rhedeg o gyfnod Crémazie, ac yn mynd yn brif bwnc barddoniaeth y dalaith erbyn cenhedlaeth Miron a'r genhedlaeth o'i flaen. Gwêl Miron y bobl o'i gwmpas fel bodau ansylweddol ynghanol diddymdra'r eira, ond nid yw ef chwaith yn wahanol. Gwêl eu hwynebau fel adlewyrchiad o'i wyneb ei hun. Mae'r realiti o'i gwmpas yn hunllefus, yn dylluanaidd, a'i afreswm yn fygythiad parhaol i'w einioes:

> nous sommes cernés par les hululements proches
> des déraisons, des maléfices et des homicides.[28]

(Fe'n hamgylchynir gan ryw hwtran agos, afreswm, anfadrwydd a galanastra.)

Ond nid bwriad y bardd yw galarnadu'n barhaus am gyflwr pethau yn ei gerddi. Ceir ymdrech hefyd i weld ffordd allan o'r trybestod. Yn y gerdd hon, er enghraifft, mae gwir wrthwynebiad i sefyllfa o negyddiaeth ac afrealiti. Mae'r penderfyniad i fodoli ac i'w ailadeiladu ei hun nes ei fod yn ddyn *rapaillé* (dyn cyflawn) ymhlyg bob amser yn y weithred greadigol. Fel hyn y soniodd un tro am ei waith fel bardd, wrth ysgrifennu mae'n llwyddo i roi ffurf i'w hunaniaeth:

> Car je lis comme j'écris, pour m'exprimer et me construire, et aussi, selon l'une de mes vieilles obsessions, pour m'identifier en m'avouant.[29]

Mae'r cysylltiad rhwng y gerdd a hanes yn hynod o ddeinamig yma, a chawn gyfle i ddatblygu'r thema hon yn llawn yn ail ran y bennod hon. Digon yma yw dweud fod yr un prosesau ar waith wrth geisio creu cerdd ag sydd wrth ymsymud tuag at hanes a'r wlad 'real'. Yn y gerdd dan sylw, cyfeiria at y gerdd fel rhywbeth sydd yn wrthglawdd yn erbyn ei afrealiti, ac fel y cawn weld, mae'r gerdd hefyd yn symbyliad ynddi ei hun tuag at greu'r wlad:

> poème, mon regard, j'ai tenté que tu existes
> luttant contre mon irréalité dans ce monde.[30]

(Gerdd, fy wynepryd, ceisiais beri dy fod yn bodoli, gan frwydro yn erbyn fy afrealiti yn y byd.)

Mae grym y gair yn ddihangfa, a'i hud a'i ledrith yn mynd yn drech na'r sefyllfa bresennol wrth iddo lusgo'r bardd gyda'i bobl yn llifeiriant eu tynged gyffredinol.

Am y tro, beth bynnag, mae'r bobl yn dal yng ngafael eu diffyg hunaniaeth go-iawn. Ar ryw wedd, maent wedi mynd yn ddi-wyneb. Dyna rym yr ymadrodd 'notre visage disparu' a hefyd 'poème, mon regard' gan fod y gerdd ddichonadwy yn adfer eu bodolaeth yn y byd. Mae'r wyneb yn hollbresennol yng ngwaith Miron. Cofir sut y gwelai wyneb Crist ym map Québec. Trwyddo y gellir adfer eu 'hwyneb'. Mae trydedd ran y gerdd, lle sonnir am y gerdd yn gymysgwch o eiriau'n atgoffa'r darllenydd o hen gyflwr trefedigaethol y bobl, ond hefyd yn cyflwyno nifer o elfennau'n awgrymu gobaith. Rhoddir hyn yn aml mewn cyd-destun 'apocalyptaidd' yng ngwaith Miron. Ond yn y gerdd arbennig hon a ysgrifennwyd yn ystod cyfnod pan gafwyd ymgyrch fomio gan yr FLQ (*Front de Libération du Québec*), mae'r bardd yn defnyddio gair cysylltiedig â hyn mewn ffordd ddigon coeglyd:

> mais de l'absence des vies désamorcées de leur être
> longtemps tenu dans l'oubli d'une qualité d'homme
> parfois il me semble entrevoir qui font surface
> une histoire et un temps qui seront les leurs
> comme après le rêve quand le rêve est réalité.[31]

(Ond yn codi o absenoldeb y bywydau y tynnwyd afiaith [ffiws] eu bodolaeth, am amser maith wedi anghofio eu hansawdd fel dynion, weithiau ymddengys imi fy mod yn gweld yn dod i'r amlwg hanes ac amser a fydd yn perthyn iddynt, fel, wedi'r breuddwyd, yr aiff y breuddwyd yn ffaith.)

Gwelsom fod *absence* yn air sydd yn codi o eirfa feirniadol Marcotte, fel agwedd arall ar yr ymddieithrwch cyffredinol. Ond ar ddiwedd y gerdd, fel yn y ddwy gerdd flaenorol a astudiwyd hyd yn hyn, gosodir y pwyslais ar obaith am y dyfodol. Mae Miron yn annerch ei gydwladwyr fel proffwyd, ac yn ymbil arnynt i gofio'r adeg cyn iddynt golli eu hunaniaeth a'u hannibyniaeth:

> et j'élève une voix parmi des voix contraires.
> sommes-nous sans appel de notre condition
> sommes-nous sans appel à l'universel recours
> hommes, souvenez-vous de vous en d'autres temps.[32]

(A chodaf lais ynghanol lleisiau gwrthwynebus, a ydym heb apêl am ein cyflwr, a ydym heb apêl i'r cymorth cyffredin, ddynion, cofiwch sut rai oeddech chi yn y dyddiau gynt.)

Am y llinellau olaf hyn, soniodd Claude Filteau eu bod megis beddargraff i fyd a oedd yn prysur ddiflannu; ac yn yr ystyr honno mae'r llinellau'n apocalyptaidd. Yn ei dyb ef, byd Québec sydd yn dirwyn i ben:

> Le dernier vers est écrit sous forme d'épitaphe. Miron en appelle au jugement des hommes comme au jugement dernier. L'histoire prend figure d'apocalypse: elle annonce la fin d'un monde (le monde québécois), la fin du monde pour celui qui lie toute son histoire personnelle à l'existence de ce monde qui va mourir.[33]

Er y gellir derbyn y dehongliad hwn yn ei grynswth a chroesawu'r ffaith y cydnabyddir natur escatolegol y gerdd, y mae modd dadlau ac anghydweld ag ambell bwynt. Yn sicr y mae'r llinellau dan sylw yn rhagweld diwedd rhyw fyd, ond nid y byd Québécois. Tuag at y byd Québécois yr ymdeithir; ni ddaeth eto i fodolaeth. Yn hytrach, o gofio fod llenorion y wlad wedi mabwysiadu'r enw Québécois yn 1963, doethach fyddai haeru ei fod yn proffwydo diwedd y byd Canadaidd-Ffrengig a phob dim (*aliénation, absence,* ac ati) sydd yn gysylltiedig ag ef. Ni ellir bod yn gwbl argyhoeddedig ychwaith fod y bardd yn galw ei bobl at y 'Farn Fawr' ar sail fewnol y gerdd, er y byddai'r patrwm Beiblaidd yn awgrymu hyn. Yn hytrach, mae'n apelio at ei gyd-genedl i ymddwyn fel un gŵr mewn gweithgarwch 'arwrol'. Roedd arwriaeth yn nodwedd arall ar y traddodiad meseianaidd Canadaidd-Ffrengig, yn arbennig yng ngwaith y Tad Groulx.

Yn yn tair cerdd uchod, cafwyd cyfle i weld fframwaith sydd yn awgrymu symudiad anorfod tuag at gyfnod pan fyddai Québec yn wlad hanesiol. Nid yw pob cerdd o waith yr awdur yn dilyn y patrwm hwn o bell ffordd. Ceir llawer o gerddi lle datblygir syniad fel *absence,* er enghraifft, ond heb arwain at obaith y ceir ymwared buan. Er mwyn datblygu a chyflwyno rhai themâu eraill, byddaf yn edrych ar enghreifftiau eraill o waith Miron, yn farddoniaeth ac yn rhyddiaith, a'r rheiny yng nghyd-destun syniad canolog Miron, sef ailgyfannu ei bobl.

Mae'r ymdeimlad pendant o fywyd y Canadiaid Ffrengig fel alltudiaeth fewnol yn elfen ganolog yn nifer o'r cerddi yn *L'Homme rapaillé*. Rhagflaenir y cylch o gerddi yn dwyn yr enw cyffredinol 'La vie agonique' gan ddyfyniad gan y bardd Ffrengig Aragon, sef 'En étrange pays dans mon pays lui-même'. Yn argraffiad y fersiwn Canadaidd o'r llyfr ceir dyfyniad gan Villon, sef 'En mon pays suis en terre lointaine'. Mae'r naill ddyfyniad a'r llall yn awgrymu fod y bardd am fynegi ymdeimlad o alltudiaeth fewnol. Roedd y bardd eisoes wedi lleisio'r fath ymdeimlad mewn llythyr at Claude Haeffely yn 1954. Ar y pryd roedd Miron yn isel ei ysbryd wrth weld chwalfa'r meddylfryd Ffrengig yn Québec, a gwelai hyn fel math o ddadwreiddiad mewnol:

> je côtoie l'angoisse. Je m'interroge beaucoup de ce temps-ci sur l'avenir de l'esprit français au Canada. Déjà j'ai l'impression de me battre désespérément. Cet effondrement par l'intérieur auquel j'assiste chez un trop grand nombre ne cesse de m'inquiéter. Ce n'est plus le fait d'un individu par-ci par-là, ça devient le fait de près de la moitié du peuple canadien-français. Nous devenons, nous, des déracinés par l'intérieur.[34]

Un o'r cerddi mwyaf adnabyddus lle ceir yr ymdeimlad hwn yw 'Les Siècles de l'hiver' (1963). Yng nghanu Miron, mae eira mawr Canada yn symbol o ddiddymdra a marwolaeth. Yn y gerdd hon sy'n ddisgrifiad cryno o geidwadaeth farwaidd Québec yn ystod y cyfnod hwnnw, nid oes sôn o gwbl am symudiad deinamig tuag at wlad well. Mae'r eira wedi fferru natur a dyn fel ei gilydd nes troi'r wlad yn anialwch dihanes a dilwybr. Gwlad sydd wedi fferru yn ei hunfan ydyw, ac un sy'n marw ar ei thraed:

> pays chauve d'ancêtres, pays
> tu déferles sur des milles de patience à bout
> en une campagne affolée de désolement
> en des villes où ta maigreur calcine ton visage.[35]

(Gwlad sy'n brin o hynafiaid, gwlad, rwyt ti'n ymestyn fel tonnau'n torri dros filltiroedd o amynedd di-ben-draw, mewn cefn gwlad sy'n wallgof o unig, mewn trefi lle mae dy deneuwch yn llosgi dy wyneb.)

Ailadroddir pryd llwydaidd y wlad yn symboliaeth gyfoethog y cwpled nesaf sy'n cyfuno'r syniad o syrthni diffrwyth a digychwyn, sydd ar yr un pryd yn ddisgrifiad o israddoldeb marwaidd y bobl:

> nous nos amours vidées de leurs meubles
> nous comme empesés d'humiliation et de mort.[36]

(Mae'r serch yn ein bywydau'n wag o'i gelfi, rydym wedi ein startsio gan israddoldeb a marwolaeth.)

Gellir awgrymu'n betrus mai cyfeiriad at 'iaith' sydd yn y llinell gyntaf hon, hynny yw 'dodrefn cariad'. Mae tŷ merch yn wag o ddodrefn; heb iaith ni all cariad ei fynegi ei hun yn llawn. Dychwelir at yr ymdeimlad o alltudiaeth yn y cwpled olaf lle gwelir yr alltudiaeth fel caethiwed:

> et tu ne peux rien dans l'abondance captive
> et tu frissonnes à petit feu dans notre dos.[37]

(Ac ni elli di wneud dim yn y llawnder caethiwus ac rwyt yn crynu yn dawel fach y tu ôl inni.)

Yng nghyd-destun ei gred mai pobl drefedigaethol yw'r Canadiaid Ffrengig y gellir deall llawer o eirfa Miron wrth iddo ddadansoddi cyflwr ei bobl. Mae ei ysgrifau yn bwrw goleuni hynod ddiddorol ar y modd y daeth y sylweddoliad hwn iddo, ac yn wir ni ellir darllen ei gerddi â llawn grebwyll heb gyfeirio'n aml at y rhain. Y syniad hwn sy'n darparu'r fframwaith lle gall fynegi'r ymdeimlad o ymddieithrwch ac alltudiaeth. Maent yn fwy na throednodiadau i'w gerddi, ochr draw ei gerddi ydynt, yn aml yn fynegiant rhyddieithol o'r profiadau dwys a fynegir mor boenus o fyw yn y cerddi eu hunain. Yn wir, cynhwysir drylliau o'i gerddi yn yr ysgrifau 'didactig' hyn.

Un o'r erthyglau allweddol gan Miron sy'n gymorth inni ddeall cefndir deallusol y bardd o'r safbwynt hwn yw 'Un long chemin' a gyhoeddwyd yn wreiddiol yn y cylchgrawn *Parti pris* yn 1965. Chwiliodd yn hir cyn deall yn *wrthrychol*, meddai, beth oedd ei wir gyflwr fel llenor a Chanadiad Ffrengig. Mae'r ysgrif hon yn ddarn cyffrous o hunangofiant ac yn allweddol i ddeall nifer o dermau yn ei gerddi. Gwelai fod ei gerddi cyntaf, cyn iddo sylweddoli ei natur fel *colonisé*, yn osgoi sefyllfa a phroblemau go-iawn y wlad.

Daeth y sylweddoliad yn raddol iddo, oherwydd fod y gyfundrefn ei hun yn cuddio'r sefyllfa'n hynod effeithiol. Ei ymateb cyntaf oedd beio'r hen drefn dan y Prif Weinidog Duplessis am y problemau a wynebai'r wlad, a gweld y problemau mewn goleuni cymdeithasol, ond tua 1955 neu 1956, daeth y gair *colonisé* i'w glyw mewn cyd-destun Canadaidd-Ffrengig am y tro cyntaf:

> Un collaborateur de la revue *Esprit* en était à son premier séjour au Canada et comme, au cours d'une conversation, nous parlions du numéro special que cette revue avait consacré au Canada français quelques années auparavant, il me dit, entre autres choses et sans le faire exprès, que X . . . lui avait rapporté que Béguin, en lisant les textes manuscrits composant ce numéro, avait eu l'impression d'une résonance de 'conscience colonisée'.[38]

Bu hyn yn achlysur agor y fflodiart a'i alluogi i'w weld ei hun a'i gymuned mewn modd arbennig iawn. Hyn sydd wrth wraidd ei ymdeimlad o fod yn afreal ac o fod yn rhywun a ddiffinnir yn nhermau hunaniaeth y 'lleill', neu'r Eingl-Ganadiaid yn yr achos hwn. Mae'n teimlo'r ffaith iddo ef a'i bobl gael eu diffinio (enwi hyd yn oed) mewn modd arbennig o ddwys. Ei enw ar hyn yw *altérité*. Yn ei ysgrif bwysig, 'Un long chemin', mae'n sôn am yr arallrwydd hwn mewn termau manylach; iddo ef yr *altérité* oedd y gymuned Eingl-Ganadaidd:

> J'ai mis quatre ans à gagner sur moi, à m'investir d'une affirmation à partir de ma réalité objective: ma situation dans ce pays qui est ma réduction au regard de l'altérité anglo-canadienne.[39]

Er bod y gair *altérité* yn air haniaethol, nid yw Miron yn ei ddychmygu felly. Mae'n syniad o'r pwys mwyaf iddo, gan ei fod yn rhywbeth sydd yn tanseilio holl fodolaeth ei bobl, ac yn erydu'r hunaniaeth gynhenid. Mae'r *altérité* megis rhewlif yn pwyso ar y bobl ac yn glastwreiddio eu hunaniaeth nes eu toddi a'u cymathu â'r gymuned Eingl-Ganadaidd:

> je dis que l'altérité pèse sur nous comme un glacier qui fond sur nous, qui nous déstructure, nous englue, nous dilue. Je dis que cette atteinte est la dernière phase d'une dépossession de soi comme être,. . . Accepter CECI c'est me rendre complice de l'aliénation de mon âme de peuple, de sa disparition en l'altérité.[40]

Ond mae'r gwrthodiad, y penderfyniad i beidio ag ymostwng i'r llall, y grym difaol (o safbwynt hunaniaeth), yn dal yn beth bregus, pytiog a bylchog. Ni ellir bob amser ddarganfod yr egni angenrheidiol a fydd yn sicrhau yr eir â'r maen i'r wal wrth ailfeddiannu realiti cenedlaethol. Yn amlach na pheidio, mae cerddi a rhyddiaith Miron yn mynegi'r rhewdod sy'n rhwystro unrhyw weithgarwch. Weithiau mae synnwyr amser hyd yn oed yn diflannu. Daw hyn i'r amlwg yn y gerdd 'Les Siècles de l'hiver'. Er ei fod yn gwybod ei fod yn ysgrifennu ym mis Mai 1963, nid oes gwahaniaeth am hynny, fe all yn ddigon hawdd fod yn 1956 neu 1930, meddai. Mae wedi colli ei syniad o berthnasedd. Mae pob dim yn anialwch diderfyn o'i gwmpas; crwydra'n ddiamcan, mae'n ddieithryn, meddai, yng ngafael y *vertige* y soniai Marcotte amdano. Yn y disgrifiad meistraidd hwn, gwelwn y bardd ar goll yn llwyr yn afrealiti ei fywyd mewnol, wedi anghofio pwy ydyw mewn termau cenedlaethol, hunaniaethol a grëir gan yr ymwneud cymdeithasol rhwng dynion; dyna ei alltudiaeth genedlaethol, yn ifanc ac yn hen yr un pryd, er nad yw'n edrych yn ddieithr, dieithryn ydyw, mae ei fyd heb amlinellau, mae'n byw bywyd di-hanes: a digyfeiriad, a'i unig fyd yw ei fyd mewnol:

> Je suis jeune et je suis vieux tout à la fois. Où que je sois, ou que je déambule, j'ai le vertige comme un fil à plomb. Je n'ai pas l'air étrange, je suis étranger. . . Tout est sans contours, je deviens myope de moi-même, je deviens ma vie intérieure exclusivement. J'ai la connaissance . . . de n'appartenir à rien. Je suis suspendu dans le coup de foudre permanent d'un arrêt de mon temps historique, c'est-à-dire d'un temps fait et vécu entre les hommes.[41]

Mae'r cymal olaf hwn yn gwbl allweddol i'n dealltwriaeth o beth yw'r cysyniad o *historicité* i Miron. Ni ellir creu hanes os nad oes cysylltiad deinamig rhwng dynion, eu hymwneud â'i gilydd, yr ymwybyddiaeth o'i gilydd sy'n amod angenrheidiol y nwyfiant creadigol ac 'escatolegol' a'u gesyd yn ôl yn llifeiriant hanes. Ond mae Miron yn datblygu peirianwaith artistig yn ei gerddi sydd yn ein galluogi i weld ailgyfannu'r dyn, ar ôl colli ei hunaniaeth bron i gyd. Ei farddoniaeth yn anad dim sydd yn fodd dychmygu cyfnod pan ailgyfennir hunaniaeth pobl Québec, a chawn edrych yn fanwl ar hyn yn yr adran nesaf. Wrth sôn am ailgyfannu, mae hefyd yn ddiddorol gweld agwedd arall ar hyn, a drafodir mewn cyfweliad rhwng y bardd a'r beirniad Claude Filteau. Awgrymir yn y cyfweliad fod yr hollt, neu'r deublygrwydd sydd yn nodwedd ar hunaniaeth pobl Québec, yn cael ei adlewyrchu ym mywyd pob dyn a menyw yn y dalaith.

Cyfeiria'r bardd at yr act rywiol fel symbol o'r ddwy agwedd ar y ddynolryw yn ceisio ymgymathu a dychwelyd at ffynhonnell y fodolaeth anifeilaidd wreiddiol, ac wrth ddychmygu'r *androgyne*, y bod deuryw, mae'n gweld swyddogaeth hyn hefyd yn y patrwm gwleidyddol a fydd yn dinistrio'r drefn imperialaidd ac yn rhan o'r ailgyfannu hanfodol sy'n rhan o'i fydolwg:

> C'est dans l'acte sexuel qu'on devient principe mâle ou femelle, c'est-à-dire les deux ensemble. On devient l'androgyne . . . Pour moi, il s'agit de revenir aux sources de la vie jusqu'à la racine même de l'espèce . . . S'ériger correspond pour moi à la dynamique même du langage qui veut se fonder comme souverain. S'ériger, c'est d'abord faire voler en éclats une situation coloniale qui dévirilise l'homme, puis c'est fonder.[42]

Mae'n debyg fod y syniad uchod am yr *androgyne* yn codi o ffrwyth darllen gwaith Boehme. Roedd gan Boehme athrawiaeth gyfriniol a fynnai fod y dyn cyntaf yn *androgyne*. Yn nhermau Cristnogol Boehme, mae dyn wedi mynd yn fod un-rhyw oherwydd cwymp Adda. Fel hyn y soniodd Calian am ei athrawiaeth:

> Man is sexual instead of bisexual because of his Fall. Man is in a state of yearning and striving for completion for the state of his androgynous nature, which man cannot achieve on his own, hence God must become man through Christ as the New Adam to redeem man.[43]

Mae Miron hefyd yn dychmygu'r 'dyn newydd' a fydd yn codi o'r cyfannu newydd a ddaw i'r bod cenhedlig a pherthnasau personol. Yn yr ystyr hon, mae pob dim sy'n gwadu'r broses o ymryddhau ac ymollwng, ac yn llesteirio'r datblygiad hwn, yn 'an-hanesiol' neu'n 'gyn-hanesiol' hyd yn oed. Mewn cyfweliad arall a gyhoeddwyd yn *Le Monde* ac a ailgyhoeddwyd yn llyfr Filteau, *L'Homme Rapaillé de Gaston Miron*, cawn amgyffrediad pellach o'r hyn a olygir gan Miron pan sonia am 'ailgyfannu', sef ffordd ddolefus dyn sydd wedi ailadeiladu ei hunaniaeth fymryn ar y tro nes cael y gorau ar ei ymddieithrwch:

> En appelant mon livre *L'Homme rapaillé*, j'ai voulu dire: 'Voici comment un homme épaillé, c'est-à-dire éparpillé, s'est reconstitué

morceau par morceau, comment il mène sa quête d'identité, comment il a dépassé son aliénation . . .'[44]

Er y ceir ymgais i ddychmygu'r symudiad tuag at hanes a sofraniaeth yn y cerddi mwy 'meseianaidd', gwelir y llwybr hwn gliriaf yn y cerddi hynny sy'n delio â phosibiliadau dileu israddoldeb ac arallrwydd drwy rym y gerdd. Yr iaith a deinamig achubol y gerdd yn ogystal â'r cysyniad o obaith cenedlaethol fydd y pynciau a drafodir yn yr adran nesaf.

II

Wrth ddehongli ymddieithrwch y Canadiaid Ffrengig trwy gyfrwng ei farddoniaeth a'i ryddiath ddidactig, mae Miron o anghenraid yn cynnwys pwnc yr iaith Ffrangeg a materion ieithyddol eraill. Mae iaith a mudandod, fel y gwelwn yng ngwaith Espriu hefyd, yn fynegiant eglur o'r cyflwr annormal y bu pobloedd Québec a Chatalunya yn gorfod ei fyw yn ystod adeg arbennig yn eu hanes. Cafodd y rhyddid i fynegi barn ei adfer drwy adfer statws yr iaith yn gyhoeddus fel y digwyddodd yng Nghatalunya i raddau llai. Cyn hynny roedd hawl i lefaru (*la parole*) yn beth cyfyngedig, ac yn eiddo i'r rhai mewn grym; yr Eglwys ar gyfer y Ffrangeg, a byd busnes ar gyfer y Saesneg.

Er bod y sefyllfa yn Québec wedi newid yn syfrdanol ers hynny, roedd cyfnod y 1950au yn bendant yn gyfnod argyfyngus iawn o safbwynt statws yr iaith Ffrangeg, a oedd yn dal i fod yn iaith y rhai heb reolaeth dros eu tynged eu hunain. Gwelsom eisoes sut yr ymatebodd llenorion fel Hubert Aquin i'r argyfwng hwnnw. Ceir amryw gyfeiriadau at gyflwr yr iaith yng ngohebiaeth Gaston Miron a Claude Haeffely rhwng 1954 ac 1965, a gyhoeddwyd am y tro cyntaf yn 1989. Mewn llythyr a ysgrifennodd Miron yn 1957 ceir cyfeiriad at broblem mynegiant mewn iaith sydd dan fygythiad beunyddiol. Fel Rimbaud o'i flaen (ond am resymau gwahanol), mae Miron yn cael anhawster i'w fynegi ei hun, a hynny oherwydd sefyllfa ieithyddol y dalaith. Mae hunanfynegiant megis rhoi genedigaeth iddo ef a'i gyd-lenorion:

Rimbaud disait à peu près ceci: 'Je ne sais plus parler': Cette assertion se vérifie chaque jour à mon sujet. Et pour tous ceux qui ont tenté une expérience du verbe ici. L'effort inouï, inimaginable, que nous avons dû fournir, pour nous mettre au monde.[45]

Yn ystod y 1950au, roedd yr iaith Ffrangeg yn dal mewn sefyllfa o israddoldeb yn ei hymwneud â'r Saesneg. Gwelsom hefyd sut y cafwyd ymateb gan nifer o awduron i'r math o iaith Seisnigedig a dirywiedig a siaredid ar un adeg ym Montréal, sef *joual*. I rai fel André Laurendeau, golygydd y papur newydd *Le Devoir*, nid oedd yr iaith mwyach yn 'gardienne de la foi' (1953); ymhen rhai blynyddoedd ysgrifennodd erthygl bwysig yn condemnio cyflwr Seisnigedig y Ffrangeg, nid oedd plant ysgol bellach (1959) ond yn siarad 'bratiaith' (*joual*). Roedd Miron yntau o'r farn mai iaith lwgr oedd iaith ei gyd-ddinasyddion. Fel y dywedodd mewn llythyr yn 1958: 'Le Canayen est un déchet de langue, André Langevin *dixit*, et je suis de cet avis.'[46] Tueddai Miron i weld dwyieithrwydd beunyddiol fel y prif ddrwg yn y caws. Nid ei fod yn erbyn gwybodaeth o'r ddwy iaith, ond gwelai mai dirywio yw hanes iaith ddarostyngedig mewn sefyllfa lle daw wyneb yn wyneb ag iaith busnes, arian a grym imperialaidd, heb sôn am effeithiau taeogrwydd seicolegol arni. Bu'r Chwyldro Tawel yn y 1960au yn fodd i roi terfyn ar agweddau gwaethaf hyn, pan sefydlwyd adran addysg effeithiol a deddfau iaith a fynnai adfer y Ffrangeg fel prif iaith y dalaith ym mhob cylch o fywyd.

Er bod Miron, fel Espriu, yn pwysleisio nodweddion iaith yn ei ddehongliad, nid ydynt yn derbyn yr un driniaeth yng ngwaith Miron o'u cymharu â'r cyfeiriadau lluosog sydd ganddo at ymddieithrwch a hanes. Ni chawn ychwaith yr un ymateb parhaol i rym achubol y gair ag a welir yng ngwaith Espriu. Eto i gyd mae cryn nifer o enghreifftiau yn ei waith lle mae mudandod, geiriau a'r 'gerdd' yn cael eu pwysleisio er ei fod ef yn tybio mai methiant yw pob ymgais ar ei ran i greu cerdd oherwydd ei bod yn bodoli o fewn cyd-destun 'anhanesiol'.

Daw un o'i gyfeiriadau enwocaf at iaith o'r gerdd 'L'Octobre' (1963) sydd yn fyfyrdod ar ddirywiad ac atgyfodiad daear Québec. Yng nghanol dioddefaint y wlad mae'r iaith a chyfathrebu wedi dirywio:

> nous avons laissé humilier l'intelligence des pères
> nous avons laissé la lumière du verbe s'avilir.[47]

(Rydym wedi gadael i grebwyll y tadau gael ei ddarostwng, rydym wedi gadael i oleuni'r iaith fynd yn ddilewyrch.)

Yr un yw'r neges mewn nifer o gerddi yn perthyn i ddechrau'r 1960au, fel 'Les Années de déréliction' lle mae'r 'düwch' mawr yn rhwystro'r haul hyd yn oed rhag tywynnu'n iawn ar y bardd. Cyfeiriad sydd yma, wrth gwrs, at yr hyn a elwir 'la grande noirceur', yr enw coeglyd ar deyrnasiad Duplessis yn Québec.

Daw'n fuan i'r casgliad sydd ymhlyg yn y llinellau uchod, sef ei fod ar goll fel llawer o'i genedl, ac mae ei iaith yn prysur droi'n fynwent gyffredin:

> ma langue pareille à nos désarrois et nos détresses
> et bientôt pareille à la fosse commune de tous, . . .[48]

(Mae fy iaith yn debyg i'n diymadferthedd a'n hadfyd, ac yn y man bydd yn debyg i ffos gyffredin lle y'n cleddir . . .)

Yn un o'i ysgrifau didactig, 'Un long chemin' (1965), a gynhwysir hefyd yn L'Homme rapaillé, mae'r bardd yn dadansoddi dirywiad iaith, a sut y bydd hyn yn gwthio'r Québécois i gyflwr o afrealiti. Mae afrealiti, fel y gwelsom eisoes, yn un o hoff eiriau Miron er mwyn egluro'r cyflwr o ymddieithrwch. Gwelsom yr un gair droeon gan feirniaid fel Marcotte ac Aquin.

Roedd Miron eisoes wedi pwysleisio'r afrealiti a nodweddai, meddai, y Canadiaid Ffrengig, a hynny mor gynnar ag 1957 yn ei ysgrif ar farddoniaeth y dalaith, sef 'Situation de Notre Poésie'.[49] Yn yr ysgrif honno mae'r bardd hefyd yn cysylltu'r ddeubeth, iaith ac afrealiti. Mae gan y Canadiaid Ffrengig anhawster mawr i'w mynegi eu hunain o gwbl; maent yn safndrwm oherwydd y pwysau mawr sydd yn llethu eu hiaith, boed yn llafar neu'n ysgrifenedig. Sylwer yn arbennig ar yr ymadrodd lle sonia am 'notre difficulté à naître au verbe et au chant, du peu de prise que nous avons sur le réel' (ein hanhawster i esgor ar y gair a'r gân, ein gafael wan ar y real).[50]

Er mwyn bod, a thyfu a chreu, mae Miron yn pwysleisio'r angen i'r gair fod yn ddilyffethair ac yn ddilychwin. Mae'r ysgrif honno ar farddoniaeth yn taro'r un tant droeon, sef unigrwydd pobl y dalaith, yn yr ystyr eu bod ar goll ynghanol cyfandir Saesneg, ac mai prin fu'r cysylltiadau rhyngddynt a Ffrainc yr adeg honno, a bod rhyw ddiymadferthedd yn eu rhwystro rhag bod yn 'hanesiol'. Rhan o'r diymadferthedd, meddai, yw 'anallu'r gair'. Weithiau ceir atgof am gyfnod pan oedd yr iaith yn gallu dweud am bethau'r byd cyn iddi ballu a throi'n beth analluog, yn methu bod yn wir offeryn cyfathrebu. Mae byd rhieni'r bardd (ganed Miron yn 1928 yng nghefn gwlad Québec) yn fyd lle nad oedd y ddinas fawr wedi mynd yn elfen hollbwysig yng ngwead diwylliant a byd y Canadiaid Ffrengig. Mae'n amlwg fod y mudo mawr i'r ddinas wedi golygu darostwng yr iaith yn wyneb grymusterau Saesneg y byd masnachol, a'r byd gwaith yn gyffredinol.

Nid oes awgrym o gwbl yng ngwaith Miron o hiraeth am fyd colledig ieuenctid na chwaith fyd gwledig ei febyd, ond ceir o bryd i'w gilydd awgrym fod y pryd hynny ryw burdeb iaith a hwylusai gyfathrebu, cyn y diffyg cyfathrebu a ddaeth yn sgil y ddinas a'i helfennau estron, ymddieithrol:

> dans un autre temps mon père est devenu du sol
> il s'avance en moi avec le goût du fils et des outils
> mon père, ma mère, vous savez à vous-deux nommer
> toutes choses sur la terre, ô mon père, ô ma mère.[51]

> (Erbyn ein cyfnod mae fy nhad wedi troi'n bridd, (ond) mae'n symud oddi mewn imi yn hoffter y mab a'i offer. Fy nhad, fy mam, fe wyddech chi eich dau sut i enwi holl bethau'r ddaear, o fy nhad, o fy mam.)

Roedd ganddynt hwy ryw bresenoldeb yn y byd yn yr ystyr eu bod yn wreiddiedig yn eu cynefin. Roedd ganddynt afael ar realiti ac nid oeddynt yn ysglyfaeth i'r afrealiti sydd yn nodweddu cyfoeswyr Miron. Eto, yn yr ysgrif arall, 'Un long chemin', mae Miron fel bardd yn ceisio dangos mor anodd y daeth hi i'r iaith (i'r gair) fynegi'r realiti newydd yn Québec, realiti y ddinas ddwyieithog. Nid oedd Miron yn cytuno â'r llenorion hynny a gredai'n bendant na allent fod yn llenorion yn llawn ystyr y gair heb gyfrwng y diwylliant Ffrangeg o Ffrainc fel grym diwylliannol. Yn hytrach, pwysleisiai Miron gyflwr cymdeithasol ac economaidd y dalaith fel rhywbeth oedd yn gadael ei ôl annileadwy ar gyfrwng y diwylliant hwnnw, sef y Ffrangeg:

> la langue et son langage (qui) sont la présence totale d'un homme au monde. Si cette présence est altérée dans son instrument,

mutilée, aucun compromis n'est possible. Nous ne pouvons plus rendre compte de la réalité.[52]

Yn aml, dwyieithrwydd yw un o'r rhesymau a rydd Miron dros ddirywio, ystumio a llygru'r iaith. Mewn cerdd sydd yn gylch o ddrylliau o gerddi ynghanol ysgrif-gerdd ('Notes sur le non-poème et le poème', 1965), ceir cyfeiriad pendant at hyn. Mae'r ffaith ei fod wedi llunio ysgrif-gerdd nad yw'n llwyddo i fod yn gerdd yn hollol na chwaith yn ysgrif yn arwydd o'i argyhoeddiad na ellir ysgrifennu cerdd hyd nes y rhyddheir y wlad o'r elfennau sydd yn llygru ei hiaith a'i diwylliant.

Mae'n rhoi'r enw rhyfedd 'CECI' (HYN) ar y sefyllfa honno lle ceir gorthrwm, dwyieithrwydd, afrealiti, ac anallu'r gair i fynegi realiti hanesiol. (Gweler isod am drafodaeth lawnach ar y berthynas rhwng y 'gerdd' a 'CECI'.) Erys y gair yn anhanesiol.

Daw cymeriad cenedlaethol y gerdd yn fwy amlwg erbyn cyfnod cyfansoddi 'Les Années de déréliction' (1964), yng nghanol cyfnod y Chwyldro Tawel. Mabwysiada'r bardd safbwynt lle mae'n gweld y gerdd yn adlewyrchiad ohono ef ei hun (a'i bobl), ac yn fynegiant o'r anhawster a gaiff y naill fel y llall i fodoli, oherwydd yr 'afrealiti' sydd yn llethu'r Canadiaid Ffrengig:

> poème, mon regard, j'ai tenté que tu existes
> luttant contre mon irréalité dans ce monde.[53]

> (Gerdd, fy ngolwg, ymdrechais iti gael dod i fodolaeth, gan ymladd yn erbyn fy afrealiti yn y byd hwn.)

Mae mudandod neu ddistawrwydd hefyd yn chwarae rhan bwysig yn y ffordd y mae'n trafod iaith yn ei farddoniaeth a'i ysgrifau. Mae tinc digamsyniol o anobaith yn frith drwy ganu cynnar Miron, ar ddechrau'r 1950au ymlaen. Mae'r cerddi'n fwy cryno yr adeg honno, heb eiriogrwydd nifer o gerddi ei gyfnod diweddar. Ar un wedd, mae'r mudandod sydd ymhlyg yn y cerddi hyn yn arwydd o boen y bardd yn ei ymwneud â'i gariad (thema arall ond ymylol yn ei waith), ond daw'r diffyg cyfathrebu yn symbol o ddiffyg ehangach sydd yn amgylchynu holl bobl y dalaith. Mae cerdd fel 'Ce monde sans issue' (1959) yn perthyn i'r cyfnod lle dechreua gynnwys elfennau am Québec a'i phobl yn ei ganu. Gall sôn am 'dorri'r mudandod' (*le bris du silence*) ond erys 'dyfodol marw' yn ddiweddglo pesimistaidd ar y gerdd.

Daw'r mudandod sydd yn nodweddu cenedl gyfan yn amlwg iawn mewn cerdd anorffenedig o'r enw 'Le Damned Canuck' (1963). Bellach mae Miron yn sefyll yn rhengoedd ei bobl ac yn rhannu'r un dynged â'r Canadiaid Ffrengig eraill neu'r 'homme d'ici':

> nous sommes nombreux silencieux raboteux rabotés
> dans les brouillards de chagrins crus.[54]

> (Rydym ni'n niferus, yn ddi-ddweud, yn arw, yn grafedig, yn niwloedd ein profedigaethau cras).

Mae'r gerdd hon yn ddisgrifiad poenus o gyflwr y Canadiaid Ffrengig yn eu tlodi economaidd a hefyd yn eu tlodi ysbrydol, a chymryd y gair olaf yn ei ystyr letaf. Maent yng ngafael rhyw 'rewdod a blinder eithafol' ('pris de gel et d'extrême lassitude'). Ymadrodd yw hwn sydd yn dwyn ar gof deitl ysgrif Aquin am 'flinder' diwylliannol y Québécois a gyhoeddwyd yn 1962, ac a drafodwyd gennym uchod. Mynegir llygredd ieithyddol y bobl hefyd yn y modd y defnyddir geiriau Saesneg ynghanol y Ffrangeg, a'r cyfeiriad at Canuk (gair a arferir yn ddifrïol gan siaradwyr Saesneg wrth gyfeirio at y Canadiaid Ffrengig).

> l'homme du cheap way, l'homme du cheap work
> le damned Canuk.[55]

Cerdd arall sydd yn gysylltiedig â'r mudandod hwn yn yr ystyr ei bod yn mynegi mor anodd oedd unrhyw fath o gyfathrebu yw 'Arrêt au Village'.[56] Y bobl a ddisgrifir yn y pentref yn Gaspésie yn y gerdd yw'r rhai y cyfarfu Miron a'i gyd-fardd, Paul-Marie Lapointe, â hwy yn 1965. Pobl yw'r rhain sydd yn byw yn bell iawn o realiti'r bardd, sef realiti dyfodol posibl i Québec, ei sofraniaeth a'i hadferiad ieithyddol. Mae ceisio siarad â'r Québécois 'anhanesiol' a ddisgrifir yn y gerdd yn eithriadol o anodd. Mae'r byd Americanaidd a'i effeithiau economaidd yn gwneud cyfathrebu'n anodd. Hyd at y diwrnod hwnnw, medd ef, nid oedd erioed wedi siarad â dynion 'heb bwysau, yn fwy dieithr i'n presenoldeb na rhai o blaned arall'.

Roedd geiriau Miron yn mynd heibio iddynt oherwydd eu bod yng ngafael 'absenoldeb' (un arall o hoff eiriau Miron, yn cyfateb yn aml i afrealiti):

> nos mots passaient à côté d'eux en la fixité parallèle
> de leur absence[57]

(Âi ein geiriau heibio iddynt, ar linell gyfochrog â'r gwacter meddwl yn eu llygaid.)

Gwelai'r bardd y dynion hyn fel gweledigaeth bosibl o'i ddyfodol ei hun, a dyfodol ei bobl i gyd. Mae'r pennill yn cyflwyno geiriau Saesneg yn fwriadol, geiriau'r byd masnach fel *coke*, *chips* a *juke-box*. Yr hyn sydd yn arwyddocaol yn y weledigaeth honno yw mudandod y bobl a wêl o flaen ei lygaid. Clyw sŵn y *juke-box* yn llenwi'r bwyty bach pentrefol, a sŵn y crensian wrth iddynt fwyta'r creision. Gweledigaeth yw hon o ymddieithrwch:

> cette vision me devance: un homme de néant
> silence, avec déjà mon corps de grange vide, avec
> une âme pareillement lointaine et maintenue minimale
> par la meute vacante de l'aliénation . . .[58]

(Mae'r weledigaeth hon yn fy rhagflaenu: dyn diddymedig, mudandod, â'm corff eisoes fel ysgubor wag, ag enaid yr un mor bell a gedwir yn dila gan helgwn hurt ymddieithrwch.)

Yr anhawster mawr i gyfathrebu, y 'gair yn dywyll', sydd wrth wraidd y rhan fwyaf o'r enghreifftiau yng ngwaith Miron lle sonnir am iaith, mudandod a'r gair. Mae'r geiriau a ddefnyddia'r bardd yn ymddangos yn fregus yn aml, fel pe baent yn ymgais ansicr i dorri allan o'r mudandod a'r ymddieithrwch a deimlir ganddo mewn modd mor fyw. Dengys y geiriau ansicr, petrusgar hyn ddiffyg hyder ac ansicrwydd y bardd wrth iddo fentro ysgrifennu.

Yn 1963, yn ei gerdd 'Dans les lointains', cyfeddyf y bardd gymaint yw ei nerfusrwydd wrth fentro i gyfathrebu â phobl eraill, nes bod ei syniadau yn troi'n ddi-ffurf neu'n erwin fel y creigiau:

---

avec les maigres mots frileux de mes héritages
avec la pauvreté natale de ma pensée rocheuse . . .[59]

(gyda'r geiriau croendenau o'm hetifeddiaeth, gyda thlodi cynhenid fy syniadau creigiog . . .)

Ond, yn ddiamheuaeth, yn y modd y mae Miron yn ymdrin â syniad y *gerdd* y gwelwn wir ddeinameg iaith yng ngweledigaeth y bardd am y daith hir tuag at gyflwr hanesiol ei bobl. Ymddyrchafa'r gerdd fel llumanydd ac enaid yr ethos genedlaethol yn arbennig yn yr ysgrif-gerdd, 'Notes sur le non-poème et le poème'. Yn y gyfres hon o ebychiadau ac anerchiadau poenus, mewn rhyddiaith ac mewn prydyddiaeth, cawn y drafodaeth lawnaf ganddo ar natur y frwydr fanicheaidd am enaid y genedl. Brwydr rhwng y da a'r drwg ydyw o safbwynt parhad y genedl. Gwelsom yn barod sut mae'r bardd yn defnyddio'r gair Ffrangeg *CECI*, bob amser mewn llythrennau breision. Mae'r gair yn feichiog o ystyr yn y cylch hwn o gerddi a rhyddiaith. Mae'r gerdd (sy'n cynnwys yr holl egni creadigol o fewn y gymuned genedlaethol, a'r ewyllys gynyddol i barhau a goroesi) yn sefyll wyneb-yn-wyneb â holl bwerau *CECI*, sy'n tueddu i feithrin a chadw'r hen ddaeogrwydd seicolegol sy'n llesteirio'r symudiad anochel tuag at sofraniaeth. Gelwir popeth sydd yn costrelu effeithiau *CECI* ar y Canadiaid Ffrengig fel y *non-poème* (y ddi-gerdd), sef methiant y bobl i ymddihatru o'r israddoldeb ac ymaflyd yn eu tynged eu hunain. Dyry Miron gyfres o benillion yn diffinio'r *non-poème*:

> Le non-poème
> c'est ma langue que je ne sais plus reconnaître
> des marécages de mon esprit brumeux
> à ceux des signes aliénés de ma réalité.[60]

(Y ddi-gerdd – dyna fy iaith na fedraf ei hadnabod mwyach, corsydd fy meddwl niwlog, arwyddion dieithredig fy realiti.)

Bod yn 'rhywun arall' (*altérité*) yw un arall o nodweddion y *non-poème*, sef cael eich diffinio o ran hunaniaeth gan rai o'r tu allan. Effaith hyn yw gosod rhywun, meddai, y tu allan i'w 'hanes' ei hun, a'i adael yn y pen draw yn greadur diobaith:

Le non-poème
c'est mon historicité
vécue par substitutions.[61]

(Y ddi-gerdd – dyna fy nghyflwr anhanesiol yn cael ei fyw'n
ddirprwyol.)

Ond yn dilyn y gadwyn hon o benillion yn sôn am y *non-
poème*, cawn gadwyn gyfatebol a ddengys beth ydyw goblyg-
iadau'r gerdd genedlaethol mewn gwirionedd. Dywed, er
enghraifft, na all y gerdd ddod i fodolaeth drwy ddiddymu pob
dim negyddol a gysylltir â'r *non-poème*. Yn hytrach, rhaid iddi
ddod i fodolaeth fel rhywbeth sy'n trosgynnu byd *CECI*:

Or le poème ne peut se faire
que contre le non-poème
ne peut se faire qu'en dehors du non-poème
car le poème est émergence
car le poème est transcendance.[62]

(Ni all y gerdd fod, ond yn erbyn y ddi-gerdd, ni all fod ond y tu
allan i'r ddi-gerdd, oherwydd drwy'r gerdd y torrir allan, drwy'r
gerdd y trosgynnir.)

Gwelwn yma eto y cysylltiad sydd rhwng y 'gerdd' a hanes
yng ngwaith Miron. Mewn cyfweliad rhwng Miron a Claude
Filteau yn 1982, eglurodd y bardd ei fod yn ymwrthod â phob
ffurf ar y trosgynnol mewn termau crefyddol, er y daliai i fod yn
Gatholig tan ddiwedd y 1950au.[63] Holodd Filteau tybed a oedd y
trosgynoldeb y soniai amdano yn ei farddoniaeth yn rhywbeth a
darddai'n unig o'i farddoniaeth, fel rhyw anian a fyddai'n creu
'byd newydd'. Drwy ail-greu eu byd, byddent yn tanseilio yr
estroneiddio a ddaeth i ran eu cyndadau. Byd newydd ac iaith
newydd yw canlyniad eu barddoni:

Dans tes textes, la transcendance émane de la poésie, du langage
qui doit réinventer un monde, faire signe à un monde nouveau qui
va dépasser l'aliénation des pères, dans le pays à faire et dans le
langage neuf inventé par le poème.[64]

Fel ateb i'r gosodiad, mae Miron yn derbyn fod gan y gerdd
fath o drosgynoldeb, er nad mewn ystyr ysbrydol, ond yn

hytrach ei bod yn rhywbeth sydd yn ymestyn y tu hwnt i hanes ac amser. Yn fras, gellir dweud fod Miron yn gweld y gerdd yn rhywbeth sydd yn ymlafnio tuag at gyfnod o sofraniaeth, ac ar yr un pryd yn cynnwys gobaith am sofraniaeth yn y dyfodol. Yn fyr, drwy'r gerdd gellir dychmygu'r adeg pan sylweddolir sofraniaeth y genedl ac, mewn ffordd, ei byw yn y gerdd.

Yn arwyddocaol, hefyd, mae rhyw yn chwarae rhan ganolog yn ei gysyniad o beth yw'r gerdd. Gellir sylwi'n aml fod rhyddhau'r wlad a sylweddoli ei breuddwydion yn weithred hollol wrywaidd ym meddwl Miron, a defnyddia symboliaeth rywiol o bryd i'w gilydd i ddangos hyn. Gair a arferir ganddo ar brydiau yn y cyswllt hwn yw *debout* (ar ei sefyll, neu ar ei godiad). Mae'r rhywioldeb yn ei waith, yn ôl ei gyfaddefiad ei hun,[65] yn ffordd hynod ddeinamig o fynegi'r weithred o ddinistrio'r gyfundrefn drefedigaethol a fodolai yn Québec. Yn ei farn ef, mae hon yn system sydd yn tanseilio gwrywdod dyn. Defnyddir y gair *debout* mewn cysylltiad â'r syniad o gerdd, sydd eto'n pwysleisio'r deinamig ffrwythlon, ymryddhaol ac achubol:

> Le poème, lui, est debout
> dans la matrice culture nationale.[66]

> (Mae'r gerdd ar ei chodiad/ar ei sefyll yng nghroth y diwylliant cenedlaethol.)

Cofier mai gair gwrywaidd yw'r gair am gerdd mewn Ffrangeg. Mae'r weithred rywiol a awgrymir yma yn cyfateb i'r syniad gwaelodol a geir drwy waith Miron, mai aduno neu gyfannu yw pen draw'r ymgyrchu tuag at sofraniaeth wleidyddol a chyd-ddealltwriaeth rhwng pobl. Daw'r gerdd wedyn i fodolaeth, ac mae'r bardd yn ei chyfarch, er mai peth sydd yn perthyn i'r dyfodol ydyw o hyd. Wrth gyfarch y gerdd, mae'r bardd hefyd yn cyfarch yr undod a ailddarganfuwyd yn ogystal â chyfarch dechreuad gwir hanes Québec:

> Poème, je te salue
> dans l'unité refaite du dedans et du dehors
> ô contemporanéité flambant neuve
> je te salue, poème, historique, espèce
> et présent de l'avenir.[67]

(Gerdd, rwyf yn dy gyfarch, yn yr undod a ail-grëir o'r tu fewn ac o'r tu allan, o gyfoesedd newydd sbon, rwyf yn dy gyfarch, gerdd, hanesyddol, ymddangosiad a phresennol y dyfodol.)

Mae'r gerdd, pan ddaw i fodolaeth, yn ddatganiad o'r realiti a sylweddolwyd o'r diwedd, gan fod yr iaith ei hun wedi'i dihalogi a'i charthu. Mae ail ran y gerdd hon yn dangos sut y gwelodd Miron y gerdd fel rhywbeth egnïol a deinamig, ac yn arwydd fod yr ymddieithrwch ar ben ac yn argoel fod dyfodol hanesiol y wlad ar gychwyn. Mae holl eirfa'r rhan hon o'r gerdd yn datgan dechreuad newydd:

> car le poème est émergence
> car le poème est transcendance
> dans l'homogénéité d'un peuple qui libère
> sa durée inerte tenue emmurée.[68]

(Oherwydd y gerdd yw'r modd y cerddir allan, y gerdd yw trosgynoldeb, yng nghyfanrwydd cenedl sydd yn rhyddhau ei pharhad swrth a fu mewn caethiwed.)

Mae'r bardd wedi torri'n rhydd o'r amodau a osodwyd arno gan y gymuned Eingl-Ganadaidd; ac wrth ymadael â'r alltudiaeth hir, daw ef a'i bobl yn gwbl annealladwy a dieithr i'r rhai sy'n rheoli'r wlad:

> Ainsi je deviens
> illisible aux conditions de l'altérité
> – What do you want? disent-ils –
> Ainsi je deviens
> concret à un peuple . . .[69]

(Felly rwyf yn mynd yn annarllenadwy o safbwynt y lleill – What do you want? [Cyfeiriad at ymadrodd lled-sarhaus gan yr Eingl-Ganadiaid gynt: 'What does Quebec want?'] – meddan nhw – fel hyn rwyf yn mynd yn beth sylweddol i'm pobl . . .)

Eto i gyd, mae'r rhan fwyaf o'r ysgrif-gerdd yn gorfod edrych ar nodweddion y *non-poème* (sef y gerdd nad yw'n bod) a phoen y fodolaeth ddiwylliannol anghyflawn. Ymddieithrwch y genedl o hyd sydd yn mynnu'r sylw pennaf. Ymddengys fod y gerdd fel offeryn neu arf a fyn dorri drwy'r ymddieithrwch i ddangos i'r bardd sut y caiff fod yn ymwybodol o'i gyflwr.

Daw'r gerdd i gynorthwyo'r bardd i ddod o hyd i'w hunan-
iaeth ddilys, ac yn y pen draw i ailgyfannu (*rapailler*) trigolion
Québec. Wrth i'r gerdd fynnu ei hunaniaeth, daw'r hunaniaeth
newydd i ran y bardd (a'i bobl). Ym metaffiseg Miron, daw'r tu
allan a'r tu mewn yn un:

> L'oeuvre du poème, dans ce moment de récupération consciente,
> est de s'affirmer solidaire dans l'identité. L'affirmation de soi, dans
> la lutte du poème, est la réponse à la situation qui dissocie, qui
> sépare le dehors et le dedans. Le poème refait l'homme.[70]

Erbyn cyrraedd y wedd hon, mae'r gerdd yn torri drwy blisgyn
hanesiol y 'llall', ac yn creu hanes y gymuned a fu dan orthrwm.
Dechreua'r gerdd fod yn sofran, ac o dipyn i beth, mae'n
ymffurfio'n llais 'ôl-drefedigaethol'.

Gellir gweld fod Miron yn rhoi gwerth trosgynnol iawn i'w
farddoniaeth, lle bydd ei eiriau yn ail-greu'r byd, a thrwy hynny
yn diddymu hen fyd y tadau a fu'n orthrymus ac yn ddiraddiol.
Mentrodd Miron fynd gam ymhellach mewn sgwrs gyda'r
beirniad Ffrengig Claude Filteau yn 1984, gan ei fod yn honni
mewn ateb i gwestiwn y beirniad ynglŷn â throsgynoldeb y gerdd
yn ei waith, fod y gerdd, megis, yn trosgynnu amser. Tybed a oes
awgrym yma o amheuaeth yn ei feddwl fod modd i'r breuddwyd
ddod yn realiti. Ymddengys ei fod yn ymgilio i sefyllfa lle mae
hunaniaeth cenedl yn bod y tu hwnt i realiti bob dydd:

> L'homme se transcende dans un concept d'identité globale, de
> culture globale. Le dépassement est dans une transcendance
> historique, car l'histoire aussi est dépassée d'une certaine façon.
> Sans doute le poème est-il le lieu de la transcendance chez moi,
> parce qu'il permet d'être transhistorique.[71]

Yr un ymateb i eiriau (ei gerdd y tro hwn), a geir yn yr ysgrif-
gerdd, 'Notes sur le non-poème et le poème', lle gwelir Miron yn
ymgodymu â holl agweddau'r ymddieithrwch, sydd yn ei
rwystro rhag cyfathrebu, rhag mynd i'r eithaf, gan mai pen draw
ei 'gerdd' yw sofraniaeth ei bobl a diwedd yr ymddieithrwch
cenedlaethol. Fel peth marwanedig y mae iaith am y tro:

> comme une suite de mots moribonds en héritage
> comme de petits flocons de râles
> aux abords des lèvres.[72]

(Fel rhes o eiriau lled-farw o'm hetifeddiaeth, fel plu eira'r rhwnc o amgylch y gwefusau.)

Mae'r bobl yn dal i fod yng ngafael yr afreal, ac felly er gwaethaf y dymuniad 'achubol' a berthyn i'r gerdd farwanedig, ni fedr fyw tra bod y bobl yn eu cyflwr presennol:

> ce faible souffle phénix d'un homme cerné d'irréel
> dans l'extinction de voix d'un peuple granulé.[73]

(Anadl wan, ffenics, rhyw ddyn a amgylchynir gan yr afreal, yn nifodiant lleisiau rhyw bobl a felir yn fân.)

Mewn adran sydd yn adlewyrchu'r dirywiad cenedlaethol/personol yn y bardd yn yr un ysgrif-gerdd, mae Miron yn ychwanegu dimensiwn newydd at y syniad o ymddieithrwch, sef yr elfen o anghofrwydd personol a chenedlaethol. Mae colli'r afael ar y real gyda geiriau'r iaith Ffrangeg yn arwain at fath o amnesia cenedlaethol. Mae pobl eraill yn dechrau peidio â bod yn gasgliad o unigolion, ond yn hytrach yn troi yn un sylwedd annelwig. Mae Miron (fel Canadiad Ffrengig) yn dechrau darfod a dadelfennu:

> Et c'est ainsi depuis des générations que je me désintègre en ombelles soufflées dans la vacuité de mon esprit . . .[74]

(Fel hyn ers cenedlaethau rwyf yn dadelfennu'n blu mân a chwythir yng ngwacter fy meddwl.)

Mae'n teimlo fod ei gof (cenedlaethol) bellach wedi mynd, ac mae'r bydysawd oll wedi troi yn rhyw fath o blu'r gweunydd. Bellach mae geiriau wedi colli pob cysylltiad â sylwedd yn y byd cwbl ymddieithrol hwn:

> Les mots, méconnaissables, qui flottent à la dérive.[75]

(Y geiriau na ellir eu hadnabod sydd yn nofio yn ddigyfeiriad.)

Mae ei hunllef yn hunllef genedlaethol, un a etifeddodd oddi wrth ei gyndadau; mae'n byw bellach mewn afrealiti pur. O dderbyn y ffawd honno gyda'i bobl a thrwy wneud hynny gall ailgodi i'w iawn bwyll pan atgyfodir y bobl:

> par mottons de mots
> en émergence du peuple
> car je suis perdu en lui et avec lui
> seul lui dans sa reprise
> peut rendre ma parole
> intelligible
> et légitime.[76]

> (Drwy dalpiau o eiriau, daw'r bobl i'r amlwg, oherwydd ymgollais ynddi a chyda hi, hi'n unig yn ei hadferiad fedr beri y daw fy ngair yn ddcalladwy ac yn gyfreithlon.)

Diwedd hanes yw'r apocalyps, ac mae'r digwyddiad hwn a'r dyfodol yn cymryd lle canolog yng ngwaith Miron. Diwedd y byd fel y mae a ddeisyfir, sef byd yr ymddieithrwch ac agor cyfnod sofran pan fydd y diwylliant cenedlaethol yn gallu ffynnu – neu fod 'ar ei sefyll' (*debout*). Bu gobaith yn beth petrus ac ansicr iawn yng ngwaith Espriu; mae Miron yn barod i fentro dychmygu diwedd y daith, fel rhan anochel o'r broses o ailgodi ac ailgyfannu. Mae'r gobaith yng ngherddi Miron yn troi o gwmpas nifer o drosiadau, fel yr 'ymdaith hir', er enghraifft, neu cyfeirir yn syml at bosibiliadau gobaith.

Eisoes yn 1957 mae'n gallu dychmygu adeg pan fydd y fuddugoliaeth y tu ôl i'r genedl. Mae 'La route que nous suivons' yn disgrifio'r ymdaith hir sydd o'u blaen, ac yn gwahodd eraill i ymuno â hwy, ond mae gobaith yn arf ffyrnig gan yr ymgyrchwyr cynnar hyn:

> quand nous reviendrons nous aurons à dos la victoire
> et à force d'avoir pris en haine toutes les servitudes
> nous serons devenus des bêtes féroces de l'espoir.[77]

> (Pan ddown yn ôl, bydd y fuddugoliaeth y tu ôl inni, a chan inni gasáu holl ffurfiau'r gwaseidd-dra, byddwn wedi mynd yn obeithwyr penboeth).

Erbyn 1963, mae'r dôn yn codi'n uwch a'r ymwybod o israddoldeb yn ei yrru gyda'i gyd-deithwyr lle sonnir bod ei farddoniaeth at wasanaeth y frwydr:

je suis sur la place publique avec les miens
et mon poème a pris le mors obscure de nos combats . . .[78]

(Rwyf yn sefyll ar y llwyfan cyhoeddus gyda rhai tebyg imi, ac mae
fy marddoniaeth wedi cnoi genfa dywyll ein brwydrau . . .)

Nid yw'r gobaith yn hawdd bob amser, yn naturiol. Yn y
gerdd, 'Au sortir du labyrinthe' (1967), sydd yn gerdd arbennig o
negyddol (mae cyfres o eiriau yn dechrau â'r geiryn negyddol
dé- yn y gwreiddiol), myn y bardd ddal at ei obaith er gwaethaf
amgylchedd diwylliannol sydd yn tanseilio ei hunaniaeth:

je tiens bon l'espérance
et dans cet espace qui nous désassemble
je brillerai plus noir que ta nuit noire.[79]

(Daliaf i fod yn obeithiol, ac yn y gofod hwn sydd yn ein
dadelfennu, byddaf yn disgleirio'n dduach na'th nos ddu dywyll.)

Mae'r ymdaith hir y sonia amdani o bryd i'w gilydd yn
symudiad at y dyfodol hwnnw. Yn fwy rhyfeddol cawn sawl
cyfeiriad at gyfnod pan fydd 'sefyllfa' yn y dyfodol wedi
digwydd. Yn ei waith cynnar mae'r dyfodol yn beth amhosibl,
dyna gyfnod ei 'ddyfodol marw,' ond yn ddiweddarach hyd yn
oed yn ei gerddi serch, mae'r dyfodol fel cyfnod ffrwythlon, ac ef
fel bual yr Amerig yn ymwthio i'w dynged yn y byd:

moi je fonce à vive allure et entêté d'avenir
la tête en bas comme un bison dans son destin
la blancheur des nénuphars s'élève jusqu'à ton cou
pour la conjuration de mes manitous maléfiques.[80]

(Ymwthiaf yn ebrwydd ac yn chwannog am ddyfodol, fy mhen yn
isel fel bual yn ei dynged, mae lili'r dŵr yn codi hyd at dy wddf,
drwy hudoliaeth fy manitws anfad.)

Mae'r ewyllys i fynnu'r dyfodol fel atgyfodiad i Québec yn
dod yn gliriaf yn y gerdd enwog, 'L'Octobre', a astudiwyd yn yr
adran flaenorol, lle cyferchir Québec a'i thrigolion:

L'homme de ce temps porte le visage de la flagellation
et toi, Terre de Québec, Mère Courage

dans ta longue marche, tu es grosse
de nos rêves . . .[81]

(Mae dyn yr adeg hon â'i wyneb yn dwyn olion y fflangellu, a
thithau Ddaear Québec, Mam Gwroldeb, yn dy ymdaith hir, rwyt
ti'n feichiog gan ein breuddwydion . . .)

Mae'r dyfodol fel diwedd beichiogrwydd, yn addewid sicr, ac
yn ddiweddglo anochel. Mae'r dyfodol yn rhywbeth sydd yn
bodoli bellach ar ddiwedd trac hanes:

les hommes entendront battre ton pouls dans l'histoire
c'est nous ondulant dans l'automne d'octobre
c'est le bruit roux de chevreuils dans la lumière
l'avenir dégagé
l'avenir engagé.[82]

(Bydd dynion yn clywed dy guriad mewn hanes, ni sydd yno'n
llifo yn yr hydref, sŵn cochlyd y ceirw yng ngoleuni'r dyfodol a
ryddhawyd ac a gychwynnwyd.)

Mae'r gair *dégagé,* sydd hefyd yn gallu golygu clirio (a chlirio'r
eira mewn cyd-destun Canadaidd), yn pwysleisio'r syniad o
symud y rhwystrau sydd yn sefyll ar ffordd Québec yn ei
symudiad tuag at ddyfodol sofran. Mae defnyddio'r amser
dyfodol perffaith yn nifer o'i gerddi yn pwysleisio'r symudiad
tuag at ddyfodol sicr. Mewn cerddi sydd yn sôn yn benodol am
ei alltudiaeth 'fewnol', fel 'Pour mon rapatriement' (1956), mae'r
bardd yn sôn am ei alltudiaeth o'i wlad, ond ei fod yn teithio
tuag at y wlad honno:

je n'ai jamais voyagé
vers autre pays que toi mon pays . . .[83]

(Ni theithiais erioed at wlad arall ond atat ti fy ngwlad . . .)

Yn y cyfnod hwnnw dychmygai'r bardd ei hun fel rhywun y
tu allan i'r byd a fyddai'n dychwelyd ryw ddydd:

Un homme reviendra
d'en dehors du monde . . .[84]

(Bydd rhyw ddyn yn dod yn ei ôl o'r tu allan i'r byd . . .)

Mor sicr yw'r ffaith y bydd y dyfodol hwnnw'n digwydd, sef diwedd yr alltudiaeth. Mae Miron yn sicr y cyrhaeddir pen y daith:

> Un jour j'aurai dit oui à ma naissance
> j'aurai du froment dans les yeux
> je m'avancerai sur un sol, ému, ébloui
> par la pureté de bête que soulève la neige . . .[85]

(Un diwrnod byddaf wedi dweud ie wrth fy ngenedigaeth, bydd blawd yn fy llygaid, byddaf yn mynd yn fy mlaen ar y tir, yn gyffro i gyd, wedi fy nallu gan burdeb yr anifail sy'n codi'r eira . . .)

Mae'r gerdd, felly, ym meddwl Miron yn cael ei dyrchafu i wastad sydd yn mynd y tu hwnt i'r mynegiant barddonol arferol, oherwydd iddo ef, y mae'r gerdd bron fel enaid y genedl wrthi'n ymffurfio ac yn symud tuag at sofraniaeth, ac allan o'r wedd anhanesiol. Mae'r gerdd, fel y dywed mewn un gerdd, yn ceisio bod yn 'sofran', fel y wlad ei hun a'i phobl y mae wedi bod yn ddrych mor deilwng ohonynt.

Nodiadau

[1] M. Lemire, *Dictionnaire des Oeuvres Littéraires du Québec*, cyf. 1 (Montréal, 1978), 407.
[2] Gaston Miron, *A Bout Pourtant* (Ottawa, 1989), 50.
[3] Idem., *L'Homme rapaillé* (Montréal, 1970), 50.
[4] Ibid., 148.
[5] G. Marcotte, *Une littérature qui se fait* (Montréal, 1968), 70–1.
[6] Ibid., 74.
[7] *L'Homme rapaillé*, 49.
[8] Marcotte, op. cit., 80.
[9] Ibid., 82..
[10] Ibid.
[11] *L'Homme rapaillé*, 56.
[12] Ibid.
[13] Ibid.
[14] Ibid.
[15] Ibid.
[16] Ibid.
[17] Ibid., 57.

[18] Ibid.
[19] Ibid., 62.
[20] Ibid.
[21] Ibid.
[22] Ibid., 81.
[23] Ibid.
[24] Ibid.
[25] Ibid.
[26] P. E. Trudeau, *Le Fédéralisme et la Société Canadienne-française* (Montréal, 1967), 219.
[27] *L'Homme rapaillé*, 81.
[28] Ibid., 82.
[29] Ibid., 'Ma Bibliothèque idéale', 103.
[30] Ibid., 82.
[31] Ibid.
[32] Ibid.
[33] C. Filteau, *L'Homme rapaillé de Gaston Miron* (Montréal, 1984), 103.
[34] *A Bout Pourtant*, 22.
[35] *L'Homme rapaillé*, 51.
[36] Ibid., 51.
[37] Ibid.
[38] Ibid., 114.
[39] Ibid., 116.
[40] Ibid., 124.
[41] Ibid., 125
[42] C. Filteau, op. cit., 127–8.
[43] C. S. Calian, *The Significance of Eschatology in the Thought of Nicolas Berdyaev* (Leiden, 1965), 80.
[44] Dyfynnir yn C. Filteau, op. cit., 8.
[45] *A Bout Pourtant*, 63.
[46] Ibid., 69.
[47] *L'Homme rapaillé*, 62.
[48] Ibid., 81.
[49] Ibid., 90–8.
[50] Ibid., 96.
[51] Ibid., 79.
[52] Ibid., 117.
[53] Ibid., 82.
[54] Ibid., 55.
[55] Ibid.
[56] Ibid., 83.
[57] Ibid.
[58] Ibid.
[59] Ibid., 77.
[60] Ibid., 122.
[61] Ibid.
[62] Ibid., 123.

[63] *A Bout Pourtant*, 76.
[64] C. Filteau, op. cit., 126.
[65] Ibid., 128.
[66] *L'Homme rapaillé*, 123.
[67] Ibid.
[68] Ibid.
[69] Ibid.
[70] Ibid., 128.
[71] Cyfweliad â Miron yn C. Filteau, op. cit., 126.
[72] *L'Homme rapaillé*, 124–5.
[73] Ibid., 125.
[74] Ibid.
[75] Ibid., 126.
[76] Ibid., 127–8.
[77] Ibid., 31.
[78] Ibid., 61.
[79] Ibid., 72.
[80] Ibid., 36.
[81] Ibid., 62.
[82] Ibid.
[83] Ibid., 50.
[84] Ibid.
[85] Ibid.

5

Salvador Espriu

Dywedai'r bardd Salvador Espriu yn aml mai myfyrdod ar farwolaeth oedd craidd ei farddoniaeth, a rhaid gweld hyn yng nghyd-destun ei fywyd fel llenor a lwyddodd i oroesi ar ôl erchylltra'r rhyfel cartref yn Sbaen. Cyfnod eithriadol o anodd oedd hyn i barhad y Catalaniaid, ac o'r tri llenor a astudir yn fanwl yn y gyfrol hon, nid oes neb a ddefnyddiodd fyth alltud-iaeth, a delwedd alltudiaeth yn gyffredinol, gymaint â Salvador Espriu fel modd i fynegi'r ymdeimlad o ymddieithrwch personol a chenedlaethol.

Ganed Salvador Espriu yn Santa Colom de Farners (Girona) yn 1913. Pan oedd yn ddwyflwydd oed symudodd y teulu i Barcelona lle bu fyw tan ei farwolaeth yn 1984. Treuliodd gyfnod-au hefyd yn Arenys de Mar, pentref pysgota heb fod yn bell iawn o ddinas Barcelona, lle roedd gwreiddiau teuluol ei dad a'i fam. Aeth i Brifysgol Rydd Barcelona lle graddiodd yn y gyfraith a hanes clasurol, ac roedd wrthi'n paratoi traethawd ymchwil ar yr ieithoedd clasurol pan dechreuodd y rhyfel cartref yn 1936.

Yn debyg i nifer o lenorion Catalanaidd, dechreuodd lenydda yn y Gastileg, gan droi'n nes ymlaen at ei famiaith. Yn 1929, ac yntau'n llanc un ar bymtheg oed, cyhoeddodd lyfr yn y Gastileg. Y gyfrol honno, *Israel*, a ailgyhoeddwyd ar ôl ei farw, oedd ei unig lyfr yn yr iaith honno. Y teitl, er hynny, sy'n arwyddocaol, o gofio diddordeb amlwg yr awdur yn hanes y genedl honno fel symbol o hanes a chyflwr Sbaen a Chatalunya yn gyffredinol. Wedi dechrau ar ei yrfa fel myfyriwr prifysgol yn 1930 cyhoeddodd ei gyfrol gyntaf o straeon yn y Gatalaneg, sef *El Dr Rip i altres relats* (Doctor Rip a Storïau Eraill). Ar lawer gwedd mae gwaith Espriu yn gwbl rydd o ddylanwadau arddullegol *Noucentisme*. Yn y Gatalaneg y bu'n llenydda wedyn tan ei farw. Bu'r cyfnod wedi'r rhyfel mor anodd i'r llenor a fynnai ysgrifennu mewn Catalaneg nes creu sefyllfa lle dechreuodd rhai llenorion gyhoeddi mewn Castileg a Chatalaneg (yn ddiwedd-arach). Ond arhosodd Espriu'n ffyddlon i'w famiaith hyd yn oed yn ystod y cyfnod mwyaf anodd.[1]

Cyn y rhyfel buasai'r ail weriniaeth yn gyfnod newydd o ryddid i Gatalunya, gyda sefydlu senedd (*Generalitat*) a agorodd y ffordd tuag at greu gwladwriaeth Gatalanaidd yn y dyfodol. Dilynwyd *El Dr Rip* gan *Laia* (1932), ei unig nofel, sydd yn ddarlun hyfryd o fyd diflanedig pentref Arenys de Mar cyn y rhyfel a chyn bod sôn am y diwydiant ymwelwyr, a phan oedd y Gatalaneg ar dafod leferydd mwyafrif llethol y trigolion, heb fod sefyllfa ddwyieithog wedi datblygu. Er y disgrifir *Laia* fynychaf fel nofel, nofel ddigon llac yw hi sy'n rhoi esgus parod i'r awdur i ddisgrifio byd ei febyd a nifer o'r cymeriadau y byddai'n eu hymgorffori yn ei fythos personol lle câi'r pentref hwn ei ailfedyddio'n Sinera, a mynd wedyn yn symbol iddo o'r Gatalunya oesol. Daeth dwy gyfrol arall o'i straeon o'r wasg cyn y rhyfel cartref, sef *Aspectes* (1934), y gyfrol leiaf adnabyddus o'i weithiau rhyddiaith efallai, ac *Ariadna al laberint grotesc* (Ariadna yn y Labyrinth Grotésg, 1935), y gyfrol ryddiaith y bu mwyaf o ddarllen arni ar ôl *Laia*. Cyfrol ydyw sy'n byrlymu o ddychan ar y gymdeithas fwrdeisiol ym Marcelona, yn ogystal â nifer o straeon eraill yn hel atgofion am gymeriadau nodweddiadol Arenys de Mar. Un gyfrol arall o ryddiaith a gyhoeddodd, sef *Letizia i altres proses* (Letizia a Storïau Eraill) yn 1937, sydd eto'n ddarlun dychanol o ddosbarth canol Lavínia, sef Barcelona, ond y tro hwn defnyddiodd arddull Edgar Allan Poe a roddai bwyslais ar y grotésg a'r arswydus i ddwysáu'r ymdeimlad o'r marwol a'r llygredig. Cawn gyfle yn nes ymlaen i graffu ar rai o uchelbwyntiau'r cyfrolau hyn gan eu bod yn rhoi syniad hynod ddiddorol o safbwyntiau Espriu yn ystod y cyfnod cyn y rhyfel cartref, nid yn unig tuag at ei gyd-ddinasyddion o Gatalaniaid ond hefyd tuag at ei 'petita pàtria', Catalunya ei hun.

Ychydig iawn o ryddiaith a ysgrifennodd wedyn, er bod un o storïau gorau'r ganrif mewn Catalaneg yn perthyn i'r cyfnod hwn yng nghynnyrch Espriu, sef stori fer drist ac atgofus *Tres Sorores* (Tair Chwaer). Yn y stori hon mae Espriu yn adrodd hanes tair chwaer a fu'n perthyn i'r dosbarth canol yn y ddinas yn y cyfnod ymhell cyn y rhyfel cartref. Hanes goroesiad yw eu hanes hwy, a'u hatgofion i gyd yn perthyn i gyfnod eu gorffennol breintiedig pan oeddynt oll yn deulu cytûn gyda'i gilydd, ond erbyn hyn yn gorfod wynebu'r profiad o golli cyfoeth y blynyddoedd hynny.

Ni fu dim byd yr un fath i Gatalunya, nac ychwaith i Sbaen, ar ôl rhyfel cartref 1936–39. Ni pherthyn imi ailadrodd prif ddigwyddiadau'r rhyfel hwnnw. Digon efallai yw dweud i'r *Generalitat* gael ei ddiddymu, a rhoddwyd gwaharddiad cyffredinol ar ddysgu Catalaneg, ar gyhoeddi yn yr iaith, neu ddangos unrhyw gydymdeimlad â chenedlaetholdeb Catalanaidd ar goedd. Gallai hyn olygu pethau mor sylfaenol bryfoclyd â dawnsio'r *Sardana* neu ganu *Els Segadors*, anthem genedlaethol y Catalaniaid. Daeth y gwaharddiadau hyn â newid sylfaenol i ddiwylliant cyhoeddus Catalunya. Fel hyn y mynegodd y beirniad a'r llenor Xàvier Fàbregas yr ymdeimlad newydd:

Jo sóc català, i ben català; tota la meva vida ha transcorregut a Catalunya, i catalans són la meva dona i els meus fills. Abans de la guerra, fins a sis anys, vaig anar en una escola on era ensenyat el català, encara que jo no vaig passar el sil.labari. Vet aquí que, un cop acabada la guerra, vaig començar el batxillerat. Però les coses havien canviat una mica, i, sense jo buscar-ho ni voler-ho, el català havia estat substituït, al programa d'ensenyament, per una altra assignatura. Jo anava parlant en català i llegint i estudiant en castellà, fins a l'extrem d'habituar-m'hi i d'acceptar la contradicció palesa que aquest fet encloïa.[2]

(Cataleniad wyf i, a Chataleniad o waed coch cyfan; rwyf wedi byw ar hyd f'oes yng Nghatalunya, a Chataleniaid yw fy ngwraig a'm plant. Cyn y rhyfel hyd at pan oeddwn yn chwe blwydd oed, fe awn i ysgol lle dysgid Catalaneg er nad es i ymhellach na'r dosbarth sillafu. Ar ôl y rhyfel, roeddwn i'n dechrau ar fy arholiadau terfynol. Ond roedd pethau wedi newid tipyn bach, a heb fy mod i wedi ewyllysio neu ofyn am hynny yn yr amserlen roedd pwnc arall wedi cael ei roi yn lle'r Gatalaneg. Parhau i siarad Catalaneg a wnawn i, gan ddarllen ac astudio mewn Castileg, nes imi ddod yn gyfarwydd â hyn yn y diwedd, a derbyniais y paradocs sydd ynghlwm yn y ffaith.)

Nid yn unig bu newid yn y diwylliant, ond hefyd cafwyd newid demograffaidd mewn rhai mannau. Nid oedd mewnfudo i Gatalunya gan bobl o ardaloedd eraill yn Sbaen yn beth newydd, ond wedi'r rhyfel ymddangosai fel petai rhywun wedi agor y llifddorau. Roedd y blynyddoedd hyn yn rhai anodd eithriadol i bobl Sbaen, fel y byddid yn disgwyl mewn cyfnod ar ôl rhyfel. 'Blynyddoedd y newyn mawr,' meddai'r Andalwsiaid a ddaeth am loches i Gatalunya, ond i'r Catalaniaid ymddangosai'r mewnfudiad fel rhan o gynllwyn mawr i ddinistrio cymeriad gwreiddiol eu gwlad.

Roedd Salvador Espriu eisoes wedi bwriadu cyhoeddi cyfrol o farddoniaeth cyn i'r rhyfel ddechrau, ond daeth terfyn swta ar y cynlluniau hyn gyda'r anhrefn a ddilynodd. Gosodwyd gwaharddiadau ar gyhoeddi yn y Gatalaneg. Ond yn 1946 cafwyd y gyfrol gyntaf mewn cyfres nodedig a chydgysylltiol o farddoniaeth, pob cyfrol megis yn ddolen gyswllt â'r un flaenorol ac â'r un a'i dilynai, yn ogystal â defnyddio themâu a geiriau allweddol o gyfrolau eraill. Dywedodd y bardd ar sawl achlysur tua diwedd ei oes fod ei farddoniaeth bellach wedi mynd yn gylchol, felly mae hyn yn gosod her ychwanegol i'r darllenydd astud, gan fod rhaid iddo fod yn ymwybodol o deithi pob cyfrol (a hyd yn oed y rhyddiaith a'r tair drama, i raddau llai) er mwyn gallu tynnu'r gorau o'r profiad o ddarllen. Enw'r gyfrol gyntaf hon yw *Cementiri de Sinera* (Mynwent Sinera).

Mae i'r enw Sinera arwyddocâd arbennig yng ngwaith Espriu ac mae'n cynrychioli'r mythos pwysicaf yn ei waith i gyd. Cawn weld hefyd sut y defnyddiodd enwau eraill ar gyfer ei fythos personol ei hun, megis Konilòsia sy'n gyfeiriad at Gatalunya, ond gan ei fod yn ei ddefnyddio'n fwy yn y cyfnod cyn y rhyfel gellir ei ddehongli efallai fel enw ar y Gatalunya ddinesig neu 'wladwriaeth' Catalunya, a theimlir bod yr awdur yn gwrthgyferbynnu'r ddau fyd hyn yn ei feddwl, y Gatalunya oesol ar lan y môr a'r Gatalunya ddinesig dan ddylanwad Barcelona, gyda'u dinasyddion sydd (yn nhyb yr awdur) yn ddidoreth, difater a dall. Enw arall a welir yn eithaf aml yn y gwaith cynnar yw Lavínia, sef yr enw a fathodd Espriu i gynrychioli Barcelona.

Nid oes dwywaith nad yw Espriu wedi dod i amlygrwydd yng ngwledydd Sbaen a thros y môr fel bardd yn hytrach nag fel awdur rhyddiaith. Ef sy'n crynhoi orau yr ymdeimlad o golled, hiraeth a'r angen parhaus am ddod i delerau newydd â'r byd drwy adferiad ei genedl. Mae ei gynnyrch yn fawr: ar ôl *Cementiri de Sinera* (Mynwent Sinera), cyhoeddodd *Les cançons d'Ariadna* (Caneuon Ariadne, 1949), *Les Hores* (Yr Oriau, 1952), *Mrs Death* (1952), *El Caminant i el mur* (Y Cerddwr a'r Mur, 1954), *Final del laberint* (Diwedd y Labyrinth, 1955), *La Pell de brau* (Y Croen Tarw, 1960), a hon yw'r gyfrol fwyaf adnabyddus i gyd, a'r un a welodd y nifer mwyaf o gyfieithiadau, *Llibre de Sinera* (Llyfr Sinera, 1963), *Per al llibre de salms d'aquests vells cecs* (Ar gyfer Llyfr Salmau'r Hen Ddeillion Hyn, 1968), a *Fragments, Versots, Intencions, Matisos* (Dernynnau, Rhigymau, Amcanion, Arlliwiau, 1968). Daeth y ddau gasgliad olaf i sylw gyda chyhoeddi gweithiau barddonol Espriu yn un gyfrol am y tro cyntaf yn 1968.

Ers cyhoeddi'r gyfrol honno ymddangosodd *Setmana Santa* (Yr Wythnos Gysegredig) yn 1970, *Formes i paraules* (Ffurfiau a Geiriau) yn 1975, a cheir amryw byd o gerddi ar chwâl ar ddiwedd yr *Obres Completes* (Gweithiau Cyflawn) y byddai ef wedi eu cynnwys mewn cyfrolau newydd pe bai wedi byw. Ar wahân i'w farddoniaeth, fel y crybwyllwyd uchod, lluniodd yr awdur dair drama, pob un ohonynt yn defnyddio naill ai myth clasurol neu fyth Beiblaidd yn sail. Lluniodd *Antígona* wrth i'r rhyfel cartref ddirwyn i ben. Roedd hon yn ddrama y gellir ei gweld yn ddeisyfiad am barch i'r meirw, ni waeth ar ba ochr y buont yn ymladd, ond er gwaethaf pob argoel i'r gwrthwyneb roedd yr awdur hefyd yn gobeithio ennyn ysbryd o gyfamod a maddeuant, o'r ddwy ochr. Ni chafodd y ddrama hon weld golau dydd tan 1955. Ail ddrama yr awdur a fydd o ddiddordeb arbennig inni yw *Primera història d'Esther* (Hanes Cyntaf Esther, 1948), a ddisgrifiwyd fel drama orau'r theatr Gatalaneg ar ôl y rhyfel. Cawn edrych ar y ddrama honno'n fanylach wrth drafod myth alltudiaeth a thema achubiaeth y genedl. Drama olaf yr awdur oedd ei ymdriniaeth dra phersonol o fyth Phedra o'r enw, *Una alta Fedra, si us plau* (Phedra Arall, os gwelwch yn dda, 1978), eto wedi ei hysbrydoli gan fytholeg y byd clasurol. Gallwn ddweud fod bydoedd mytholegol Espriu yn pendilio o'r byd Beiblaidd i'r byd clasurol, gan gofio hefyd ei fyd mytholegol personol ei hun a elwid droeon yn 'fyth Sinera'.

Un gyfrol o feirniadaeth lenyddol a ysgrifennodd, sef *Evocació de Rosselló-Pòrcel i altres notes* (Atgofion am Rosselló-Pòrcel a nodiadau eraill, 1957) sydd yn ymdrin yn rhannol â gwaith un o bennaf cyfeillion yr awdur, sef Bartomeu Rosselló-Pòrcel, bardd hynod addawol a fu farw yn 1938 yn ystod cyfnod y rhyfel cartref, er nad ar faes y gad.

Anodd fyddai ceisio crynhoi gwaith Espriu i nifer o themâu penodol heb wneud anghyfiawnder garw iawn â'r gwaith hwnnw yn ei gyfanrwydd, oherwydd, yn baradocsaidd, wrth fanylu ar un agwedd yn unig mae perygl camddeall gwaith Espriu yn llwyr. Mae hyn yn arbennig o wir pan edrychir yn unig ar y gyfrol enwog *La Pell de brau*, sef y gyfrol sydd wedi denu mwy o sylw gan feirniaid llenyddol nag odid yr un arall, yn rhinwedd y cyfeiriadau mwy amlwg at hinsawdd wleidyddol Catalunya a Sbaen, a'r berthynas sigledig a fodolai ac sy'n bodoli rhyngddynt. O gofio'r duedd hon gan rai beirniaid yn y gorffennol i ganolbwyntio ar yr agweddau sy'n haws eu trin (gan mai un o'r beirdd mwyaf 'tywyll' ydyw Espriu yn aml iawn), a'u trafod heb gyfeirio'n rhy aml at yr hyn a geir yn y cyfrolau eraill o'i eiddo, fy mwriad fydd ceisio edrych yn fanwl ar nifer o themâu cydgysylltiol yng ngwaith Espriu, a hynny gan osgoi rhoi'r argraff gamarweiniol y gellir eu didoli'n llwyr oddi wrth weddill ei ganu.

Mae cyfran helaeth o gynnyrch llenyddol Espriu yn ymwneud â hanes ei 'wlad fechan' (*petita pàtria*). Prin fod yr un stori o'r cyfnod rhyddiaith yn ei hanes ef nad yw'n ymdrin ag agweddau meddwl ei bobl yn ystod y cyfnod cyn y rhyfel cartref. Mae'r storïau hyn yn symud yn ôl ac ymlaen rhwng cefn gwlad ac arfordir Sinera ac wedyn byd sylwadau crafog cymeriadau Lavínia. Ond wedi'r rhyfel cartref, mae cyfnod aeddfedrwydd Espriu yn dechrau, a'i waith yn cael ei fynegi'n ddwysach drwy gyfrwng barddoniaeth yn arbennig. Marwolaeth, chwedl Espriu, ydyw pwnc myfyrdod ei ganu. Ond dylem ddeall beth sydd ganddo mewn golwg wrth wneud y fath osodiad. Daeth y rhyfel cartref â dinistr aruthrol i fywyd Catalunya, a gweddill Sbaen hefyd, a daeth terfyn swta ar hen ffordd o fyw a fu'n parhau'n ddi-dor ers cenedlaethau lawer. Felly myfyrdod ar dristwch Sinera ar ôl y rhyfel yw llawer o'i farddoniaeth; edrychir ar dranc bro a marwolaeth fwy personol byth, sef marwolaeth cyfeillion a hen gydnabod a fu'n rhan anhepgor o fywyd a gwead cymdeithasol Arenys de Mar, y pentref sydd yn symbol o holl Gatalunya'r oesoedd. Mae anobaith, distawrwydd a marwolaeth, pob un wedi eu mynegi'n gelfydd drwy gyfrwng symbol a throsiad, yn atseinio'n barhaol drwy drwch ei ganu, yn enwedig yn ystod y cyfnod cynnar ar ôl y rhyfel pan oedd hi'n ddu iawn ar ddyfodol i Gatalunya. Nid yw Duw'r grefydd Gristnogol yn gysur ychwaith. Yn ôl gweledigaeth arbennig Espriu mae Duw'n edrych yn barhaus ar ei greadigaeth, megis Duw Job, yn ddiemosiwn ac yn ddigysur, a phan erfynia dyn am lygedyn o obaith yn ei drallod, mae Duw yn chwerthin ei hochr hi. Er gwaethaf hyn oll, mae Espriu yn medru gweld y gellir rhyw fath o obaith i ddyn, Sbaen a'i genedl ei hun. Mae'r tair thema uchod, felly, yn ymweu ac yn ymgordeddu drwy holl batrwm ei ganu nes mynnu gennym ymateb ar sawl lefel emosiynol. Felly, er dweud mai marwolaeth yw myfyrdod pennaf ei ganu, gwelwn mai ffawd (neu anffawd) ei genedl fach ei hun yw tarddiad y myfyrdod hwnnw i raddau helaeth, a'i fod felly yn un o feirdd cenedlaethol mwyaf diddorol yr ugeinfed ganrif.

Wrth greu myth Sinera, ei fyth personol, ond hynod ddeinamig, a'i osod ochr yn ochr â mythau eraill, yn enwedig myth y gaethglud ac alltudiaeth yr Israeliaid yn y Beibl, ac amryw fythau Groegaidd ac Eifftaidd yn mynegi trasiedi ac atgyfodiad, mae'n amlwg fod Espriu yn bwriadu rhoi ar-wyddocâd 'uwch-amserol' i fywyd ei genedl, a cheisio ei gwneud yn rhywbeth amgenach na *petita pàtria*, trwy ei throi megis yn symbol oesol o'r ddynoliaeth gyfan. Nid yw'n anodd, serch hynny, gweld paham y bu iddo ddewis 'myth y gaethglud' er mwyn mynegi hanes Catalunya ar ôl y rhyfel cartref. Mae'r cymariaethau rhwng y ddwy genedl yn amlwg; collodd Catalunya ei 'droit de cité' yn llwyr, daeth perygl i'w heinioes fel cenedl, roedd ei hiaith dan fygythiad beunyddiol o gael ei diddymu. Aeth y Catalaniaid yn 'alltudion mewnol' yng ngwir ystyr y term, heb fawr ddim gobaith ar un adeg y byddent byth yn gweld atgyfodi eu hen hawliau.

Cyn troi yn ail ran y bennod hon at fyth y gaethglud fel y datblygir hi'n benodol yn *La Pell de brau*, hoffwn fanylu ychydig ar y modd yr ymatebodd Espriu i'w wlad a'i genedl yn ei weithiau rhyddiaith cyn y rhyfel cartref. Mae nifer o'r straeon a gynhwysir yn *El Doctor Rip i altres relats* (1931), *Aspectes* ac yn arbennig *Ariadna al laberint grotesc*, yn cynnwys cyfeiriadau at Gatalunya, ei hiaith a'i phobl. Ond yn null awdur fel Voltaire, neu'n fwy perthnasol efallai Ramón del Valle-Inclán, mae Espriu yn defnyddio dogn helaeth o ddychan neu eiriau mwys yn ei ymdriniaeth â'r bod cenhedlig. Hyn sy'n egluro hefyd paham y ceir elfennau o'r grotésg yn ei waith. Cofir bod Valle-Incán wedi dweud fod 'Sbaen yn llygriad grotésg ar wareiddiad Ewropeaidd'. Prin iawn yw'r cyfeiriadau at le neu wlad wrth ei enw gwreiddiol yng ngwaith Espriu. Fel Voltaire, a sawl dychanwr arall, dyfeisia enw o'i fathiad ei hun i ddynodi dinasoedd a gwledydd fel ei gilydd, ac er bod y rhain yn wreiddiol wedi tarddu o'r cyfnod dychanol a beirniadol yn ei fywyd yn y 1930au, daeth nifer ohonynt i gael eu cynnwys yn ei fytholeg bersonol, a ddyrchafwyd i wastad goruchel yn ei waith diweddarach, yn enwedig y casgliadau o farddoniaeth, megis *La Pell de brau*.

Phariseaeth ddiwylliannol, meddai Espriu, oedd un o'r melltithion a fu'n plagio Catalunya yn ei chyfyngder, yn y cyfnod cyn y rhyfel cartref, sef phariseaeth ei dosbarth canol ariannog a materol yn byw yn ninas Lavínia (Barcelona). Y testun sydd yn gosod allan syniadau'r awdur am Konilòsia (Catalunya) yn y modd mwyaf diamwys yw 'El país moribund', sef stori olaf y gyfrol *Ariadna al laberint grotesc*. Yn y stori eironig hon gwelwn bersonoli'r wlad a chynnal math o ddialog rhyngddi hi a'r awdur ac, fel y cawn weld, dyma thema a welir mewn nifer o lenyddiaethau lle y gwelir y wlad fel person gorthrymedig, tlawd ac amddifad. Yn stori Espriu, mae'r wlad wedi dod i ben ei thennyn ac yn eistedd yn y porthladd yn drist a diobaith yn syllu ar y môr tawel.

'Jo ho veus, no expresso res, res de meu autèntic. Aviat seré com aquestes aigües, un mirall indiferent', es va exclamar. 'De cap manera!', li vaig respondre. 'Ets un gran, un formidable país.' 'En què ho coneixes?' s'escridassà el pobre vell país, una mica revifat, perquè no hi ha ningú més apte que els pobres vells països per a les revifalles efímeres.[3]

('Rwy'n gallu ei weld, nid wyf yn mynegi dim, nid fy hunan go-iawn. Byddaf yn hytrach fel y dyfroedd hyn, yn ddrych difater,' meddai. 'Ta waeth,' meddwn wrtho, 'rwyt ti'n wlad fawr, ffantastig.' 'Sut wyt ti'n gweld hynny?' gwaeddodd yr henwlad druan, wedi bywiocáu tipyn, gan nad oes neb fel yr hen wledydd truain am gael adfywiadau dros-dro.)

Roedd yr awdur (sef ei *alter ego* Salom a ddefnyddir yn ei fytholeg bersonol) eisoes wedi dangos mewn stori arall, 'El meu amic Salom', sut y bu iddo gael sgwrs â'i dad un tro am ei yrfa yn y dyfodol. Disgwyliai'r tad i'r glaslanc ddilyn ôl ei draed ef a mynd yn gyfreithiwr. Ond anelai'r mab dipyn yn uwch:

> – No, papà–li vaig respondre –. No m'agrada el dret, penso volar més alt.
> – Que potser faràs de comerciant? – preguntà amb un bri d'esperança el meu progenitor.
> – No, vull reformar Lavínia, Konilòsia i totes aquestes coses . . .[4]

> (– Nac ydw, 'Nhad, atebais – dydw i ddim yn hoffi'r gyfraith, rwy'n meddwl anelu'n uwch.
> – Efallai dy fod am fynd yn fasnachwr? gofynnodd fy nhad gyda gronyn o obaith.
> – Nac ydw, rwyf am ddiwygio Lavínia a'r holl bethau hynny . . .)

Er gwaethaf brwdfrydedd Salom, mae'r hen wlad yn y stori 'El país moribund' yn sôn amdani ei hun yn ei chyflwr truenus presennol. Erbyn hyn nid yw'n fwy na chysgod neu furgyn; roedd y môr wedi gwneud Catalunya yn fawreddog ac yn ogoneddus yn ei gorffennol, a phorthladd Lavínia wedi arwain at bedwar ban byd. Mae'r iaith hefyd wedi dirywio, wedi colli ei hen rythmau brenhinol, ac wedi mynd yn llediaith fas, llawn rhegfeydd a chabledd:

> S'ha perdut la cadència de la meva llengua imperial. Ara la parlen a crits, sense acabar els períodes, afermada amb renecs i blasfèmies i una gesticulació xarona i brutal, amb reminiscències d'homínid. Se m'ha convertit en un patuès o en un volapuk sense intimitat ni finor, sense matisos, empedreït de paraules sibil.lines, fredes, pedants, insuportables.[5]

> (Mae rhythmau fy iaith bendefigaidd wedi mynd ar goll. Bellach mae pobl yn ei bloeddio-siarad, heb orffen brawddegau, a'i thynhau â llwon a rhegfeydd a rhyw ystumiau anwar a garw, yn dwyn ar gof ryw ddyn cynhanesyddol. Maent wedi fy nhroi'n dafodiaith neu'n rhyw *volapük* heb anwylder na cheinder, heb *nuances*, a'i gwneud yn anystwyth gyda geiriau enigmataidd, oer, pedantig ac annioddefol.)

Mae'r wlad yn mynd yn ei blaen gan gwyno nad oes neb yn darllen ei hiaith, a bod y llenyddiaeth a gynhyrchir yn ddi-liw ac yn ddi-fflach. Ond meddai, nid yw ei blant yn ymddiddori ym mhethau'r ysbryd, a chan eu bod bellach yn faterolaidd, maent yn adlewyrchu arferion tramor. Mae'r wlad erbyn hyn yn byw bywyd ffals, fel cysgod o'i hysblander canoloesol. Nid yw Salom, serch hynny, yn fodlon derbyn yr holl hunan-feirniadaeth ddagreuol hon yn ddihalen. Dychmyga Salom ei fod yn gweld ei wlad eto yn wlad fawr â dyfodol disglair o'i blaen. Mae gofyn i'r 'wlad' fynd ati i ddarllen gwaith awduron megis Spengler a Berdiaev, a'r beirniaid o'r prifysgolion, sef gwir ddisgynyddion yr hen broffwydi. Daeth yr awr dyngedfennol yn hanes y wlad:

'Es la teva hora, l'hora del teu mar, de la teva llengua, del teu imperi, de la teva glòria, del teu seny.' 'El més equilibrat i agut del món', deia un cor llunyà i patriòtic. 'Ets ric, ets culte', prosseguia jo. Què opines de la teva dansa?' 'La més bella del món', cridava el cor. 'I dels teus hospitals pròspers, de la teva condícia, de la teva polidesa ciutadana , de la bonhomia dels habitants del teu camp?'[6]

('Dyma dy awr, awr dy fôr, dy iaith, dy ymerodraeth, dy ogoniant, dy synnwyr cyffredin enwog.' 'Yr un mwyaf cytbwys a threiddgar yn y byd', meddai corws pell a gwlatgar. 'Rwyt ti'n gyfoethog, rwyt yn ddiwylliedig', meddwn ymhellach. 'Beth yw dy farn am dy ddawns?' [Cyfeiriad at ddawns genedlaethol Catalunya y *Sardana*.] 'Yr hardda' yn y byd', cyd-waeddodd y corws. 'A beth am dy letygarwch hael, dy drefnusrwydd, dy gwrteisi dinesig, a beth am hawddgarwch trigolion dy gefn gwlad?')

Erbyn hyn mae nifer o gymeriadau eraill wedi ymuno yn y drafodaeth, sef cymeriadau a fu'n amlwg yn straeon a dialogau eraill yr awdur. Maent i gyd yn hallt eu beirniadaeth ar fywyd beunyddiol y Catalaniaid, pob un yn ymuno â'r wlad mewn côr yn adrodd ffaeleddau Lavínia, ac yn y diwedd yn ymdrybaeddu mewn hunan-ddirmyg:

Els alemanys, varen organitzar fa poc un concurs colossal. El tema a desenrotllar era: 'Bases africanes de cretinisme en els homes i en els pobles' Nosaltres n'hem resultat guanyadors.[7]

(Ychydig amser yn ôl, trefnodd yr Almaenwyr gystadleuaeth a oedd yn agored i'r holl fyd. Y thema oedd 'Sylfeini Affricanaidd Cretiniaeth mewn dynion a phobloedd'. Mae'n debyg mai ni fu'n fuddugol.)

Daw ymateb yn syth gan sawl cymeriad, ond gan y bardd Aina Cohen y mae'r gair mwyaf dethol a nodweddiadol, efallai, o genedl yn wynebu argyfwng, ond mae'r dweud yn llawn eirioni:

No oblideu, germans, que som els predilectes de Nostre Senyor.[8]

(Peidiwch ag anghofio, frodyr, mai ni yw etholedigion yr Arglwydd.)

Ar ôl i bawb dywallt eironi creulon am ben Catalunya, gofynnir i'w wlad, sydd wedi bod yn dawel am dipyn, a gafodd ei pherswadio ganddynt. Er ei bod hi wedi cael tröedigaeth yn ei diniweidrwydd, mae ei salwch yn drech na hi, ac nid oes amser mwyach i'w hachub. Disgynna'r corff i'r dyfroedd tawel a Salom erbyn hyn yw'r unig dyst i'r hunanladdiad trist. Nid yw ef chwaith yn gweld rheswm yn y byd am ei wlychu ei hun a throchi ei ddillad wrth geisio ei thynnu o'r môr:

Ja en trobarem un altre que ens lluirà més. Vaig a telegrafiar la notícia. Es més essential que intentar de salvar-lo. Quin èxit periodístic que serà! [9]

(Fe gawn un arall a fydd yn gwneud ffyliaid mwy ohonom. Rwyf am fynd i ddanfon y newyddion ar y telegraff. Mae hyn yn bwysicach na cheisio ei achub. Meddylia am y fath sgŵp newyddiadurol!)

Dychmyga beth fydd ymateb y cyhoedd wrth weld y penawdau yn y papur newydd. 'Hen wlad wedi boddi ddoe yn nŵr y porthladd a neb wedi gallu adnabod y corff.' Mae'r papurau newydd yn gwneud môr a mynydd o'r newyddion. Deil eironi'r awdur yr un mor sbeitlyd a maleisus tan y diwedd:

almenys es varen vendre una cinquantena d'exemplars de la pila de periòdics que hi havia i hi ha en llengua nostrada, en aquella llengua que amb tant de delicat amor després n'han dit, intelligiblement, vernacla.[10]

(O leiaf gwerthwyd rhyw hanner cant o gopïau o'r pentwr o'r cylchgronau a fu ac sydd yn ein heniaith, yr iaith honno a alwyd wedyn gyda'r fath gariad teimladwy yn iaith werinol.)

Mae'r wers sydd yn codi o'r bregeth hon yn amlwg. Ni ddaeth neb i achub yr heniaith mewn pryd. Roedd ei salwch wedi cerdded yn rhy bell, a beth bynnag nid oedd ei phobl ei hun yn poeni amdani mewn gwirionedd. Eu pleser oedd ei dirmygu, a'i throi'n gyff gwawd.

Cawn ddarlun pellach o Konilòsia a'i thrigolion mewn stori fer arall y cyfeiriwyd ati uchod, sef 'El meu amic Salom' – sef yr awdur ei hun. Yn y stori honno, sydd yn adrodd sut y rhoes y gorau i fod yn achubydd ac yn ddiwygiwr yn Konilòsia, mae'n sôn am ei wlad sydd yn gorwedd 'rhwng Rarotonga a môr y Breuddwyd'. Anodd, meddai, i rywun o'r tu allan – o wlad normal – ddychmygu'r fath le yw Konilòsia:

> Els konilosians, gent d'una història gloriosa, altrament com les històries glorioses de tothom, varen rodolar i encara rodolen per un pendent d'una decadència inacabable. Són desconfiats, gasius i pobres.[11]

(Mae'r Konilosiaid, pobl a chanddynt hanes gogoneddus, fel hanes gogoneddus pawb arall, beth bynnag, wedi treiglo ac yn dal i dreiglo ar hyd llethr sy'n arwain at ddirywiad anochel. Maent yn bobl na ellir ymddiried ynddynt, maent yn wastrafflyd ac yn dlawd.)

Maent yn trin eu hetifeddiaeth, ysbrydol a materol, gyda'r difaterwch mwyaf. Mae'r awdur yn eu condemnio'n llwyr fel pobl. Nid yw'r Konilosiaid yn darllen dim, nid ydynt yn gwybod dim, nid oes dim sydd yn eu diddori, ond hyd yn oed pe byddech yn taro ar Konilosiad hyddysg, byddech yn sylwi, meddir, mai pobl genfigennus, gas ydynt, yn canmol y dylanwadol a'r canolig, yn methu dioddef talent nac annibyniaeth cymeriad. Ar ôl hyn canolbwyntia'r awdur ar gymeriad y dinasyddion, y Laviniaid (sef, yn goeglyd, trigolion Barcelona). Mae'r rhain yn ffurfio carfan ar wahân o fewn Konilòsia, ac maent yn dangos yr un ffaeleddau â gweddill y bobl, ond eu bod yn waeth:

> Els lavinians es dediquen al comerç, . . . i a l'exerciu de l'advocacia, que engreixa i ensagina la nostra abundosa fauna eixerida i llesta. Els lavinians són els rics de Konilòsia.[12]

(Mae'r Lafiniaid yn gweithio fel masnachwyr. . . ac fel cyfreithwyr sydd yn tewhau ac yn porthi ein hil luosog, graff a deallus. Y Lafiniaid yw cyfoethogion Konilòsia.)

Mae gormodiaith fwriadol yr awdur gymaint nes peri mwy o chwerthin o wybod ei fod wedyn yn egluro sut yr oedd wedi ceisio diwygio Lavínia a Konilòsia yn ystod ei ieuenctid. Fel diwygiwr roedd yn fethiant llwyr; ni chymerai'r bobl at rywun a oedd yn eu dwrdio o hyd am eu methiannau a'u hanwybodaeth.

Gwelwn, felly, yng nghyfnod cynnar Espriu, cyn iddo droi at farddoniaeth fel ei brif gyfrwng, ei fod eisoes yn ymateb i gwestiwn y genedl, ei dadeni, ei hiaith, a'i fod, er yn tynnu ar fanteision y diwygiad ieithyddol a'r datblygiadau llenyddol, yn bur feirniadol o'r 'Gatalunya wneud' megis. Dychanai'r 'ddinas wneud', y ddinas simsan, tra'n edrych ar Arenys fel y Gatalunya ddilys, y ddinas noddfa fel y byddai yn fuan wedyn. Ond yr hyn a newidiodd fyd Espriu, fel byd Lavínia a byd bychan Sinera oedd trychineb rhyfel cartref Sbaen.

II

Gan fod y gyfrol hon yn ymwneud yn benodol â'r agweddau ar waith Salvador Espriu lle'r ymdriniodd â'r berthynas rhwng Catalunya a Sbaen yn dilyn cyfnod y rhyfel cartref, hwyrach y gellir cyfiawnhau dewis ei gyfrol enwocaf oll a mwyaf gwleidyddol ei naws fel sail i'r drafodaeth gyffredinol ynglŷn â'r hyn a elwir ganddo y 'complex enigma peninsular', sef cymhlethdod enigmatig 'gwledydd' Sbaen. Cyfrol yw hon sydd yn ymdrin ag alltudiaeth fewnol Sbaen a Chatalunya mewn modd trosiadol iawn ac sydd yn defnyddio patrwm hanes Israel yn y Beibl. Mae'r gyfrol yn olrhain nifer o gyfnodau y gellir eu cymharu â'r patrwm Beiblaidd am hanes Israel a'i pherthynas â Duw. Fel y proffwydi, mae Espriu yn cychwyn drwy ddarlunio drygau'r oes, a'r oesoedd a fu.

Ceir darlun apocalyptaidd ar ddechrau *La Pell de brau*, sydd yn ddrych o'r hanes cythryblus a hunanddinistriol a fu rhwng Sbaen a'r cenhedloedd eraill o fewn ei ffiniau. Wedyn ceir hanes y sefydlu, fel yr Iddewon yn dod i wlad yr addewid. Ar ryw wedd, gwelir Sepharad (sy'n cynrychioli Sbaen ym mytholeg Espriu) fel math o wlad yr addewid, er gwaethaf ei holl ffaeleddau. Ceir hanes y 'ddelw aur' sydd yn egluro sut y 'pechodd' y genedl, a chael ei darostwng. Mae nifer o gerddi yn darlunio'r alltudiaeth sy'n cyfateb i gaethglud yr Iddewon. Mae Sepharad, er gwaethaf pob creulondeb ac anghytuno, yn symbol o achubiaeth feseianaidd y wlad hefyd, ac mae derbyn Sepharad fel y ffigur a rydd ymwared yn esgor ar gerddi sy'n mynd i'r afael ag oblygiadau gobaith, a'r modd y dylid byw yn y Sbaen newydd. Gwelir y berthynas rhwng Sepharad a'r cenhedloedd ethnig o fewn Sbaen yn debyg i'r math o berthynas a ddarlunnir yn y Beibl rhwng Duw ac Israel. Yn fras, dadleuir bod patrwm hanes Beiblaidd yn gorwedd y tu ôl i *La Pell de brau*, patrwm sydd yn caniatáu i'r bardd fod yn obeithiol ynghylch dyfodol Sbaen a Chatalunya. Nid yw mabwysiadu'r fath batrwm yn awgrymu am foment fod Espriu yn derbyn unrhyw syniad am ragluniaeth na Christnogaeth. Mae 'myth' hanes Israel yn y Beibl yn darparu patrwm sy'n rhagdybio y gellir rhoi'r gorau i hen arferion hanesyddol, a chreu dyfodol disglair yn rhydd o ormes ac ofn.

Nid yw hyn o ganlyniad yn golygu nad yw *La Pell de brau* hefyd yn cyffwrdd â phwnc canolog Espriu, sef ei fyfyrdod di-baid a pharhaol ymholgar ar arwyddocâd marwolaeth. Mae'r 'meditació de la mort' a grybwyllir ganddo fel pwnc canolog ei ganu yn fan cychwyn ei farddoniaeth, ac yn fan terfynol mewn cyfanwaith barddol a ddisgrifir ganddo fel un 'cylchog'. Mae'n wir mai yn y cerddi cyfriniol hynny yr ymdeimlir orau i gyd â'r orawen synhwyrus a'r trosiadau mwyaf cymhleth a dwys yn ei waith.

Disgrifiwyd hyn unwaith fel y tyndra rhwng mynwent Arenys de Mar a'r pentref is-law sydd yn fynych yn symbol o Gatalunya. Cafwyd astudiaeth drylwyr o'r tensiwn hwnnw gan y Gymraes o feirniad, Esyllt T. Lawrence (a oedd yn briod â chefnder Espriu, Lluís Ferran de Pol), yn ei herthygl 'Entre Sinera i el seu cementiri'.[13] Nodweddir holl waith Espriu gan ei hoffter o symboliaeth a mytholeg. Tynnodd yn helaeth ar fytholeg Groeg, Israel a'r Aifft. Soniodd y beirniad, Josep M. Castellet, amdano fel 'Eifftolegwr a gollodd ei gyfle oherwydd y rhyfel', ac nid oes dwywaith na ddrachtiodd y bardd yn dra helaeth o ffynonellau mytholegol yr hen fyd clasurol.

Soniodd Esyllt Lawrence am waith Espriu fel archaeolegydd yn y Dwyrain Canol yn y 1930au,[14] a defnyddiodd y fytholeg Eifftaidd gan mwyaf yng nghyswllt ei gerddi am farwolaeth ac atgyfodiad. Mae'r fytholeg Roegaidd wedi darparu cymeriad cymwys iawn wrth roi mynegiant i drasiedi'r unigolyn yn ei ymwneud â 'Duw', a thrasiedi'r gymuned Sbaenaidd. Gwelwn hyn, os iawn y dehongliad a wnaed gan Castellet,[15] yng nghymeriad Oidipos (nas enwir fel y cyfryw ond y gellir ei adnabod), a hefyd yn ei ddramâu fel *Antígona* a ysgrifennwyd yn syth ar ôl y rhyfel cartref, ac yn ei ddrama olaf lle gwelir y cymeriad trasig Phedra, sef *Una altra Fedra, si us plau* (1978).

Yn bwysicach o'n safbwynt ni, bu Espriu hefyd dan ddylanwad y Beibl a hanes cynnar yr Iddewon. Mae'n traethu'n huawdl iawn ar y dylanwad hwn yn ei ragair i'w ddrama *Primera història d'Esther* sydd, fel dramâu traddodiadol y Seffardim, yn dathlu'r bygythiad dybryd i fodolaeth yr Iddewon yn ystod yr alltudiaeth. Gwyddom fod Espriu yn hynod gyfarwydd â'r Beibl (yn arbennig mewn cyfieithiad Sbaeneg); mae dylanwad mytholeg a symboliaeth y Beibl yn nodweddu ei farddoniaeth o gyfnod cynnar *Cementiri de Sinera*, a daw'n fwy amlwg byth mewn cyfrolau diweddarach fel *La Pell de brau* a *Setmana Santa*.

Dylanwad arall ar feddwl Espriu yn y cyswllt Beiblaidd ydyw cyfriniaeth Iddewig. Yr enw mwy cyfarwydd ar y gyfriniaeth eithriadol gymhleth a symbolaidd hon yw'r Cabâl (o'r Hebraeg *Qabbalah* a olygai'n wreiddiol 'traddodiad' ond a fagodd yr ystyr o ddysgeidiaeth esoterig yn yr Oesoedd Canol). Digon am y tro yw nodi fod y gyfriniaeth honno yn ddeniadol i Espriu am nifer o resymau deallusol ac emosiynol. Yn y lle cyntaf, mae nifer o awduron y Cabâl, ac Isaac Lwria Ashcenazi yn arbennig, wedi datblygu'r thema o'r Duw diamgyffred a chuddiedig – y *deus absconditus* a fu'n gyfarwydd i awduron Cristnogol o'r Oesoedd Canol. Agwedd ar y Cabâl a fu o ddiddordeb i Espriu oedd ymgais yr awduron hyn i geisio egluro beth oedd gwreiddyn drygioni yn y byd ac arwyddocâd dyfnaf yr alltudiaeth Iddewig (sef y *Golah*). Agwedd arall sydd yn bwysig i Espriu o safbwynt y gyfriniaeth Iddewig yw ei symboliaeth gyfoethog a ddefnyddir o bryd i'w gilydd mewn nifer o'i gyfrolau. Creodd y Cabâl ei fytholeg ei hun (gellir crybwyll y ffigur rhyfeddol Adam Kadmon, er enghraifft) ac yn yr ystyr hon datblygodd y Cabâl yn achlysur ailgyflwyno elfennau mythig i'r grefydd Iddewig a fu cyn hynny â'i phwyslais yn bennaf ar y ddeddf. Rhaid cofio hefyd i gyfriniaeth Iddewig ddatblygu yn yr Oesoedd Canol yng Nghatalunya, yn enwedig mewn lleoedd fel Girona.

Wrth gyfeirio at ddylanwad y gyfriniaeth honno ar waith Espriu, rhaid nodi i'r bardd wadu fod y dylanwad mor eang â hynny. Mae Josep M. Castellet yn cyfeirio at hyn mewn troednodyn. Honnodd Espriu wrth Castellet iddo astudio'r pwnc yn drwyadl, ond mai dim ond un gyfrol, sef *Setmana Santa*, sydd yn dangos olion cyfriniaeth Iddewig:

> A pesar de reconocer que ha estudiado a fondo el tema, Espriu afirma que la influencia de la mística judía sólo es visible en su libro inédito *Setmana Santa* . . .[16]

Ond mae Castellet yn weddol bendant y gellir gweld olion y gyfriniaeth honno yn ei waith. Y perygl wrth gwrs ydyw gorbwysleisio'r dylanwad, gan ei fod yn un dylanwad ymhlith eraill, a chan fod Espriu yn hoff o gymysgu cyfeiriadau o wahanol gyfundrefnau mytholegol, mae'n anodd datrys yr edau gyfrodedd o fyth a symbol yn ei waith.

Mae *La Pell de brau* yn gyfrol gwbl wahanol i'r hyn a gafwyd yng ngwaith blaenorol Espriu. Er bod cyfeiriadau yma ac acw at y sefyllfa hanesyddol a fodolai yn Sbaen ar ôl y rhyfel, yn arbennig o safbwynt Catalunya, tueddai'r bardd i ddilyn hynt gyfriniol ei natur yn y cyfrolau cynharaf, gan mor anodd iddo oedd byw yn y cyfnod hwnnw. Ni soniai'n blwmp ac yn blaen am y profiad o fyw yng Nghatalunya, ond yn hytrach, fel y dywed yn *Cementiri de Sinera*: 'Em moro, perquè no sé com viure' (Rwyf yn marw, oherwydd ni fedraf fyw). Mae *La Pell de brau*, felly, yn ymagor ar gyfnod newydd yn ei farddoniaeth. Gellir ei ddarllen fel un cyfanwaith, fel un gerdd gyfan sydd yn cyflwyno hynt a helynt Sbaen (a elwir Sepharad ganddo). Mae'n gyfrol hynod foesegol, gan fod y bardd fel proffwyd Beiblaidd yn dadansoddi drygau'r oes a drygau'r oesau a fu, yn wir, ac yn cyflwyno neges o ymwared. Yn *El Caminant i el mur*, mae'n ei ddisgrifio ei hun fel 'tywysog nos ei bobl', ac yn y cyflwyniad i *La Pell de brau*, mae'n cofio'r bardd mawr Carles Riba a fu'n gymaint o gynhaliaeth ac ysbrydoliaeth i lenyddiaeth Gatalanaidd yn union ar ôl y rhyfel, ac ar yr un pryd yn gobeithio y gall y gyfrol fod o gymorth i rywun yn Sepharad ('perquè pugui potser ajudar algù, a Sepharad'). Nid neges grefyddol sydd gan Espriu i'w chynnig fel sydd gan Wenallt, ond ffordd ymwared rhag y creulondeb a nodweddai'r berthynas rhwng Sbaen a'i phobloedd yn y gorffennol.

Mae hefyd yn olrhain y llwybr tuag at ryddid i Sbaen yn gyffredinol, lle byddai dialog a chyd-fyw'n bosibl rhwng pawb yn Sbaen, ond yn bennaf rhwng y Catalaniaid a'r awdurdodau

Castilaidd. Mae Espriu yn tynnu'n helaeth ar hanes yr Iddewon fel modd i greu cyfatebiaeth rhwng y 'myth' Beiblaidd (sef hanes y genedl santaidd, etholedig a'i halltudiaeth o Israel yn arbennig), a'r bywyd fel y mae yn Sbaen. Nid yw'r gyfatebiaeth mor alegorïol ag y mae'n ymddangos. Ceisia Espriu greu awyrgylch farddonol lle mae realiti sefyllfa Sbaen y 1950au yn cydfodoli â myth. Dull mwy cyfarwydd yn llenyddiaeth Ewropeaidd yr ugeinfed ganrif fu defnyddio hanes mythig i gyfleu sefyllfa sydd yn bodoli mewn realiti, ond mae'r ddau fyd yn bodoli ar yr un pryd ym meddwl Espriu.

Mae'r ddeuoliaeth fythig felly'n gyfarwydd yng ngwaith Espriu. Yn *La Pell de brau* mae'r bardd yn tynnu ar gyfoeth o symboliaeth a myth er mwyn cydgyplysu tair sefyllfa gymhleth. Yn gyntaf, mae'r awdur yn cyfeirio at hanes traddodiadol yr Iddewon, yn arbennig hanes eu gwasgariad, colli'r Deml a'r alltudiaeth. Yn ail, mae'r awdur yn meddwl am yr Iddewon a yrrwyd o Sbaen yn 1492, hwy wrth gwrs oedd y Seffardim. Roedd y rhain wedi creu diwylliant a thraddodiadau pwysig iawn mewn canolfannau fel Barcelona a Girona, yn arbennig wrth ddatblygu'r syniadau am y Cabâl. Buont hefyd yn gyfrifol am fath o farddoniaeth Hebraeg a elwid yn *piyyut*, a gyflwynodd themâu crefyddol a thelynegol i farddoniaeth Sbaen. Mae hanes eu halltudiaeth hwy (nid yn unig yn Sbaen ei hun ond wedyn ar ôl cael eu gyrru o'r wlad) yn arwyddocaol i Espriu, o gofio'r ffaith y gorfu i filoedd o Gatalaniaid a Sbaenwyr o bob ardal adael eu gwlad ar ôl y rhyfel cartref. Yn drydydd, mae hanes diweddar y Sbaenwyr eu hunain, ac yn arbennig y Catalaniaid (er ei bod yn anodd ar brydiau dynnu llinell derfyn glir rhyngddynt, gan fod Espriu yn gweld holl bobloedd Sbaen mewn cyflwr o 'alltudiaeth'). Yn drosiadol, er hynny, mae'r Catalaniaid fel yr Iddewon wedi colli eu 'dinas' a'u 'teml' fel y dywedir droeon yn y gyfrol hon.

Mae'r tair agwedd hyn yn ymgymysgu yn y cerddi yn *La Pell de brau*. Gellir canfod hyn yn arbennig yn y modd y defnyddia'r bardd yr hen air Hebraeg am Sbaen, sef Sepharad, fel yr enw ar y gymuned hanesyddol Iberaidd, a'r enw Sinera, a ddaw o fytholeg bersonol y bardd (o Arenys de Mar o'i ddarllen o chwith), ar gyfer y gymuned Gatalanaidd.

Agwedd bwysig arall ar y gyfrol ydyw ei phatrwm Beiblaidd. Yn fras, gellir adnabod patrwm sydd yn cyfateb i'r syniad hanesyddol Beiblaidd – y Cwymp, Gobaith Meseianaidd, a'r Achubiaeth. Mewn termau yn cyfateb i hanes Israel, gwelir y patrwm cyfatebol: y genedl yn pechu, alltudiaeth, gobaith meseianaidd, ac 'adferiad y Deml'.

Gan fod natur barddoniaeth Espriu yn gylchog, caiff themâu a geirfa yn *La Pell de brau* eu hadleisio yn llawer o farddoniaeth y cyfrolau eraill, a chyfeiriaf at y rhain hefyd wrth ymdrin â nifer o gerddi *La Pell de brau* pan fydd hynny'n berthnasol.

Egyr y gyfrol mewn cyd-destun o gyflafan a thywallt gwaed. Mae hanes Sepharad (Sbaen) erioed wedi bod yn waedlyd, meddai. Mae'r gymhariaeth rhwng croen tarw y teitl (*La Pell de brau*) a Sbaen yn awgrymu'r ddefod waedlyd yn yr ornest ymladd teirw. Mae'r croen gwaedlyd hwnnw megis baner y wlad:

El brau, en l'arena de Sepharad
envestia l'estesa pell
i en fa, enlairant-la, bandera.[17]

(Roedd y tarw yn arena Sepharad yn rhuthro ar y croen a orweddai ar led, ac wrth ei godi ei droi'n faner.)

Fel proffwydi'r Hen Destament, mae'r bardd yn cystwyo Sbaen am y tywallt gwaed ac yn gwarafun iddi barhau yn ei 'phechod'. Ond, yn arwyddocaol, mae'n ei gynnwys ei hun yn yr un condemniad cyffredinol; mae pawb yn ddiwahân yn gyfrifol am hanes Sbaen. Mae'r tywallt gwaed yn gylch anfad na ellir dianc rhagddo yn ei hanes, hyd yn oed os yw'n edrych tua'r môr, sydd yn hen symbol o ryddid i Espriu. Mae ei feddwl hyd yn oed wedyn yn dychwelyd at y croen tarw sydd yn cynrychioli'r creulondeb rhyfelgar rhwng pobloedd Sbaen, a gwahanol bleidiau'r wlad:

El sol no pot assecar,
pell de brau,
la sang que tots hem vessat,
la que vessarem demà,
pell de brau.[18]

(Ni all yr haul sychu'r gwaed, croen tarw, a dywalltwyd gennym oll, y gwaed a dywelltir gennym yfory, croen tarw.)

Mae'r ymdeimlad o ddrygioni anesgor yn creu darluniau apocalyptaidd yn nychymyg y bardd wrth ystyried y ddeuol-iaeth: marwolaeth a Sbaen, fel pe bai'r ddwy ynghlwm wrth ei gilydd. Mae Sbaen fel ceffylau'r apocalyps yn carlamu'n wyllt drwy'r tir:

> Sepharad
> i la mort,
> cavall flac
> cavall foll:
> tot sovint
> no destries
> el nom
> en el somni
> del temps
> dolorós.[19]

(Sepharad a marwolaeth, ceffyl main, ceffyl gwallgof, nid oeddet ti'n dinistrio'r enw ym mreuddwyd yr amser poenus yn aml.)

Mae apocalyps yn drosiad y gellid ei ddisgwyl wrth ystyried galanastra'r rhyfel cartref, yn arbennig o gofio sut y bu ond y dim i Gatalunya gael ei dinistrio'n llwyr, ond mae Espriu yn meddwl am Sbaen i gyd yn y weledigaeth apocalyptaidd honno. Mae'r ymdeimlad o apocalyps yn dychwelyd droeon yn ei waith. Yn ei ragair i *La Pell de brau*, rhoddir pwyslais ar hyn. Dywed:

Vaig escriure aquest llibre fa uns deu anys. Des d'aleshores han passat moltes coses, algunes molt dolentes, les altres pitjors. Vivim uns dies d'una total confusió, i és indecent de fingir, em penso, cap mena d'optimisme. Diuen que s'apropen fets i proves apocalíp-tics.[20]

(Ysgrifennais y llyfr hwn ryw ddeng mlynedd yn ôl bellach. Ers hynny mae llawer o bethau wedi digwydd, rhai'n wael, rhai'n waeth byth. Rydym yn byw dyddiau o ddryswch pur, ac yn fy marn i, mae'n anweddus dangos unrhyw optimistiaeth. Maent yn dweud fod digwyddiadau a phrofedigaethau apocalyptaidd o'n blaen.)

Gwelir agwedd arall ar yr apocalyps yn ei ddrama *Primera història d'Esther*, a oedd yng ngeiriau'r awdur i fod yn 'deyrnged olaf i'r iaith Gatalaneg', a hithau'n wynebu gormes a fynnai ei lladd yn derfynol. Mae'n ddiddorol i Saunders Lewis ddefnyddio'r un hanes mewn cyfnod pan welai angen dybryd am arddel cenedl yn awr ei chyfyngder. Ar un ystyr, mae hunllef wleidyddol *Esther* yn ateb i'r 'briodas ddedwydd' a geir gan Charles Edwards, lle gwelir Cymru fel Esther yn *Y Ffydd Ddi-ffuant*.

Ceir ymdeimlad o apocalyps yng ngwaith y ddau awdur: dwy genedl yn wynebu'r posibilrwydd o ddinistr llwyr. Mae'r cerddi nesaf yn y gyfrol yn datblygu thema'r ceffylau apocalyptaidd. Mae un ohonynt yn cynrychioli newyn, sef y newyn mawr a ddaeth i Sbaen ar ôl y rhyfel:

> Galop del cavall flac,
> per tristos anys, per aspres
> camins de Sepharad.[21]

> (Carlam y ceffyl main, drwy'r blynyddoedd trist, ar hyd llwybrau garw Sepharad.)

Er mai ceffylau apocalyptaidd a welir yn bennaf yn y cerddi hyn, mae Espriu hefyd yn gallu gwrthgyferbynnu'r ceffylau hyn â cheffylau'r marchogion o Gastîl o'r Oesoedd Canol, yn llawn anrhydedd, ac amdanynt hwy y mae'n meddwl yn y llinell o'r *Libro de Buen Amor* a ddyfynnir ar ddiwedd y gyfrol lle dywedir 'Con buen servicio vencen caballeros de España' (Mae marchogion Sbaen yn fuddugoliaethus wrth roi gwasanaeth da). Gwrthgyferbynnir ceffyl gwyllt a direolaeth, yr apocalyps sydd yn barod i ddinistrio popeth, â cheffyl gwâr, dan reolaeth y gŵr bonheddig o Sbaenwr, sydd yn ennill parch a chydweithrediad pawb.

Mae'r disgrifiad o'r ceffyl gwyllt sydd yn creu dychryn yng nghalonnau'r trigolion yng ngherdd IV yn ildio yn y gerdd nesaf i'r awyrgylch newydd sbon ym marddoniaeth Espriu, sef y llais proffwydol mewn diwyg ceryddol. Mae'r bardd yn atgoffa Sepharad, sydd yn 'geffyl gwyllt' yn y gerdd hon hefyd, y bydd yn byw dan reolaeth y chwip a'r cleddyf am byth os na fydd yn wynebu ei orffennol yn onest, a gwybod fod rhyw ddrygioni yno y mae'n rhaid ei ddiwreiddio:

> Si corres sempre endins
> de la nit del teu odi,

cavall foll Sepharad,
el fuet i l'espasa
t'han de governar.[22]

(Os rhedi bob amser i fewn i nos dy gasineb, ceffyl gwallgof Sepharad, rhaid fydd i'r chwip a'r cleddyf dy lywio.)

Mae Espriu yn defnyddio symbol o hanes cynnar yr Iddewon wrth sôn am y drygioni hwnnw. Byddai Gwenallt yn defnyddio'r un math o symbol, sef yr 'eilun', wrth gyfeirio at fateroliaeth a'r symudiad oddi wrth Dduw a'r hen gyfamod, sef Cymreictod a'r hen grefyddoldeb. Yng ngwaith Espriu mae'r eilun hwnnw yn cynrychioli'r drygioni sydd wedi ymwreiddio yn yr enaid cenedlaethol:

aprén el veritable
nom del teu mal:
en el rostre de l'ídol
t'has contemplat.[23]

(Dysg wir enw dy ddrygioni: rwyt wedi syllu i wynepryd yr eilun.)

Mae defnyddio'r gair 'ídol' yn agor y drws i'r trosiad mawr sydd yn nodweddu llawer o'r cerddi yn y gyfrol, sef y gymhariaeth rhwng hanes yr Iddewon a hanes Sbaen a Chatalunya. Bwriad Espriu yw treiddio i ganol y drwg; mae am ymdreiglo'n ôl i hanes cynnar y bobloedd Iberaidd i brofi fod rhyw ddrwg yn y caws, megis, ond yn bwysicach na dim, ceir bwriad i brofi mai brodyr ('germans') yw'r bobloedd hyn, gan gynnwys y Castiliaid a'r Catalaniaid. Fel yr ystyrir y llo aur a'r eilunod yn hanes yr Iddewon yn wyriadau oddi wrth eu cyfamod â Duw, mae'r eilun a grybwyllir yng ngherdd VI yn sefyll dros y drygioni, y gwaed drwg a dyfodd rhwng gwahanol bobloedd Sbaen; ond meddai, mae'n rhwyg a feithrinwyd yn bennaf gan Sepharad ar hyd ei hanes a'i hymwneud â gweddill Sbaen:

Idol que vares alçar, imatge del teu mal.[24]

(Eilun a godaist, delw dy ddrygioni.)

Nid yw Espriu yn ofni dweud yn blwmp ac yn blaen beth oedd y drygioni hwnnw. Tarddodd y drwg o'r rhyfel cartref a'r holl ryfeloedd llai a fu rhwng pobloedd Sbaen. Ac wrth ystyried maint Catalunya a'i dylanwad ar hanes Sbaen, ni ellir osgoi'r casgliad mai am y berthynas rhwng Sbaen a Chatalunya y meddylir yn fwyaf arbennig gan y bardd:

> Un llunyà dia del nostre hivern,
> ja sota l'emparança d'aquest cel,
> al cor de l'enveja vèiem arrelar
> amb esglai el gran crim de Sepharad:
> la infinita tristesa del pecat
> de la guerra sense victòria entre germans.[25]

(Un diwrnod pell yn ystod ein gaeaf, dan nawdd ein nen, yng nghalon cenfigen, gwelsom blannu gydag arswyd wreiddiau trosedd fawr Sepharad, sef tristwch anhraethol pechod y rhyfel heb fuddugoliaeth rhwng brodyr.)

Roedd thema 'pechod y rhyfel' ('pecat de la guerra') fel pechod gwreiddiol Sepharad eisoes wedi codi yn araith yr *altíssim*, sef ffigur yn cynrychioli'r duwdod ar ddiwedd *Primera història d'Esther*. 'Osgowch y drosedd fwyaf', meddai, 'pechod y rhyfel rhwng brodyr', a gwreiddyn yr un mater sydd ganddo yn ei ddrama am ryfel rhwng brodyr yn *Antígona*:

> Els dos germans es troben davant per davant, lluiten i es donen l'un a l'altre la mort.[26]

(Saif y ddau frawd wyneb-yn-wyneb, maent yn ymladd, a'r naill yn achosi marwolaeth y llall.)

Antigone ei hun sydd yn llefaru ar ran y gymuned sydd yn ei lladd ei hun mewn cyflafan lle na fydd buddugoliaeth:

> Oh, la maledicció del nostre pare! Un germà
> lluitant contra l'altre![27]

(O'r felltith a roes ein tad! Brawd yn ymladd yn erbyn brawd arall!)

Mae'r cerydd yn erbyn camymddwyn pobloedd Sbaen yn ddealledig yn sawl un o gyfrolau Espriu. Pechod yw'r gair o bryd i'w gilydd, yn arbennig pan fydd am gysylltu'r cyfan â 'myth' hanes y Beibl. Gair arall a ddefnyddia'n achlysurol yw *mancament*. Mae'n air anodd ei drosi'n foddhaol, ond ymhlith ei ystyron y mae gwendid moesol, euogrwydd neu ddiffyg ymddygiad cywir. Ceir y gair yn y llinellau canlynol o *Setmana Santa*, sydd eto'n defnyddio trosiad yr Iddewon, er mwyn sôn am y Catalaniaid yn arbennig y tro hwn. Mae Sbaen (neu feistri Sbaen) yng ngafael hen wendid moesol, meddir, sydd yn golygu y caiff pob ymdrech tuag at ryddid ei mygu'n egnïol. Yn y llinellau hyn mae'r bardd yn cofio sut y cafodd unrhyw brotest wleidyddol ar ran y Catalaniaid ei thagu'n dreisgar, fel y rhai a arferai ddigwydd mewn lleoedd o bwysigrwydd cenedlaethol fel mynachlog Montserrat:

> Feien sonar matraques
> que maten els jueus:
> pensats, esquerps, luxosos,
> aquells somnis cruels.
> Empresonats endintre
> dels mancaments més vells,
> estranys culpables sempre
> pledegen d'innocents.[28]

(Maent yn peri fod pastynau yn seinio, sydd yn lladd Iddewon: syniadau chwerw a moethus, y breuddwydion creulon hyn. Yn gaeth mewn hen bechodau, mae rhai euog ryfeddol yn pledio'n ddieuog.)

Mae cerdd VI yn *La Pell de brau* yn cyflwyno rhagor o drosiadau o'r byd Beiblaidd am hanes yr Iddewon. Fel y gwelsom eisoes, defnyddiai Espriu yr Iddewon yn symbol am y Sbaenwyr a'r Catalaniaid yn eu hing a'u poen yn ystod cyfnod y rhyfel cartref ac wedyn. Mae holl batrwm *La Pell de brau* yn Feiblaidd yn y bôn fel y cawn weld maes o law.

Rhaid tynnu sylw hefyd, serch hynny, at un agwedd ar yr hinsawdd wleidyddol cyn ac ar ôl y rhyfel cartref o safbwynt y Ffasgwyr. Un o'r safbwyntiau Ffalangaidd yn Sbaen oedd ceisio tynnu cymhariaeth rhwng y Catalaniaid a'r Iddewon, a hynny mewn cyd-destun ffyrnig o wrth-Semitaidd a gwrthgenedlaethol. Mewn gwirionedd, bychan oedd nifer yr Iddewon yn Sbaen cyn y rhyfel oherwydd eu bwrw allan o Sbaen yn y bymthegfed ganrif. Er defnyddio propaganda gwrth-Semitaidd ar batrwm yr hyn a ddigwyddai yn yr Almaen, aethpwyd ati'n araf i gysylltu'r Iddewon â'r cenedlaetholwyr Catalanaidd. Haerent, er enghraifft, fod miloedd o Iddewon 'gwrth-Sbaenaidd' yn ymfudo i Barcelona, heb sôn am y seiri rhyddion, a'u bod â'u holl fryd ar reoli'r byd:

> En Cataluña no solamente las inspiraron sino que las dirigieron por medio de sus agentes directos, como el masón Maciá, el masón Companys y el israelita Bloch, tan estrechamente vinculados a la política sionista, los dos primeros por su calidad de altos grados de la francmasonería y el tercero como el individuo perteneciente a la secta que anima el regionalismo con el oculto propósito de adueñarse del gobierno del mundo. (1937)[29]

Yn y wasg Ffasgaidd, soniwyd am lywydd Catalunya, Lluís Companys, fel Iddew o ran tras, mewn ymgais i'w bardduo:

> Judío es Companys- descendiente de judíos conversos, y no hay más que verle la jeta para comprenderlo, sin necesidad de más exploraciones en su árbol genealógico.[30]

Lluís Companys oedd llywydd y *Generalitat* Catalanaidd rhwng 1934 ac 1938, yn ystod y cyfnod pan fu gan Gatalunya ei hannibyniaeth ranbarthol. Yn yr un flwyddyn (1937), cyhoeddwyd erthygl yn *Domingo*, a haerai fod Catalunya yn llawn o Iddewon Catalanaidd a oedd wedi meithrin y syniad cenedlaethol a'r dymuniad am greu gwladwriaeth annibynnol, syniad a fernir fel brad yn erbyn Sbaen.[31]

Hyd yn oed ar ôl diwedd y rhyfel cartref, a buddugoliaeth Franco, dal i gysylltu'r cenedlaetholwyr Catalanaidd â'r Iddewon a wnaed. Ysgrifennodd un o brif gynheiliaid Franco, sef Luis Carrero Blanco, yr is-lywydd, yn erbyn Iddewiaeth fel prif elyn y blynyddoedd diweddaraf (cyhoeddodd ei lyfr *España y el mar* yn 1941). Haerai fod Iddewiaeth wedi meithrin holl syniadaeth y chwith o gyfnod yr *encyclopédistes* hyd at gyfnod comiwnyddiaeth a rhyddid i'r cenhedloedd bychain. Erbyn y 1940au cyhoeddwyd nifer o erthyglau yn condemnio'r rhai a alwai am ryddid i'r cenhedloedd bychain fel 'Iddewon'. Wrth sôn am ddarlith gan Jorge Carreras, cafwyd adroddiad yn y wasg lle dyfynnir y darlithydd. Ei ddadl oedd fod lleiafrif o'r

Catalaniaid yn manteisio ar syniadau ffug-ramantaidd cenedlaetholdeb gyda chymorth y banciau Iddewig:

> Censuró la posición antiespañola que una minoría del pueblo catalán en nuestro siglo y especialmente a la de los que se aprovecharon de un movimiento pseudo-romántico para sus fines particulares en colaboración con la banca judía.[32]

Credaf fod Espriu, nid yn unig wedi tynnu ar gefndir lle roedd byd y Beibl – yn enwedig yr Hen Destament – yn bwysig, ac yn ddylanwad arwyddocaol arno, ond hefyd wedi ymateb i'r hinsawdd eithriadol o ormesol a fodolai yn ystod y rhyfel pan ddefnyddiai rhai elfennau mewn awdurdod yr ymadrodd 'judeo-catalanes' wrth gyfeirio at Gatalaniaid gwlatgar. Derbyniodd Espriu y gymhariaeth, ond ei throi â'i phen i waered a chymhwyso'r gymhariaeth nid yn unig at y Catalaniaid ond hefyd at y Sbaenwyr i gyd.

Gwelsom sut y defnyddiodd ddelwedd yr eilun i olygu'r drygioni a fu'n nodweddu'r berthynas rhwng pobloedd Sbaen. Bellach daw at wreiddyn y mater, a chychwyn felly gyfres o gerddi hiraethlon sydd yn sôn am gyflwr alltudiedig yr Iddewon a Sepharad. Sonia amdanynt (Sbaenwyr/Iddewon Sbaen) yn dod o 'ochr draw'r môr' i feysydd sychion Sbaen:

> salvant-nos en el dolor del treball,
> guiant-nos per la llum del temple recordat,
> guanyàvem lentament una lliure pau.[33]

> (Wrth ein hachub ein hunain ym mhoen y gwaith, ac wrth ein tywys ein hunain drwy oleuni'r deml a gofir, bu inni ennill yn araf heddwch rhydd.)

Mae'r achubiaeth raddol sydd yn dod i ran y Catalaniaid (ac mae'n anodd peidio â meddwl mai am y Catalaniaid y mae'n synio yma) yn ddyledus i waith araf a gofalus mewn cyd-destun cwbl elyniaethus. Llwyddodd y bardd i raddau, erbyn cyfnod llunio cerddi *La Pell de brau*, i ailafael yn llinynnau chwilfriw y bywyd diwylliannol drwy gofio am yr hen Gatalunya a ddinistriwyd. Bu llenorion eraill, fel yntau, yn ceisio'n betrus greu sefyllfa lle byddai, os nad croeso, o leiaf ganiatâd i gyhoeddi unwaith eto mewn Catalaneg. Mae'r gair *treball* (gwaith) yn digwydd droeon drwy'r gyfrol hon tra'n aros yn air prin y tu allan iddi. Bob amser cysylltir y gair â'r ymdrech i adennill rhyddid a heddwch. Ystyrir y caledwaith hwn yn amod yr achubiaeth genedlaethol, boed hyn yng Nghatalunya neu weddill Sbaen. Fel y dywed yn un o gerddi enwocaf y gyfrol, sef rhif XLVI:

> Que Sepharad visqui eternament
> en l'ordre i en la pau, en el treball,
> en la díficil i merescuda
> llibertat.[34]

(Boed fyw Sepharad yn dragwyddol mewn trefn a heddwch, mewn gwaith, yn y rhyddid anodd a haeddiannol.)

Mae'r deml a grybwyllir yng ngherdd VI (sef yr atgof am gamp yr adferiad diwylliannol yn hanner cyntaf y ganrif), yn cael ei chyplysu mewn cerdd arall yn *La Pell de brau* â'r gwaith angenrheidiol o ailadeiladu'r wlad drwy ddialog, drwy newid yr hen ragfarnau a thrwy greu cyfamod newydd rhwng pobloedd Sbaen. Hyn yw sylfaen y 'deml' newydd yn ei gerddi:

> edifica el lent temple
> del teu treball,
> alça la nova casa
> en el solar
> que designes amb el nom
> de llibertat.[35]

(Adeilada deml araf dy waith, cwyd y tŷ newydd ar y tir y rhoddaist yr enw rhyddid arno.)

Nid yw Espriu byth yn blino sôn am yr ymdrech y mae ei hangen er mwyn trawsnewid Sbaen a Chatalunya, er gwaethaf pob croeswynt sydd wedi curo'r wlad:

> Pensa, treballa, lluita i sofreix per Sepharad,
> sota la pluja i el torb, en l'alegre mar de llamp.[36]

(Meddylia, gweithia, brwydra a dioddefa er mwyn Sepharad, dan y glaw a'r lluwchfeydd, ym môr dedwydd y mellt.)

Mae'n nodwedd ar sawl cerdd yn y casgliad hwn ei bod yn cydgysylltu â'r gerdd a'i rhagflaenodd o ran thema neu eirfa. Yn y patrwm cyrch-gymeriadol hwn, mae syniad neu air allweddol a grybwyllir ar ddiwedd y naill gerdd yn ailymddangos ar ddechrau'r gerdd ganlynol. Y syniad canolog ar ddiwedd cerdd VI yw alltudiaeth, a'r atgof am yr hen bethau a'r gwerthoedd diwylliannol. Mae cerdd VII yn sôn ar un lefel am alltudiaeth yr Iddewon ar wasgar, a hwythau'n dod i Sbaen, ond ar lefel arall mae'n sôn am hanes cynnar y bobloedd Iberaidd (fel cymdeithas o 'frodyr') yn ymsefydlu yn Sbaen. Ac ar lefel arall eto fyth gellir gweld y gerdd fel cerdd o foliant i Sepharad fel unig wir gartref parhaol y pererinion hyn. Yn fwyaf arwyddocaol, mae'r gerdd yn ailddatgan ymlyniad oesol y Catalaniaid (er bod llawer ohonynt ar wasgar ers y rhyfel) wrth Sepharad fel eu hunig gartref. Yn hyn o beth, gellir ei dehongli fel apêl dros beidio â hyrwyddo rhwyg parhaol a gwleidyddol rhwng Sbaen a Chatalunya, fel y ceisiwyd ei wneud adeg *L'Estat Català*. Gellir deall y gallai'r safbwynt hwn fod yn ddadleuol.

Mae ieithwedd y gerdd hon yn y gyfres yn syml a dirodres wrth iddi adrodd hanes pererinion y *Golah* (gwasgariad) yn dod ar ôl crwydro'n hir i'r wlad newydd hon:

> Els nostres avis varen mirar,
> fa molts anys,
> aquest mateix cel
> d'hivern, alt i trist,
> i llegien en ell un estrany
> signe d'emparança i de repòs.[37]

(Edrychodd ein hynafiaid flynyddoedd yn ôl ar yr awyr aeafol hon, uchel a thrist, a darllenent ynddi arwydd rhyfedd o nawdd a gorffwys.)

Mae modd dehongli'r gerdd fel anogaeth i dderbyn Sbaen, ac yn yr ystyr hon mae'n annerch ei gyd-Gatalaniaid, gan erfyn arnynt, er gwaethaf 'alltudiaeth' hir y berthynas wael a fu rhwng Sbaen a Chatalunya, i roi'r gorau i'r awydd i wrthod Sepharad. Dyna'r unig obaith am fwrw ymlaen at ddyddiau gwell. Dair gwaith yn y gerdd y defnyddir y gair Hebraeg am y gwasgariad neu'r alltudiaeth, sef y *Golah*. Mae plant y gwasgariad, felly, yn gweld Sepharad fel pen draw a diwedd y crwydro hir. Mae'n gerdd sy'n weddol gymhleth ar y gwastad hwnnw, gan y gwyddom mai dros dro y cafodd yr Iddewon aros yn Sbaen, ond nid am yr Iddewon fel pobl hanesyddol y mae a wnelo'r bardd yn benodol, ond yn hytrach ym mhobloedd Sbaen y mae ei ddiddordeb.

Nid oes dwywaith nad am y gwasgariad hanesyddol a fu ar ôl y rhyfel y mae'n meddwl, ond hefyd am yr alltudiaeth ysbrydol neu 'fewnol' a ddaeth i ran pobloedd Sbaen, a'r Catalaniaid a'r Basgiaid yn arbennig:

> – Certament aquí descansarem
> de tota la vastitud dels camins
> de la Golah.
> Certament aquí
> m'enterrareu.[38]

(Yn sicr yma cawn ddadflino ar ôl holl ehangder llwybrau'r *Golah*. Yn sicr yma y caf fy nghladdu.)

Mae cynllun y gerdd yn un llinynnol, hynny yw, sonnir am drac hanes a'r ffaith fod cenhedlaeth ar ôl cenhedlaeth o'r 'pererinion' hyn wedi byw yn Sbaen. Ond daw'n fuan at y cyfnod diweddar a chofio fod llaweroedd o'r Sbaenwyr a'r Catalaniaid yn dal i fod ar wasgar drwy'r byd oherwydd y gyflafan fawr a fu yn Sbaen a pharhad y gormes yn sgil y rhyfel. Mae'r alltudiaeth allanol a mewnol yn bethau real iawn, ac er bod Espriu yn sôn am 'yr atgof am y deml yn oleuni sy'n ein harwain' yn y gerdd flaenorol, sef yr atgof am yr hen fywyd a aeth yn chwilfriw gyda'r rhyfel yn rhoi i'r rhai sydd yn alltud obaith am y dyfodol, mae hefyd yn cyflwyno syniad a fu'n sicr yn bur ddadleuol yn ei ddydd. Dywed ef yn blwmp ac yn blaen fod yn rhaid anghofio'r deml a'r hiraeth am y ddinas gyfrgolledig:

> Però ja no volem plorar
> més el temple
> ni sofrir per l'infínit enyor
> de la nostra ciutat.[39]

(Eithr ni fynnwn wylo mwyach oblegid y deml, na dioddef yr hiraeth anhraethol am ein dinas.)

Nid oes eglurhad ar hyn tan y gerdd nesaf. Awgrym Espriu yw fod hyn yn amod cyntaf cyn y gellir gobeithio am weld diwedd yr 'alltudiaeth', oherwydd fod glynu wrth orffennol coll, sef Catalunya'r cyfnod cyn y rhyfel, yn rhannol gyfrifol am y rhwyg a'r agendor anferth rhwng Catalunya a Chastîl. Nid yw'r ymlyniad wrth Sbaen yn rhywbeth y gellir ei gymryd yn ganiataol. Diau bod llawer am dorri'n rhydd oddi wrth Sbaen hyd yn oed ar ôl y rhyfel, ond awgryma Espriu fod gan Gatalunya gariad tuag at Sbaen, a'i bod am barhau'n rhan ohoni er gwaethaf y tywallt gwaed. Wedi'r cwbl, i Espriu mae holl bobloedd Sbaen, y Catalaniaid, y Galisiaid, y Basgiaid a phobl Castîl, yn frodyr.

Yn y gerdd hon gofynnir pam, os yw Sbaen mor greulon, ac mor filain, y myn y Catalaniaid aros yn rhan ohoni. Gellir dod o hyd i wledydd llai creulon, er enghraifft, a dyna a wnaeth llawer o ffoaduriaid y rhyfel. Ond mae Espriu yn datgan cariad oesol Catalunya tuag at Sbaen gan fod holl hanes Catalunya ynghlwm wrth yr orynys Iberaidd. Yn yr ystyr hon, mae Espriu, yn wahanol i lawer o genedlaetholwyr Catalanaidd, wedi gwrthod edrych tuag at weddill Ewrop y tu hwnt i'r Pyreneau, ond yn hytrach ymlynu wrth Sbaen fel cyfanwaith amlgenhedlig. Gofynnir a yw'n bosibl derbyn Sbaen, er gwaethaf ei holl greulondeb a'i sychder, fel mamwlad:

> nosaltres, amb un lleu somriure
> que ens apropa el record
> dels pares i dels avis,
> responen només:
> – En el nostre somni, sí.[40]

(Ond rydym ni, gan wenu'n ysgafn wrth i'r atgof am y tadau a'r hynafiaid ddod atom, yn ateb yn syml: – yn ein breuddwyd ni, ie, [hi yw'r wlad orau].)

Dychwelir yn y gerdd nesaf at syniad y deml a ddinistriwyd (Catalunya'r cyfnod cyn y rhyfel) a'r ffaith fod rhaid peidio â galaru ar ei hôl mwyach. Credaf mai'r hyn sydd gan Espriu mewn golwg yn y gerdd hon yw'r sylweddoliad na fedr na Chatalunya na Sbaen symud tuag at sefyllfa o 'ryddid' i'r ddwy oni bai i rai agweddau ar y gorffennol gael eu claddu. Nid mater o ail-greu'r sefyllfa cyn y rhyfel yw'r modd gorau o sicrhau rhyddid i'r Sbaenwyr oll. Os yw'n dweud na ddylid 'galaru am y deml a ddinistriwyd', mae yn dweud hefyd fod 'ffyrdd rhydd yn eich disgwyl ar y môr':

A ponent us esperen
lliures camins de mar.[41]

(Yn y gorllewin mae llwybrau rhydd yn eich aros.)

Dyma'r awgrym cyntaf yn y gyfrol fod gobaith yn ddewis posibl. Cysylltir Môr y Canoldir yn aml yng ngwaith Espriu â rhyddid (yn ogystal â thaith ysbrydol), ond yn y gerdd hon mae'n ymddangos fel gwahoddiad i edrych am y posibiliadau a fedr ryddhau Sepharad. Mae'r deml a'r ddinas mewn ystyr drosiadol wedi cael eu dymchwel, ac eto rhaid achub yr 'emyn', sef ffordd Espriu o gyfeirio at yr iaith atgyfodedig, yr emyn neu'r gân a genir yn y deml newydd; gweler yn arbennig ran nesa'r bennod am yr agwedd hon:

Arquers del rei, els càntics
ja no s'entonaran
damunt l'alt mur: que siguin
des del record salvats.[42]

(Saethyddion y brenin, nid yw'r emynau bellach yn cael eu llafarganu ar ben y mur uchel, bydded iddynt gael eu hachub o'r cof.)

Mae achub yr iaith yn weithred barhaol i Espriu, ac mae ei farddoniaeth mewn cyfnod tywyll iawn yn ymgais tuag at y nod hwnnw. Ond mae achub iaith neu gyfathrebu hefyd yn thema ganddo, gan fod achub y geiriau'n gam cyntaf tuag at ddialog iach. Yn y dialog hwnnw y ceir dadl a gwrth-ddadl a fydd yn arwain at newid a thyfiant tuag at *llibertat*, gair nad yw'n slogan hawdd a phenchwiban yn ei farddoniaeth. Gyda hyn mewn golwg, mae Espriu yn dychmygu'r bobl yn rhoi'r gorau i'r syllu hiraethus ar ddarlun llwydaidd yr hen ddinas (*ciutat*, a chofiwn mor bwysig oedd y cysyniad o'r 'ddinas' ym marddoniaeth awduron *Noucentisme*), a cheir gwahoddiad i edrych tua'r nen i chwilio am arwyddion gobaith. Mae'r awyr, yr adar, a glaw hyd yn oed yn arwyddion gobaith yng ngwaith Espriu:

Les mirades s'enduien
el cel de la ciutat.
En els ulls, raons fosques
aprenen somnis clars.[43]

(Mae'r golygon yn troi at yr awyr uwchben y ddinas. Mewn llygaid, mae meddyliau tywyll yn dysgu breuddwydion clir.)

Mae'r dadleuon (neu *raons*, safbwyntiau, dadleuon neu resymau, cyfiawnhad) o hyd wrthi'n ymffurfio. Megis dechrau'n unig y mae'r broses hon o ailafael mewn dialog rhwng y Catalaniaid a'r Sbaenwyr. Canfyddwn ddau air allweddol ym marddoniaeth 'wleidyddol' Espriu yn y llinellau hyn, sef *raó* a *somni* (breuddwyd, synfyfyrion) hefyd. Cysylltir y breuddwydion hyn gan amlaf ag adferiad y wlad mewn ysbryd o ryddid. Cawn gyfle i ymdrin â'r ddau air hyn yn helaethach yn nes ymlaen.

Yn y gerdd hon hefyd, cyflwynir thema y ceir cryn ddatblygu arni yn ystod y gyfres nesaf, sef cyflwr dirywiedig ac alltudiedig y Catalaniaid yn ystod y cyfnod wedi'r rhyfel. Os yw wedi llwyddo i ddarlunio pobloedd Sbaen fel pererinion y *Golah*, nid oedd, hyd hynny, wedi trafod y driniaeth annynol a gafodd pobl Sbaen a Chatalunya'n arbennig (gan mai gormes ddiwylliannol *ac* economaidd a gafodd Catalunya) dan drefn Franco. Eisoes yn ei ragair i *Antígona* (1947) roedd wedi disgrifio hen genedl y Catalaniaid fel cardotwyr alltud:

> Jo sóc d'una vella i cansada raça que ha peregrinat i ha escoltat. Antics senyors captaires, saben alguns de la meva sang com és bo de reposar i acollir-se a l'ombra dels pòrtics de Tebes.[44]

> (Rwyf yn perthyn i hen genedl flinedig sydd wedi pererindota ac wedi gwrando. Pendefigion gynt sydd bellach yn gardotwyr. Mae rhai o'r un hil â minnau yn gwybod mor dda yw gorffwys a llochesu yng nghysgod pyrth dinas Thebes.)

Yr un yw'r darlun a geir ar ddiwedd cerdd VIII yn *La Pell de brau* lle gwelir y Catalaniaid fel 'cardotwyr o dras pendefigaidd' a chwythwyd gan wyntoedd hanes nes cyrraedd Sbaen:

> Captaires d'un llinatge
> de senyors, escampats
> pel vent dels mil.lenaris,
> venim a Sepharad.[45]

> (Yn gardotwyr o dras pendefigaidd, a wasgarwyd gan wynt y milflynyddoedd, deuwn at Sepharad.)

Mae'r cerddi nesaf yn frith o dermau a throsiadau a grea ddarlun o orthrwm a phrinder. Bu'r cyfnod wedi'r rhyfel yn gyfnod y 'newyn mawr' i Sbaen i gyd, ac mae'r gyfres hon o gerddi yn atgoffa rhywun am nifer o'r cerddi llwm a geir yn *Cementiri de Sinera*. Ceir dogn helaeth o ddychan chwerw dost hefyd. Mewn un man dywed 'os pryni fara ac y rhoir iti blastr peintiedig, bydd dy ddannedd, wrth gnoi, yn cael eu torri':

> El teu dolor fa riure
> l'home que sap
> l'indret de la farina
> i el de la calç.[46]

(Mae dy boen yn peri chwerthin i'r dyn sy'n gwybod lle ceir y blawd a'r calch.)

Darlun grotésg o'r bywyd beunyddiol a'r prinder economaidd wedi'r rhyfel a geir, lle nad oes urddas, a lle mae'r llais yn 'rhewedig' a gobaith yn gaeth ('l'esperança captiva'). Yn y byd alltudiedig hwn, y tir diffaith, nid yw'n syndod fod Espriu yn cyflwyno'r cymeriad dall, *el cec*, sy'n cynrychioli'r elfennau o ddrygioni yn aml yn ei waith. Mae llygaid tywyll y dyn dall yn syllu'n ddi-weld ar ddioddefaint y bobl, a hwythau megis carcharorion. Diymadferthedd dyn wyneb yn wyneb â'i dynged yw'r dyn dall hefyd:

> I passem, sols units pel pont
> del fred esglai d'aquest esguard,
> per la buidor d'uns fixos ulls,
> tots a rengleres del no-res, . . .[47]

(Ac awn heibio, yn unig ar hyd pont y dychryn oer sydd yn yr edrychiad hwn, drwy wacter y llygaid sy'n syllu, y cyfan yn rhesi o'r dim-byd . . .)

Thema'r carchar sydd yn rhedeg drwy'r holl gerddi sy'n dilyn, ond gwrthgyferbynnir hyn yn aml gan drosiadau eraill yn ymwneud â gobaith. Un o'r geiriau sydd yn cyfleu'r syniad o garchar yw *pou* (pwll, pydew). Gallwn feddwl fod Espriu yn tynnu ar ddelwedd debyg o'r Beibl, yn arbennig y Salmau:

Arnat ti, Arglwydd, y gwaeddaf; fy nghraig, na ddistawa wrthyf:

rhag, o thewi wrthyf, i mi fod yn gyffelyb i rai yn disgyn i'r pwll.
(*Salm* 28.1).

Mae'r pwll neu'r pydew yng ngwaith Espriu yn fangre y gellir
dianc yn raddol ohoni. Yng ngherdd XXII mae geiriau yn
allweddol yn y broses o ddihangfa ac alltudiaeth. Trafodir
pwysigrwydd y gair llafar a mudandod yng ngwaith Espriu, fel
rhan o'r broses o ymryddhau yn rhan ola'r bennod hon.

Tuedda Espriu i sôn (ond nid yn ddieithriad) am *mots* (geiriau
– ond geiriau mawr, geiriau llawn gwynt weithiau) fel pethau
llafar am syniadau annelwig neu fawreddog nad ydynt wedi bod
o unrhyw wasanaeth i Sbaen yn y gorffennol. Chwilia am y gair
bywiol sydd â'r grym i ryddhau. Y rhain yw sylfaen y dialog, y
rhain hefyd yn aml yw geiriau'r iaith Gatalaneg. O ddefnyddio'r
mots mae'r gobeithion yn troi'n dywyll, a sudda'r bobl i waelod
pwll eu carchar:

> Pels esglaons
> dels nostres mots
> el cel es torna
> a poc a poc
> presó baixada,
> closa foscor,
> i som de sobte
> basarda de pou.[48]

(Ar hyd grisiau ein geiriau, mae'r nen yn troi'n garchar dwfn,
tywyllwch caeedig, ac yn sydyn cawn arswyd y pydew.)

Ond trwy'r *paraules* y gellir esgyn eto o'r pwll i'r goleuni,
goleuni rhyddhad:

> per l'alta escala
> de les paraules,
> la llum pujàvem
> alliberada: . . .[49]

(Ar hyd grisiau uchel y geiriau, dringo a wnaethom at y goleuni a
ryddhawyd . . .)

Yn y pydew hwnnw, sydd yn aml yn bydew sych (*secs pous*),
gan fod sychder yn fynych yn drosiad am gyflwr y bobl yn ystod

blynyddoedd y gorthrwm, y mae Espriu yn gweld gwreiddiau'r casineb a fu'n gwenwyno'r berthynas rhwng pobl yn Sbaen. Dau beth sydd yn achub y sawl a gaethiwir ar waelod y pydew, y gair (*paraula*) a gobaith (*esperança*):

> car en l'esperança
> salvem l'últim cor
> nu de cada cosa,
> de l'home, del pou
> on arrela l'odi,
> tot l'immens dolor
> del vell mal que neguen
> aigües de perdó.[50]

(Oherwydd mewn gobaith, achubwn ruddin noeth pob peth, dyn o'r pydew, lle mae casineb yn ymwreiddio, holl boen anferth yr hen ddrwg y gwrthodwyd dyfroedd maddeuant iddo.)

Ymhlith trosiadau eraill Espriu wrth fynegi'r cyflwr o alltudiaeth fewnol ceir rhai y gellid eu disgwyl, fel *hivern* (gaeaf), neu *presó* (carchar), a *glaç* (rhew). Yng ngherdd XV mae'r bardd yn ymgolli mewn synfyfyrion am obaith. Gwêl yr angen am droi'r gobaith a fu'n beth mor brin yn hanes y gam-berthynas rhwng y bobloedd fel tân a fydd yn dadmer a llosgi am byth 'l'hivern de Sepharad'. Gwelodd obaith fel aderyn haul, ond caiff yr aderyn hwnnw ei ferthyru yn y 'carchar':

> Però desperto
> molt aviat del somni:
> és amb nosaltres,
> a la presó glaçada,
> també l'ocell del sol.[51]

(Eithr dyma fi'n deffro'n gynnar iawn o'r breuddwyd: mae aderyn yr haul gennym ni hefyd yn y carchar rhewedig.)

Mae'r dyfodol weithiau fel y deml adferedig yng ngwaith Espriu, neu fel 'tŷ newydd' (*casa nova*), ond gall cyflwr dirywiedig gwlad, yn arbennig Catalunya yn y cyswllt hwn, fod yn adeilad sydd wedi mynd yn ddifywyd, yn bydew lle mae'r corryn yn gweu gweoedd marwolaeth dros bopeth:

S'atansà l'aranya molt a poc a poc,
fredament atrapa la buidor del pou.
Fines potes ratllen, sense cap remor,
aire, vidre, vida, temps de la presó.[52]

(Nesaodd y corryn yn araf deg iawn, ac yn oer fe ddaliodd wacter y pydew yn y we. Mae gweoedd main yn ymffurfio'n rhesi, heb sŵn yn y byd, dros awyr, gwydr, bywyd, ac amser y carchar.)

Gan fod barddoniaeth Espriu yn gylchog yn y bôn, gyda themâu a geiriau allweddol yn cael eu hailadrodd drwy ei holl waith, mae'r cerddi lle cyfleir poen y bobl yn llu, a defnyddir amrywiaeth syfrdanol o drosiadau am hyn. Serch hynny, mae *La Pell de brau* yn llyfr lle mae symudiad pendant ar hyd llinell neu drac rhesymegol, fel hanes y Cwymp a'r adferiad yn y Beibl. Felly, wedi traethu'n ddifloesgni am y modd creulon y cafodd cyflwr y bobl ddirywio, mae Espriu yn dychwelyd at bwnc canolog ei fyfyrdod yn y llyfr, sef Sepharad a'r berthynas anodd rhyngddi a Chatalunya. Ceir symudiad at y modd y gellir cael adferiad i'r Israel hon, sef Sbaen.

Egyr cerdd XXI gylch newydd o gerddi sy'n ymdrin â chymeriad hanesyddol Sbaen. Mae ofn a dychryn wedi llesteirio'r iawn berthynas yn rhy hir, meddir. Nid yw Sbaen (Sepharad), yn barod i newid ei hagweddau meddwl traddodiadol tuag at ei phwysigrwydd yn y byd, a'i hawdurdod dros genhedloedd eraill Sbaen. Nid yw chwaith yn chwilio am ddialog, ond myn rhai, gan gynnwys Catalunya, fynd i'r afael â phosibiliadau newydd. Mae'r wlad yn dechrau ymysgwyd, Catalunya yn darganfod gobaith newydd, a rhaid i Sepharad hithau ymysgwyd o'i syrthni gormesgar a newid. Mae cerdd XXI yn sôn am 'felinau Sepharad' (Molins de Sepharad). Dyma gyfeiriad coeglyd at felinau Don Quijote a gredai wrth gwrs fod y melinau'n gewri i'w goresgyn, a thrwy hynny'n fodd iddo ennill anrhydedd. Ond mae'r breuddwydion brau a fu wrth wreiddiau'r imperialaeth Sbaenaidd wedi peidio â bod, a rhaid wynebu breuddwydion newydd:

Molins de Sepharad:
esdevindran els somnis
a poc a poc reals.[53]

(Felinau Sepharad, o dipyn i beth, mae'r breuddwydion yn troi'n real.)

O dipyn i beth mae breuddwydion am obaith a dyfodol i'r wlad wedi dod yn wir. Nid y breuddwydion rhamantus ac afreal a goleddid gan Sepharad o gyfnod y brenhinoedd Catholig, y Borboniaid a hyd at Franco, ond breuddwydion y rhai a fu'n dioddef o'u hachos. Mae'r dioddefaint a fu'n rhan o'r broses araf deg yn cael ei weld fel esgyrn a felir ym melinau Sbaen, ond maent er hynny wedi cynhyrchu bara da, sef y sylfaen at y dyfodol. Wrth gyfeirio'n drosiadol at fara, fe'n hatgoffir am y bara prin diriaethol ar ddechrau'r gyfrol, yn ogystal â'r bara mwy trosiadol. Mae defnyddio bara yn y fath fodd hefyd yn atgof am drosiadau'r Beibl, sef 'bara'r bywyd', ac yn hyn o beth, mae gobaith meseianaidd y sawl sy'n darparu bara'r bywyd yn cyfateb i'r bara trosiadol gobeithlon yng ngherdd Espriu. Mae'r ffaith fod rhywrai bellach yn fodlon siarad (ar ôl mudandod hir), yn golygu fod modd mynd o'r diwedd at waelod y drwg, a dringo o'r pwll wedi diosg yr ofn a'r dychryn a nodweddai'r wlad a'i phobloedd:

> Baixem, per les paraules,
> tot el pou de l'esglai:
> ens pujaran mots fràgils
> a nova claridat.[54]

(Disgynnwn drwy'r geiriau hyd at waelod pydew'r dychryn: mae geiriau bregus yn ein codi at y goleuni newydd.)

Canlyniad y chwilio yn y pwll yw dod o hyd i dywysog yn cysgu, sef Sepharad, a gelwir arno i ymysgwyd o'i drymgwsg. Mae synio am Sepharad fel tywysog yn cysgu hefyd yn awgrym o weithran Sepharad fel grym achubol i'r gymuned Iberaidd gyfan. Ar un wedd, mae Sepharad yn ymgorffori llawer o'r drwg sydd wedi plagio'r berthynas rhwng gwahanol genhedloedd Sbaen, ond ar yr un pryd, gwêl Espriu Sepharad fel yr unig rym achubol, a all ryddhau Sbaen o'i hanes gwaedlyd. Ar un olwg, dyna rôl feseianaidd Sepharad yn y gyfrol hon.

Mae'r geiriau petrus yn y cerddi blaenorol bellach yn troi'n waedd ddwys pan ofynnir pwy mewn gwirionedd fydd yn gallu cydio yn awenau'r wlad ar ôl iddi ddeffro, er mwyn arwain y bobl o'r sefyllfa farwaidd:

> Desperta, desperta i digues quina mà
> podrà collir d'aquest vellíssim fang
> la crossa de la nova autoritat.[55]

(Deffro, deffro a dywed pa law a fedr godi o'r hen hen laid fagl yr awdurdod newydd.)

Mae'r geiriau petrus hyn – sef yr iaith a'i neges, a'r modd y bu iddynt gael eu dirmygu a'u deffro i achub cenedl gyfan – yn elfen arall yng ngwead cymhleth barddoniaeth Espriu, fel y cawn weld a'i drafod yn yr adran nesaf.

III

Yn ei ragair i'w ddrama *Primera història d'Esther* mae Salvador Espriu yn sôn am fodryb iddo ar ochr ei fam a gafodd ei chaethiwo i'w hystafell oherwydd salwch, a sonia am y modd y byddai'r fodryb honno'n egluro hanes Esther o'r Beibl iddo ar sail cyfres o brintiau Ffrengig a hongiai ar y waliau o'i hamgylch. Byddai'r fodryb yn adrodd yr hanes yn gelfydd gywrain, yn null un a gafodd ei magu yn sŵn cyfoethog y traddodiadau llafar a fu'n gynhysgaeth i bob cenhedlaeth. Roedd y fodryb, Maria Castelló, yn ddarllenwraig o frîd, a byddai'n darllen yn ddi-baid yn ei hystafell, haf a gaeaf, glaw neu hindda, ac ni waeth pa mor fyglyd o boeth y byddai'r haf, gwae'r sawl a fyddai'n tarfu arni tra byddai ar goll yn ei llyfrau. Cyfaddefai Espriu mai anaml y byddai hi'n mentro allan, ac o'r herwydd go gyfyng ar y cyfan oedd ei gwybodaeth am y byd y tu allan, ond er hynny roedd wedi etifeddu dawn ei chyndadau a'i hynafiaid i adrodd stori yn afaelgar ac yn gywrain; roedd y gair llafar felly yn arian byw iddi hi, a'r ddawn draddodiadol honno felly wedi ei chaboli, ac roedd parch mawr tuag ati hyd yn oed gan dad y bardd :

> El seu do era respectat fins pel meu pare, hereu directe de generacions de conversadors. En escoltar-los, a ells i altres mestres, que se n'han anat o se'n van a poc a poc cap a l'oblit i l'ombra, he

agrait el privilegi d'haver pogut endevinar quines coses magnífiques foren la nostra mar i la petita història de les ciutats de la seva riba, única pàtria que tots hem entès.[56]

(Rhoddid parch i'w dawn hyd yn oed gan fy nhad, a oedd yn etifedd uniongyrchol i genedlaethau o ymgomwyr. Wrth wrando arnynt hwythau a meistri eraill, rhai sydd bellach wedi mynd neu'n graddol ddiflannu tuag angof a'r cysgod, gwerthfawrogais y fraint o gael dychmygu peth mor fawr oedd ein glan môr a hanes bach ein trefi glan môr, yr unig famwlad yr oeddem wedi ei hamgyffred.)

Roedd y gair llafar, felly, yn un â'r gymdeithas Gatalanaidd a oedd mor agos at galon Espriu. Roedd cyfoeth yr iaith a'i mynegiant yn agwedd ar hunaniaeth Sinera, sef pentref glanmôr Arenys del Mar, a aeth wedyn yn symbol i Espriu o Gatalunya fel cymuned genedlaethol. Mae'r gair, neu bob agwedd ar y mynegiant llafar, boed yn gân, yn gerdd neu'n waedd hyd yn oed, yn thema ganolog yn ei waith. Ni ellir ysgaru'r llafar oddi wrth y dinistr a'r gwaradwydd a oddiweddodd y wlad ar ôl 1939, gyda buddugoliaeth lluoedd Franco; mae'r gair ynghlwm wrth y gobaith o ailgodi'r 'deml', ac am ailsefydlu dialog rhwng y gwahanol genhedloedd yn Sbaen.

Ond yn y rhan fwyaf o'i gerddi, mae'r gair llafar, *la paraula*, yn ymgiprys am ei einioes yn erbyn tywyllwch yr alltudiaeth, yn erbyn y distawrwydd (*el silenci*) mynwentaidd sydd wedi rhoi taw ar yr iaith Gatalaneg. Ar lefel uwch a mwy symbolaidd, sonnir am y gair fel cân, ac yn hyn o beth ailgydir yn y traddodiadau Beiblaidd sydd yn batrwm i'r ddelwedd gyffredinol o'r gaethglud yng ngwaith Espriu. Ar ddechrau un o'i gyfrolau o farddoniaeth, *Cementiri de Sinera*, ceir y dyfyniad canlynol o Lyfr y Pregethwr: 'A chau y pyrth yn yr heolydd, pan fo isel sŵn y malu, a'i gyfodi wrth lais yr aderyn, a gostwng i lawr holl ferched cerdd.' Mewn cerdd yn *Les Hores* sonnir yn benodol am iaith y bardd lle disgrifir hi fel 'aur dirgel yr hen Gatalaneg', a'r ffaith ei fod yntau wedi cysegru ei fywyd i eiriau, ac o'r herwydd mae'n gwrthryfela yn erbyn y sawl sydd yn eu gollwng, y sawl sydd yn ei rwystro rhag siarad ei iaith, ac o'r gwrthryfel hwn ac yn wyneb anobaith cynhenid y bardd y tarddodd ei farddoniaeth. Mae achubiaeth hefyd yn thema sydd ynghlwm wrth y 'gair'.

Mae'r gair *per se* yng ngwaith Espriu yn amod ar gyfer y dialog achubol a bywiol rhwng pobloedd Sbaen, oherwydd drwyddo y llwyddir i greu'r maddeuant i'r ddwy ochr. Mae'n naturiol felly ein bod yn cychwyn ein trafodaeth ar y gair yn ei waith, drwy ystyried y 'mudandod' neu'r diffyg llefaru sy'n fan cychwyn i'r broses o ymestyn at gyfamod a rhyddid. Mae distawrwydd, felly, yn nodwedd eithaf pendant yn y cyfrolau cynnar fel *Cementiri de Sinera*, *Les Hores* a *Mrs Death*, er enghraifft, gan eu bod yn perthyn i'r cyfnod mwyaf trychinebus yn hanes Catalunya.

Dyma gyfnod y gwaharddiadau ar ddefnyddio'r iaith Gatalaneg a chyfnod dial ar y rhai a fu'n ymladd ar ochr y gweriniaethwyr cyfreithlon mewn llywodraeth. Roedd y dinistr a ddaeth i'r wlad yn ofnadwy ac yn gyffredinol. I Espriu aeth Catalunya achlân yn fynwent, ac o fynwent Arenys del Mar sydd ar fryncyn yn edrych dros y pentref a'r môr, yr edrychai Espriu ar ei *petita pàtria*, ac ar Sbaen yn gyffredinol. Aeth ati i ymholi fel proffwydi'r Hen Destament paham y cyrhaeddodd ei wlad a'i bobl y fath gyflwr, a dod i gasgliadau nid annhebyg i eiddo'r un proffwydi. Mae'r ymdeimlad o ddistawrwydd ac israddoldeb yn *Cementiri de Sinera* yn llethol; mae'r hen fywyd a ffordd o fyw a fu mor gyfarwydd iddo wedi darfod amdanynt; mae pryfed cop megis, yn nyddu gweoedd sinistr o amgylch yr hyn a fu'n balasau brenhinoedd, ac nid yw'r cychod pysgota yn mynd allan i'r môr mwyach – y môr yw'r symbol o atgyfodiad a rhyddid yng nghanu Espriu:

> Les aranyes filaven
> palaus de rei,
> estances que empresonen
> passos d'hivern.
> Les barques de Sinera
> no surten més,
> perquè els camins de l'aigua
> són fets malbé.[57]

(Roedd y pryf cop yn gweu palasau brenhinol. Ystafelloedd sydd yn carcharu camrau'r gaeaf. Nid yw cychod Sinera yn mynd allan mwyach, oherwydd gwnaed drwg i lwybrau'r dŵr.)

Ond mae'r iaith wedi distewi hefyd, a'r geiriau megis wedi troi'n llwch:

> ... Perdura
> en els meus dits la rosa
> que vaig collir. I als llavis,
> oratge, foc, paraules
> esdevingudes cendra.[58]

(Mae'r rhosyn a gesglais yn dal i fyw yn fy mysedd. Ac ar wefusau, storm, tân, geiriau a drowyd yn lludw.)

Mae'r bardd yn cerdded ei hen fro gynefin, ac nid oes yno mwyach ond distawrwydd a'r cypreswydd, symbol oesol am farwolaeth mewn cysylltiad â mynwentydd:

> ... Ressona
> als carrers en silenci
> el feble prec inútil.
> Cap caritat no em llesca
> el pa que jo menjava,
> el temps perdut. M'esperen
> tan sols, per fer-me almoina,
> fidels xiprers verdíssims.[59]

(Mae'r weddi wan ddiwerth yn adleisio yn yr heolydd mud. Ni cheir caredigrwydd i dorri'r bara yr wyf yn ei fwyta, yr amser a gollwyd. Yn unig mae'r cypreswydd ffyddlon, mor wyrdd, yn fy aros i fod yn elusen.)

Mae'r un thema'n parhau yn adran VIII yn yr un gyfrol, lle mae'r fynwent lan-môr yn mynd yn symbol o ddistawrwydd marwaidd y bardd ei hun a'i fyd; ar y gorwel ni welir y cychod cyfarwydd cyn y rhyfel, dim ond y dolffiniaid:

> ... Contemplo
> serens xiprers a l'ample
> jardí del meu silenci.
> Passen dofins pels límits
> d'aquesta mar antiga.[60]

(Edrychaf yn fyfyrgar ar gypreswydd tawel yng ngardd helaeth fy mudandod. Ar orwelion yr hen fôr hwn, mae dolffiniaid yn mynd heibio.)

Ond nid yw'r distawrwydd hwn yn un sy'n gyfyngedig i iaith yn benodol; mae'n rhywbeth sy'n nodweddu cyfnod cyfan a aeth heibio, ac anwyliaid yn benodol, fel yn adran gyntaf *Les Hores* lle mae'r bardd yn cofio ei gyfaill mynwesol B. Rosselló-Pòrcel a fu hefyd yn fardd, ond a fu farw yn 1938:

> Escolto sempre
> el teu etern silenci
> a la muntanya.
> Altres temps, altres hores
> fan el record difícil.[61]

(Gwrandawaf bob amser ar dy fudandod tragwyddol ar y mynydd. Mae adegau eraill, y dyddiau gynt yn peri fod cofio'n anodd.)

Ond yn bennaf oll, cyfeiria'r distawrwydd at sefyllfa'r gymuned Gatalanaidd yn y blynyddoedd yn dilyn y rhyfel. Yn ei gerdd gyfarch i Rafael Alberti, mae'n cofio fel y bu iddynt ill dau fyw'r cyfnod hwnnw, a'r distawrwydd bellach yn ehangder diderfyn:

> Sí, hem viscut despullats en el somni,
> vestits de l'esglai de la nostra nuesa.[62]

(Do, rydym wedi byw'n ddiymgeledd yn y breuddwyd, yn noethni'r ofn fel unig wisg.)

Yma mae'r gair *despullat* yn air llawn arwyddocâd; soniodd yn y gerdd flaenorol, 'Per mirall a l'enigma', am 'geinciau llwm y goeden', ond yn yr un modd mewn dull mwy arwyddocaol o'n safbwynt ni yn y gerdd 'Fredor de terres altes' (cerdd goffa am Antonio Machado), sonia am y 'geiriau llwm', 'Només record, enyor i l'eco etern/ d'unes senzilles paraules despullades'.

Cawn gyfeiriad amlwg at y niwed a wnaed i'r iaith yn y llinellau canlynol a ddaw o'r gerdd 'Missatge des del Glac' (Neges o'r Rhew):

> La gran ferida del clam i del cant,
> sota l'impassible somriure de déus imaginats
> per omplir d'inoïbles remors
> la vastitud del silenci.[63]

(Anaf mawr y waedd a'r gân, dan wên ddifynegiant duwiau'r dychymyg er mwyn llenwi â seiniau anghlywadwy ehangder maith y mudandod.)

Mae'r dyfyniad hwn yn arwyddocaol yn ei grynswth oherwydd ei fod yn casglu ynghyd mewn ychydig o linellau nifer o'r geiriau mwyaf allweddol ym marddoniaeth Espriu, sef *somni, esglai, cant,* a *silenci,* a chawn weld maes o law beth yw pwysigrwydd y rhain ym mhatrwm celfyddydol y bardd, yn arbennig felly er mwyn deall peirianwaith y broses achubol yn ei waith drwy rym prynedigaethol y gair. Yn bur aml ceir gwrth-gyferbyniad rhwng y cysyniad o ddistawrwydd a'r gobaith am y gair llafar, ond weithiau nid oes argoel am air, na'i rym hudol a chreadigol, fel yn 'Pluja' (Glaw) o'r gyfrol *Les Hores*:

> . . . Partir?
> No hi ha paraula màgica que trenqui
> aquest costum de l'ull, aquest silenci
> sonor de dards.[64]

(Gadael? Nid oes air hudol a dyr arferiad y llygad, y mudandod hwn llawn sŵn y saethau bach.)

Ond rhaid cofio cyfnod y cyfansoddi, perthyn *Les Hores* i'r blynyddoedd 1934–51, ond yn bennaf i'r cyfnod wedi 1938, debygwn i, o ystyried y cynnwys llawn anobaith. Cyplysir absenoldeb iaith â distawrwydd, yn dwt iawn yn y gerdd 'Comiat' (Ffarwél), sydd yn crynhoi'r holl farweidd-dra sydd ynghlwm wrth y distawrwydd dinistriol. Mae'r gerdd yn holi a oes gobaith am ymadael neu a oes modd yngan gair:

> Qui sap la greu partença
> d'avui o de demà,
> o qui diria encara
> una paraula?[65]

(Pwy a ŵyr heddiw neu yfory yr ymadael trist, neu pwy a ddywedai o hyd ryw air?)

Ond mae'r bardd ei hun hyd yn oed yn ysglyfaeth i'r distawrwydd, ac mae'r 'enw', sef y realiti bywiol, yn cael ei daro gan y distawrwydd a osodir arno drwy orfodaeth:

> Només somric i penso
> a destruir el nom
> amb el silenci.[66]

(Ni wnawn ond gwenu a meddwl am ddinistrio'r enw â'r mudandod.)

Mae'r distawrwydd hwn yn peri fod y bardd yn dychwelyd i'w gragen, yn troi oddi wrth fyd y rhai byw (ond fe'i hamgylchynir gan y meirw), ac yn disgyn i waelod pwll yr hunan unig, alltudiedig. Yn y gerdd fer 'Retorn', sy'n rhagflaenu 'Comiat' yn *Les Hores*, cawn ef yn dychwelyd at ei 'wreiddiau distaw':

> L'arquer governa
> el noble vol harmònic
> de la sageta.
> Fidel al temps, retorno
> al meu callat origen.[67]

(Mae'r saethydd yn llywio ehediad urddasol a harmonïol y saeth. Yn ffyddlon i'r amser, dychwelaf i'm tarddiad mud.)

Mae'r môr yn aml yn symbol o ryddid yn y cerddi cynnar hyn, ond mae hwn hefyd yn dangos rhyw ddistawrwydd rhyfedd a llethol. Drwy gydol *Cementiri de Sinera* mae'r môr yn dawel a digynnwrf:

> Passajaré per l'ordre
> de verds xiprers immòbils
> damunt la mar en calma.[68]

(Af am dro ar hyd y cypreswydd gwyrddion, disymud a threfnus uwchben y môr tawel.)

Ac yn yr un gyfrol mae'r bardd fel pe bai'n synnu a dotio at dawelwch yr hen 'fôr hynafol':

> Com calla el mar! Enlaire,
> triomf, destí, reialme,
> escomesa de puntes.[69]

(Mor dawel y môr! Uwchben, buddugoliaeth, tynged, teyrnas, ymosodiad miniog.)

Ond yn y cerddi cyntaf hyn, yr anallu i lefaru sydd fwyaf amlwg, fel yn y gerdd allweddol 'Perqué un dia torni la cançó a

Sinera' yn nhrydedd ran *Les Hores*, sydd yn trafod yn benodol y weithred lafar. Ac eto, mae'r bardd yn teimlo fod yn rhaid iddo ddistewi ar ôl cymaint o dywallt gwaed, a phoen ingol y cofio:

> Ara he de callar,
> que no tinc prou força
> contra tant de mal.[70]

(Bellach rhaid tewi, ni feddaf ddigon o nerth yn erbyn cymaint o ddrwg.)

Ac mae'r distawrwydd a'r unigrwydd yn mynd law yn llaw:

> En un estrany buit,
> manen el silenci
> i la solitud.[71]

(Mewn gwacter rhyfedd, mae mudandod ac unigrwydd yn rheoli.)

Mae'r gerdd hon yn fynegiant drwyddi o'r anallu i siarad a llefaru, nid yn unig oherwydd y gwaharddiad ar yr iaith Gatalaneg, ond hefyd oherwydd i'r bobl gael eu hisraddoli, ac am hynny dywed:

> Però tu riuràs,
> car veus com es tanquen
> llavis catalans.[72]

(Eithr mi fyddi di'n chwerthin, o weld gwefusau Catalaneg yn cau'n glep.)

Mae'r lleisiau Catalaneg wedi distewi, ac mae'r bobl wedi eu hisraddoli nes eu troi megis cardotwyr a gwahangleifion yn cegrythu ar yr haul, a heb lefaru gair:

> I es baden al sol
> boques de captaires,
> plaques de leprós.[73]

(Ac mae cegau cardotwyr yn cegrythu ar yr haul, crach y gwahanglwyfus.)

Nid oes neb yn deall dyhead y bardd, sef llefaru ynghanol y gwaradwydd a'r distawrwydd hwn a'i fod yn hel atgofion am fyd distrywiedig yr hen Gatalunya:

Mai no ha entès ningú
per que sempre parlo
del meu món perdut.[74]

(Nid oes neb erioed wedi deall pam fy mod i'n siarad o hyd am fy myd colledig.)

Mae'r byd wedi mynd yn beryglus, ac nid yw'n gyfnod hawdd i ddefnyddio'r gair. Dyma'r cyfnod pan ysgrifennodd y bardd ei ddrama enwog, *Primera història d'Esther*, sydd yn sôn wrth gwrs am weithred Esther yn achub ei chyd-genedl rhag cael ei dinistrio. Roedd y ddrama hon a ddefnyddiai gryn dipyn o'r traddodiadau gwerinol Catalanaidd yn ddrama bypedau, ond nid yw'r bardd yn meddwl ei bod yn adeg gymwys i geisio achubiaeth i'w bobl drwy gyfrwng y gair, 'he llegit el llibre / del Predicador', ac efallai mai'r adnod amlwg yn ei feddwl yw'r un fwyaf cyfarwydd, sef: 'Y mae amser i bob peth, ac amser i bob amcan dan y nefoedd'. Dywed y bardd wrthym wedyn ei fod am roi'r pypedau i gadw: 'Deso a poc a poc/ dintre de la capsa / tots els meus ninots.' Mae nerth gormesol y drygioni o'i gwmpas yn llethol, a thaw piau hi. Er ei fod yn tewi, mae'n tystiolaethu i'r ffaith fod yr iaith yn dal yn fyw, ac yn fynegiant i'r pethau hanfodol a diriaethol cyfarwydd:

Sols queden uns noms:
arbre, casa, terra,
gleva, dona, solc.[75]

(Dim ond rhyw enwau a erys: coeden, tŷ, tir, pridd, gwraig, rhych.)

Ond mae eu bodolaeth fel geiriau yn fregus ac yn ansicr:

Només fràgils mots
de la meva llengua,
arrel i llavor.[76]

(Dim ond geiriau bregus fy iaith, gwraidd a had.)

Mae'r distawrwydd hwn yn fedd ac yn garchar, megis yn y gerdd 'El jardí dels cinc arbres' yn *Mrs Death*, cyfrol sydd yn perthyn i ddiwedd y 1940au. Mae gardd y pum coeden yn symbol yng ngwaith Espriu o'i blentyndod hapus yn Arenys, neu'n drosiadol am obaith yn y dyfodol. Ond mae pob gobaith am hawddfyd yn fyrhoedlog dan yr amgylchiadau hynny; eisoes yn y gerdd flaenorol (a chofiwn fod barddoniaeth Espriu yn 'gyrch-gymeriadol'), mae'r bardd wedi bod yn ymladd yn erbyn y tywyllwch er mwyn ennill pob gobaith, ond methu:

> M'han vençut en la lluita
> d'un dia breu. I a l'altre,
> tot ja serà tenebra.[77]

(Maent wedi fy nhrechu mewn brwydr a barodd gwta ddiwrnod. Ac i'r llall, bydd popeth yn dywyllwch.)

Mae'n holi 'yn y tir tywyll', chwedl Waldo, ond yn methu â chael neb i dorri'r distawrwydd ag argoel am obaith:

> On les fonts pures, l'alba
> d'un somni fosc? Pregunto,
> descendint per l'escala
> del meu temps, al silenci
> que en mi esdevenia.[78]

(Ble mae'r ffynhonnau pur, gwawr rhyw freuddwyd tywyll? Gofynnaf wrth ddisgyn ysgol fy nghyfnod, i'r mudandod sydd yn ymffurfio ynof.)

Fel y gwelsom eisoes, cawn gan Espriu ddarlun o rywun yn disgyn i waelod pwll dwfn i fynegi'r ymdeimlad o unigrwydd a distawrwydd, tuag at garchar na fedr ond geiriau godi'r alltud yn ôl i'r haul gobeithlon. Er iddo holi'n daer, ni ddaw 'gwefusau' i roi ateb iddo, ac â'r bardd yn ôl at ei fyfyrdodau mewnol cyfarwydd am ei anwyliaid meirw ac am fyd diflanedig Sinera:

> No se m'atensen llavis
> a dir-me cap resposta.
> Sols puc recordar passos
> i l'extingit domini
> dels meus morts, i perdudes
> cançons . . .[79]

(Ni ddaw gwefusau ataf i roi ateb. Ni wnaf ond cofio camrau a phresenoldeb diffodd fy anwyliaid a hunodd, a chaneuon diffoddedig . . .)

Erbyn y 1950au, yn arbennig o ganol y degawd ymlaen, cafwyd peth llacio ar y mesurau gerwin a gymerwyd yn erbyn y Catalaniaid; cafwyd mwy o gyhoeddi yn yr iaith, er enghraifft, ac roedd llygedyn o obaith y byddai gwellhad parhaol. Mae Espriu yn dechrau lleisio'r gobaith hwn yn ei waith, yn arbennig felly ar ôl cyhoeddi *Final del laberint* (1955). Yn yr ail gerdd yn y gyfrol honno mae sôn am ychydig o eiriau o gân, peth arwyddocaol iawn, ar gyfer ailgodi 'teml' y dyfodol, er gwaethaf y ffaith fod y bardd yn gweld ei fod ef a'i gymdeithas yn byw mewn tŷ lle na cheir golau, lle na cheir ffenestri chwaith na drws y gellir dianc drwyddo:

He caminat estances de la casa
on la destral del llamp no brillà mai.
Perquè no té finestres,
no podia saber.
Perquè no hi ha cap porta,
no en podia fugir.[80]

(Rwyf wedi cerdded ystafelloedd y tŷ lle na thywynnodd bwyall y mellt erioed. Gan nad oes ganddo ffenestri, ni allwn wybod. Gan nad oes drws, ni allwn ddianc ohono.)

Ond ar ddiwedd y gerdd hon lle ceir yr ymdeimlad mai bedd yw'r tŷ hwn (sydd yn symbol am y wlad – ac yn hyn o beth byddai'n ddiddorol cymharu'r defnydd o drosiad tebyg yng ngwaith Waldo Williams), mae'r bardd, yn wahanol i bob cerdd arall o'i eiddo cyn hynny, yn mynegi'r gobaith bregus y gellir ychydig eiriau o gân:

I diuen els meus llavis,
nascudes del coratge, del compassiu somriure,
obrint-me finalment l'únic pas de sortida,
unes poques, fràgils, clares
paraules de cançó.[81]

(Ac mae fy ngwefusau yn llefaru ychydig o eiriau bregus, llachar o gân, a enir o ddewrder, o'r wên drugarog, gan agor imi o'r diwedd yr unig ffordd allan, ychydig eiriau bregus, gloyw o eiriau cân.)

Mae'r hyder newydd sydd yn dinistrio'r hen ddistawrwydd yn deillio o'r cydymdeimlad a deimla am y boen a'r loes a ddaeth yn sgil y tywallt gwaed. Yn ei gydymdeimlad â'i gydddyn daw'r teimlad o fod wedi ei gyfiawnhau a'i gyfannu o'r newydd, a hyn yn ei dro sydd yn rhoi'r dewrder iddo er gwaethaf y peryglon mawr ar bob tu:

En un extrem perill de mort, em sento molt
germà d'aquell dolor que ja s'atansa,
orb i enemic.[82]

(Mewn perygl eithriadol o angau, teimlaf yn agos fel brawd at y boen honno sydd yn nesáu, sy'n ddall ac yn elyniaethus.)

Gellir gweld i ba raddau y mae'r symudiad oddi wrth ddistawrwydd at y llafaredig yn raddol ac yn fregus. Ni ellid, er enghraifft, cymhwyso llinellau'r Athro Gwyn Thomas 'Ac wedi tawelwch, elwch fu' at y broses hon.

Cyn troi at ystyriaeth fanwl o arwyddocâd y geiriau allweddol, *paraula* a *mot* (a ddefnyddir yn llai aml o lawer), efallai y byddai'n fuddiol bwrw golwg ar y lle a roddir i'r iaith Gatalaneg yng ngwaith Espriu. Mae gan Wenallt a Waldo Williams gerddi arbennig lle ceir myfyrdod ar yr iaith: gwelir y Gymraeg fel 'merch perygl' gan Waldo Willliams, yn ferch sydd yn haeddu cael ei hachub. Nid oes gan Espriu yr un elfen o drosiadu cyn belled ag y mae'r iaith Gatalaneg yn y cwestiwn. Mae gan eiriau eu cyfrinach eu hunain ym meddwl Espriu, ac yn ôl ei gyfaddefiad ei hun mae wedi cysegru ei fywyd i eiriau (*paraules*). Mae'n sôn yn arbennig am ei iaith yn y gerdd 'Ofrenat a Cèrber' (Offrwm i Serberws) yn nhrydedd ran *Les Hores* :

He donat la meva vida a les paraules
i m'he fet lenta pastura d'aquesta fam de gos.[83]

(Cysegrais fy mywyd i eiriau ac rwyf wedi pori'n araf ar y newyn ci hwnnw.)

Ond mae'r iaith Gatalaneg wedi dioddef sen a gwaradwydd nes ei throi'n llwch lle bu gynt yn drysor o aur coeth dirgelaidd:

Vaig enfonsar les mans en l'or misteriós
del meu vell català i te les mostro
avui, sense cap guany, blanques de cendra.[84']

(Rwyf wedi gwthio fy nwylo i ganol aur dirgelaidd fy hen Gatalaneg ac rwyf yn eu dangos iti heddiw, heb elw yn y byd, yn wyn gan ludw.)

Prin yw'r cyfeiriadau pendant at yr iaith yn ei gerddi: megis ambell gyfeiriad at 'llavis catalans' yn y gerdd feistraidd 'Perquè un dia torni la cançó a Sinera', ac ar ddiwedd yr un gerdd lle sonnir am y geiriau bregus gweddill 'Només fràgils mots / de la meva llengua, / arrel i llavor'.

Os nad yw'n cyfeirio'n aml ati fel y cyfryw, efallai y gallwn weld hyn fel ymgais i beidio â throi'r Gatalaneg yn haniaeth. Gwell ganddo edrych ar y broses o ymryddhau, o ailgodi'r gân yn y 'deml' newydd, nid fel buddugoliaeth un iaith dros iaith arall, gan iddo rybuddio yn erbyn rhith-feddyliau a hunan-dwyll o'r fath ar ddiwedd ei ddrama *Primera història d'Esther*, ond yn hytrach fel proses o faddau pechodau (yn arbennig felly 'y pechod mwyaf – pechod rhyfel rhwng brodyr'), proses o ddadmer, a chael gwared o ofn a chamddealltwriaeth, ail-sefydlu'r dialog rhwng y ddwy ochr a fu'n ymladd, a chael hyd i barch wedi'r israddoli hir a maith. Mae'r weithred o 'ailfeddiannu'r gair' yn hynod o ddeinamig yn yr ystyr hon, ac ar yr un pryd yn rhan annatod o'r myth neu fframwaith sydd yn sylfaen i gryn dipyn o farddoniaeth Espriu. Wrth ailfeddiannu'r gair llafar, ni ellir peidio â sylwi ar ddatblygiad ac esblygiad diwylliannol cyffelyb a fu ar waith yn Québec yn y 1950au a'r 1960au hefyd. Perthyn y fframwaith a grybwyllwyd uchod yn y bôn i fyd y Beibl lle ceir hanes yr alltudiaeth (a'r rhesymau am hyn gan y proffwydi) a'r modd y ceir ymwared rhag yr alltud-iaeth hon. O'r safbwynt hwn, mae gwaith Espriu yn ailweithiad o neges y proffwydi, a hefyd yn tynnu ar gyfriniaeth y Cabalist-iaid Sbaenaidd a hwythau wedi eu gyrru o'r wlad yn alltudion ar ddiwedd y bymthegfed ganrif, ac a ddatblygodd athrawiaethau astrus mewn ymgais i ddeall alltudiaeth oesol yr Iddewon mewn golygwedd a geisiai weld holl greadigaeth Duw yn llwyfan i alltudiaeth ehangach, lle cafwyd hollt a drylliad mewn cyfnod cyn creu'r byd a'r ddynolryw. Cafwyd datblygiad ar ddamcan-iaeth y *seffirot*, er enghraifft, gan Gabalistiaid Gerona.[85] Rhan o neges y proffwydi, wrth gwrs, yw'r pwyslais ar y dydd yn y dyfodol pan ddelo'r deml newydd i fodolaeth. Mae'r neges yn y Beibl yn feseianaidd, er wrth gwrs nad ydyw pob proffwyd wedi dilyn yr un trywydd yn hyn o beth, ond ceir cytundeb mai'r nod fydd ailgodi'r deml ac adfer y genedl Iddewig neu sefydlu teyrnas Dduw. Mae pwysigrwydd y gair yn amlwg iawn yn yr hanes Beiblaidd. Gyda dinistr y deml mae'r gân glodforus yn distewi; ceir Salm enwog 137 lle sonnir am yr amhosibilrwydd o ganu mewn gwlad ddieithr a diwedd Eseia a Datguddiad yn sôn am y 'gân newydd' a genir pan sefydlir y Jeriwsalem newydd. Mae Espriu, wrth gwrs, yn gwbl gyfarwydd â manylion y ffynonellau Beiblaidd hyn ac yn eu defnyddio'n syth o'r Beibl weithiau. Defnyddir hefyd elfennau allweddol o'i eirfa farddonol arbennig i fodloni anghenion ei ganu.

Mae hefyd, wrth gwrs, yn cyflwyno elfennau eraill (er enghraifft, chwedl neu fythau o draddodiadau eraill) i bwysleisio neu gyfoethogi'r dweud. Elfen arall sydd yn rhan annatod o'r holl ymwneud â'r 'gair' yng ngwaith Espriu yw'r syniad o achubiaeth, ac mae achubiaeth yn ganolog i'r ddealltwriaeth o fyth alltudiaeth wrth reswm; ond yng ngwaith Espriu mae'r ddau beth yn gyfystyr, ar y lefel arbennig hon mae'r bardd yn aml yn defnyddio'r geiriau sydd yn perthyn i fyd canu, yn arbennig felly *cançó* ond hefyd *cantic* a *cant*, lle mae elfen o ganmol ymhlyg yn y gair. Dyma'r 'gair' wedi ei ddyrchafu i wastad uchel iawn, lle mae ymwared a heddwch wedi'u sefydlu. Yn ôl patrwm y myth, cyfetyb i'r Jeriwsalem newydd, y baradwys ddaearol pan ddatrysir hanes y byd a hanes dyn.

Nid yw athroniaeth Espriu yn caniatáu'r fath obaith optimistaidd: nid yw'r Jeriwsalem newydd neu ddiwedd yr alltudiaeth yn beth sicr yn ei olwg ef o gwbl, ac ni chawn hyder yn ei lais fod hyn yn anorfod nac ychwaith yn bosibilrwydd diamod, ond nid yw'n peidio â sôn am gyflwr cymdeithasol a nodweddir gan ysbryd o faddeuant a chymod, y mae'n rhaid iddo fodoli er mwyn i Sbaen neu Sepharad gamu i'r dyfodol. Nid chwilio am frawdoliaeth fydeang y mae Espriu yn ei waith, er nad ydyw hyn yn golygu na fyddai'n dymuno hynny; yn hytrach mae ei olwg wedi ei hoelio'n gadarn a diwyro ar y gymdeithas Sbaenaidd i gyd, ac wrth gwrs mae'n canu'n ddibaid am y gymuned hon a'r gwrthdaro gwaedlyd a didostur a fu ar hyd y canrifoedd. Ond yn yr ystyr hon mae canu Espriu yn eithriadol genedlaethol ei safbwynt, a'i ddiddordebau yn perthyn yn bendant i'r berthynas fregus a pheryglus rhwng pobloedd yr Orynys Iberaidd.

Gellir mesur pwysigrwydd y gair *paraula* yng ngwaith Espriu wrth ei amlder; dyma'r gair mwyaf cyffredin o dipyn, er bod geiriau fel *llum* (goleuni) a *fosc* (tywyllwch) yn ddigon cyffredin hefyd. Mae'r gair yn gyfrwng achubiaeth yn ei farddoniaeth ef, ac o'r safbwynt hwn gellir ei gysylltu efallai â'r *logos* Beiblaidd. Fel hyn y soniodd y beirniad José María Castellet am hyn yn ei astudiaeth o farddoniaeth Espriu, sef *Iniciación a la Poesía de Salvador Espriu*. Mae'r bardd Espriu yn aml megis Job yn wynebu'r duwdod, a'i unig arf yn y dadlau arswydus yw nerth hudol y Gair:

> Más oculto, por lo menos, en lo que se refiere a los dos héroes trágicos que la protagonizan y que no son nunca nombrados: Job y Edipo. Job, el poeta mismo, protagonista de la 'visión trágica', que se presenta como una víctima del rigor de la divinidad, pero cuya salvación está en la posesión del poder mágico y redentor de la palabra, que le permite enfrentarse con Dios y discutir en El su injusticia, es decir, cuando menos, manifestar frente a ésta su libertad intelectual:[86]

Fel y gellid disgwyl, mae'r gyfrol gyntaf, *Cementiri de Sinera*, yn cyfeirio at absenoldeb y gair, y gair sathredig, diurddas, neu'r gair a ddifrodwyd. Yn y bedwaredd gerdd, mae'r geiriau wedi troi'n llwch:

> . . . I als llavis,
> oratge, foc, paraules
> esdevingudes cendra.[87]

(Ac ar wefusau, storm, tân, a geiriau a drowyd yn llwch.)

Dyma'r un trosiad yn union ag a welsom yn y gerdd 'Ofrenat a Cèrber', lle mae'r bardd yn bwrw ei ddwylo i drysor yr hen Gatalaneg ond, o'u tynnu'n ôl, yn eu cael yn llwch i gyd. Mae'r delweddau sy'n gysylltiedig â'r rhyfel yn aml yn ymwneud â thân. Yr un trosiad eto sy'n codi yn *Les Hores*, cyfrol sydd yn fyfyrdod am farwolaeth ei anwyliaid. Yn y gerdd fer 'Flama', sydd megis yn fyfyrdod yn y fynwent am gyfaill agos y bardd, Rosselló-Pórcel, sonnir am yr ymadawedig fel tywosog y blodau marw, llychlyd, sef geiriau:

> . . . Pressento
> com esdevens difícil,

pervers, príncep de mortes
cendroses flors, paraules.[88]

(Caf ragdeimlad sut rwyt ti'n mynd yn anodd ei ddychmygu, yn
wrthnysig, tywysog blodau llychlyd, meirw, – geiriau.)

Mae Rosselló-Pòrcel yn mynd yn symbol o'r bobl ifanc lengar a
fu farw yn y rhyfel (er na syrthiodd y bardd a hun ar faes y gad),
a'u tawelwch hwy yn symbol pellach o'r distawrwydd mwy
cyffredinol drwy'r wlad. Dywed Espriu eto mewn cerdd goffa
i'w gyfaill :

– Que fredament t'allunyo
per la terra d'enlloc, on pot només seguir-te
la teva solitud sense paraules![89]

(Rwyf yn dy bellhau mewn dull mor oerllyd i wlad neb, lle dim
ond dy unigedd dieiriau a all dy ddilyn.)

Ac eto yn 'Seqüéncia' ceir delwedd y llwch wrth ystyried
marwolaeth y bardd a'i lais mud:

. . . Flama extingida, cendra
d'unes paraules que del tot morien.[90]

(Fflam farw, llwch rhyw eiriau sy'n marw'n llwyr.)

Mae'r gyfrol *Les Hores* hefyd yn cynnwys nifer o'r cerddi sydd
yn rhoi llygedyn o obaith am y dyfodol, a hefyd yn rhoi golwg
inni ar y modd yr edrych y bardd ar ei swyddogaeth: yn y gerdd
'Prometeu' (Promethews), gwelwn sut y mae'r bardd yn ystyried
ei ddawn, sef dawn y gair. Mae ei swyddogaeth fel bardd yn un
boenus, gan iddo gydymdeimlo â dynion sy'n dioddef:

. . . la freda tristesa
de l'estrany temps dels homes endinsats en la mort, . . .[91]

(Tristwch oer yr amser dieithr pan yw dynion wedi eu treiddio gan
angau . . .)

Ei waith ef fel bardd – fel Promethews gynt a ddygodd dân
oddi wrth y duwiau er mwyn cynhesu dynion – yw mynd â

geiriau at y dynion yn ei gymdeithas a fydd yn rhoi cysur a gobaith iddynt:

> i els portava cristall i cremor de paraules,
> clarosos noms que diuen els vells llavis del foc.[92]

(A chludais iddynt risial a thân geiriau, enwau disglair a leferir gan hen wefusau'r tân.)

Fel Promethews hefyd, ei dynged yw dioddef am hyn – nid yw dynion yn ymateb i'w eiriau, dyna'r neges efallai – ac mae'r bardd fel Promethews yn cael ei glymu wrth y graig a'i anrheithio gan yr adar:

> Obriràs amb el bec eternament camins
> a la sang que ofereixo com a preu d'aquest do.[93]

(Ac am byth byddi di'n agor â'r pig lwybrau i'r gwaed a offrymaf fel tâl am y ddawn hon.)

Mae'r gerdd hon yn ganolog i'n dealltwriaeth o safbwynt y bardd tuag at ei grefft, a chawn eto un o eiriau allweddol ei farddoniaeth, sef *somni*, y breuddwyd am y Gaersalem newydd. Y breuddwyd am ryddid y dyfodol yw'r ddolen gyswllt rhyngddo ef a'i farddoniaeth:

> El somni de llibertat esdevé la cadena
> que em lliga ja per sembre al meu cant dolorós.[94]

(Mae'r breuddwyd am ryddid yn mynd yn gadwyn sydd yn fy nghlymu am byth wrth fy nghân ddolefus.)

Mae'r cerddi yn nhrydedd ran *Les Hores* yn perthyn i 1954, cyfnod pan oedd modd dechrau meddwl am newid efallai ar ôl diffeithwch y blynyddoedd yn union ar ôl y rhyfel. Mae'r adran honno o'r gyfrol yn cynnwys nifer o gerddi yn ymwneud â'r gair neu'r gân, megis 'Prometeu' a welsom gynnau, ac 'Ofrenat a Cèrber' y rhoddwyd sylw iddi hefyd.

Mae'r gerdd ganlynol, 'Perquè un dia torni la cançó a Sinera', yn gerdd sydd eto'n trafod y posibiliadau o adfer rhyddid (hynny yw, sefyllfa lle yr adferir hunan-barch a lle y gellir cael maddeuant) yng Nghatalunya. Mae'n gerdd sydd yn ymwneud eto â'r 'breuddwyd' am bethau gwell, ond gwelir yr adfywiad posibl hwn yn nhermau iaith (y gair, y gân). Mae'n cyflwyno'r gerdd â disgrifiad o'r tywydd hyfryd sydd dros y wlad :

> Passo pels camins
> encalmats que porten
> la claror dels cims.[95]

(Cerddaf ar hyd llwybrau tawel sy'n gwisgo disgleirdeb copaon y mynyddoedd.)

Mae'n haf a'r gwinwydd i'w gweld ar lethrau'r mynydd:

> Es un temps parat
> a les vinyes altes,
> per damunt del mar.[96]

(Mae'n dywydd distaw yn y gwinwydd uchel uwchben y môr.)

Ond mae'r bobl sydd yn byw yn y wlad honno yn hynod dawel; gwaharddwyd eu hiaith, a'u darostwng nes eu troi megis cardotwyr â'u hwynebau yn frith o bothellau gwahanglwyfus. Er gwaethaf popeth, mae'r bardd yn mynnu llefaru, er nad oes neb yn deall pam ei fod yn mynnu canu o hyd:

> Mai no ha entès ningú
> per què sempre parlo
> del meu món perdut.[97]

(Nid oes neb erioed wedi deall pam rwyf yn siarad o hyd am fy myd colledig.)

Ac yn fan hon cawn ddiffiniad gan y bardd o beth sydd ganddo mewn golwg wrth sôn am 'eiriau':

> Les paraules són
> forques d'on a trossos
> penjo la raó.[98]

(Mae geiriau fel rhaca gwair lle gallaf hongian 'rheswm' yn sypiau.)

Er mwyn deall y tair llinell fer hyn rhaid ystyried eto arwyddocâd *raó* yng nghanu Espriu. Mae'n air a ddefnyddir ganddo o bryd i'w gilydd, ac mae'n golygu mwy iddo na 'rheswm' yn syml; gellir cysylltu'r gair hefyd â'r ystyr 'dadl', 'ymresymiad' a dyna'r allwedd i'w ddefnydd – iddo ef mae *raó* yn ddadl amddiffynnol, yn gyfiawnhad. Cawn well golwg ar y gair wrth edrych ar y modd y defnyddiodd ef mewn cerddi eraill. Yn ei gerdd 'El meu poble i jo', cerdd goffa i Pompeu Fabra, gramadegydd a geiriadurwr blaenllaw ac arloesol yn yr ugeinfed ganrif, sonia'r bardd fel hyn:

> Tenim la raó
> contra bords i lladres
> el meu poble i jo.[99]

(Ni sydd yn iawn, yn erbyn rhai heb dras a lladron, fy mhobl a minnau.)

Yma yr ystyr yw 'cael eu cyfiawnhau' yn wyneb pob adfyd. Mae'r bardd wedi defnyddio'r gair yn arbennig iawn yn y gyfrol enwocaf o'i eiddo, sef *La Pell de brau*, sydd, fel y dywedwyd, gyda'r fwyaf poblogaidd o holl gyfrolau'r bardd, yn bennaf felly oherwydd fod hon yn trafod y berthynas rhwng Catalunya a Sbaen, ac yn fath o ddialog ymbilgar a buddugoliaethus ar ôl tristwch llethol y cyfrolau cynnar. Yng ngherdd XXIX, sydd yn rhagflaenu un o gerddi enwocaf y bardd, 'Diversos són els homes i diverses les parles i han convingut molts noms a un sol amor' (Gwahanol yw dynion, a gwahanol eu hieithoedd, ac maent wedi cytuno ar sawl enw i un cariad), ceir y cwpled sydd megis yn rhagargoel o'r uchod, sef 'Diversos són els homes, / diverses les raons, / ens va vivint el somni / d'un únic amor' (Gwahanol yw dynion, / Gwahanol y safbwyntiau, / Mae'r breuddwyd yn ein bywhau / drwy un cariad.). Mae'r *raons* (sef lluosog *raó*) yma yn cyfeirio at ddadleuon gwahanol bobloedd a ddefnyddir i gyfiawnhau eu bodolaeth. Rhan o athroniaeth wleidyddol Espriu fu'r lluosog o fewn undod. Mae *llibertat* iddo ef yn gyfeiriad at yr iawn berthynas rhwng brodyr o fewn Sbaen neu Sepharad unedig. Nid yw Espriu yn pledio dros unrhyw annibyniaeth wleidyddol ar wahân i Gatalunya. Dyna felly yw'r 'únic amor' a'r 'sol amor' yn y gerdd sy'n dilyn. Ailadroddir yr un syniad a'i gyfoethogi yng ngherdd enwocaf Espriu, mae'n debyg, sef rhif XLVI yn *La Pell de brau*:

> A vegades és necessari i forçós
> que un home mori per un poble,
> però mai no ha de morir tot un poble
> per un home sol:
> recorda sempre això, Sepharad.[100]

(O bryd i'w gilydd mae'n angenrheidiol ac yn orfodol y bydd un dyn yn marw dros un bobl, ond nid oes raid byth i un bobl farw dros un dyn: cofia hyn bob amser, Sepharad.)

Yn y gerdd ogoneddus hon mae'r bardd yn annerch Sbaen (a Franco) ac yn ymbil arno i gadw 'pontydd dialog' yn gadarn er mwyn i gyd-ddealltwriaeth a chariad ffynnu:

> Fes que siguin segurs els ponts de diàleg
> i mira de comprendre i estimar
> les raons i les parles diverses dels teus fills.[101]

(Sicrha fod pontydd dialog yn gadarn a cheisia ddeall a charu rhesymau ac ieithoedd gwahanol dy blant.)

Mae Sbaen yn y gerdd yn fwy, felly, na Chastîl a fu'n llywodraethu'r wlad ers rhai canrifoedd: Sbaen yw'r wlad i gyd sydd yn siarad yr holl ieithoedd Iberaidd, boed yn Gatalaneg, Basgeg, Galiseg, Portiwgaeg neu Sbaeneg. Yma eto mae'r bardd yn defnyddio'r gair *raó* mewn cyd-destun o drafod, o ddialog, o amddiffyn gwleidyddol, ac yn hyn o beth y mae cysylltiad â grym achubol y 'gair' ym meddwl Espriu, yr agwedd 'logosaidd,' gellid dweud. Mewn termau ieithyddol, y mae Espriu yn gweld yr achubiaeth, diwedd yr alltudiaeth (mae hyd yn oed yn ystyried fod hyn yn bosibilrwydd amodol yn ei gyfrol ddiweddarach, *Setmana Santa*, 'Potser l'exili/és acabat', XXXV) ac y mae hyn yn wir yn arbennig yn 'A vegades . . .' lle sonnir am *raons, parles, diàleg*, y cyfan yn cydweithio i sicrhau'r rhyddid haeddiannol:

Que Sepharad visqui eternament
en l'ordre i en la pau, en el treball,
en la difícil i merescuda
llibertat.[102]

(Bydded i Sepharad fyw am byth mewn trefn ac mewn heddwch,
wrthi'n gweithio ac yn byw ei rhyddid anodd a haeddiannol.)

O droi'n ôl at y gerdd dan sylw, 'Perquè 'un dia . . .', gwelwn
yn syth pa mor aml yw'r sôn am y cyswllt rhwng geiriau a *raó*.
Nid geiriau mewn gwagle mohonynt; mae gan *paraula* ei
swyddogaeth benodol ym meddylfryd y bardd, nid ydynt
braidd byth yn unedau ynganedig a dilywodraeth, maent yn
bethau hudol a chyfriniol (soniasai eisoes yn ei waith am 'l'or
misteriós / del meu vell catalá' ac mewn man arall am
absenoldeb y gair hudol a phwerus a fedr dorri'r distawrwydd,
'No hi ha paraula màgica que trenqui / aquest costum de l'ull,
aquest silenci'), ond y mae pwrpas cwbl eglur yn perthyn iddynt,
hwynt-hwy sydd yn creu'r dialog a'r maddeuant a'r 'ymresymu'
sydd yn amod yr iawn berthynas y dyhea amdano. Ond cerdd
yw hon sydd yn gosod allan yr amodau angenrheidiol ar gyfer
sefydlu'r cyd-destun newydd. Mae teitl y gerdd yn awgrym o'r
dyheu am godi'r deml o'r newydd – oherwydd mae *cançó* yn
ffurf ddyrchafedig ar y 'gair', fel y gwelsom yn gynharach yn y
bennod.

Mae'r gwrthgyferbynnu yma rhwng *paraula* a *mot* yn
arwyddocaol, gan fod y gair *mot* (megis y gwahaniaeth cyffelyb a
wneir rhwng *parole* a *mot* yn Ffrangeg) yn cyfeirio'n fwy at y gair
ysgrifenedig, tra bo'r gair *paraula* yn berchen ar ynni mwy
deinamig, ac yng nghyd-destun y dyhead am ryddhad ac ym-
wared, yn llawer iawn mwy creadigol. Mae'r gair *mot* yn aml yn
cyfeirio at y gair unigol sydd yn dynodi gwrthrych arbennig heb
fod cyfeiriad at ddisgwrs naturiol y dialog. Mae'r bobl yn
llwyddo i achub y geiriau sydd yn cyfeirio at eu bywyd
beunyddiol, y geiriau Catalaneg bob-dydd am goeden, tŷ, tir,
gweundir, gwraig a rhych, ond dim ond gwerth dynodiadol a
berthyn i'r rhain; nid ydynt yn meddu ar y rhinwedd greadigol a
gysylltir â *paraula*, y gair bywiol, llafar sydd yn tynnu pobl at ei
gilydd, ac yn adfer y frawdoliaeth a'r ymddiddan achubol a
fyddai'n sicrhau fod Sepharad yn byw mewn hedd.

Byddai'n gymorth efallai, er mwyn pwysleisio'r gwahaniaeth a wneir rhwng *paraula* a *mot*, bwrw golwg dros nifer o'r cerddi lle defnyddir y ddau air hyn mewn gwrthgyferbyniad diddorol â'i gilydd. I ategu'r ddadl a roddwyd eisoes ynglŷn â'r gerdd 'Perquè un dia . . .', lle defnyddir y gair *mot* yn unswydd fel uned ddynodiadol heb fod iddo nerth deinamig y *paraula* (gellid dadlau mai *logos* y byd Espriuaidd ydyw'r *paraula*), gellir cyfeirio at un o gerddi heulog (cymharol brin yng ngwaith y bardd, felly rhaid ei fod wedi ei lunio yn y 1960au) ac a gyhoeddwyd yn y casgliad *Les Cançons d'Ariadna* dan y teitl 'Inici de càntic en el temple'. Yn y gerdd cyfeiria'r bardd at eiriau'r iaith a achubwyd ar gyfer eu trosglwyddo i'r genhedlaeth newydd:

> Però hem viscut per salvar-vos els mots,
> per retornar-vos el nom de cada cosa,
> perquè seguíssiu el recte camí
> d'accés al ple domini de la terra.[103]

(Ond rydym wedi byw er mwyn achub y geiriau, er mwyn rhoi'n ôl ichi enw pob dim, fel y byddo ichi ddilyn y ffordd uniawn sy'n arwain at berchnogaeth lawn y tir.)

Daw'r tyndra rhwng y ddau air i'r amlwg mewn ambell gerdd lle defnyddir y ddau yn agos at ei gilydd. Er enghraifft, yn *La Pell de brau* yng ngherdd XXI sonnir am freuddwydion y bardd (a'r gymuned y perthyn iddi) yn graddol droi'n realiti:

> Molins de Sepharad:
> esdevindran els somnis
> a poc a poc reals.[104]

(Felinau Sepharad: bydd y breuddwydion yn troi'n real yn raddol bach.)

Mae melinau gwynt Sepharad (neu'r Sbaen Oesol) yn dechrau golygu rhywbeth real; yn baradocsaidd, mae breuddwydion Catalunya'n troi'n realiti, ond mae hen freuddwydion mawreddog Sbaen yn ei hagweddau gorthrymus yn gwegian ac yn diflannu. Yn y pennill olaf y ceir y cyfeiriad at y *paraula* a'r *mot*:

> Baixem, per les paraules,
> tot el pou de l'esglai:

---

ens pujaran mots fràgils
a nova claredat.[105]

(Disgynnwn, drwy'r geiriau, holl bydew yr ofn: mae llafar bregus
yn ein codi i ddisgleirdeb newydd.)

Ond yn y gerdd dan sylw yma, 'Molins de Sepharad . . .', sôn
am bydew ofn y mae'r bardd, ac eisiau ymgyrraedd hyd at
waelod yr ofn hwnnw sydd arno er mwyn ei ddiddymu. Mae'r
dialog sydd yn ffrwyth y defnydd o'r *paraula* yn arwain y bardd
at waelod yr ofni, drwy drafod ac ymddiddan y daw terfyn ar yr
ofn hwnnw. Ac o'r drafodaeth hollbwysig honno, esgorir ar
eiriau bregus (*mots fràgils*), ac yma y gellir deall fod y bardd yn
cyfeirio at eiriau megis rhyddid, heddwch, ac y mae'r geiriau
hyn, ffrwyth y drafodaeth ddeinamig a grëir gan y gair (*paraula*),
yn codi'r bardd a'i bobl o dywyllwch y pwll at y goleuni newydd
(*nova claridat)*. Dilynir y gerdd hon gan un arall sydd eto'n
gwrthgyferbynnu'r ddau air *paraula* a *mot*, ond y tro hwn mae'r
llygedyn o obaith a fynegwyd yn y naill gerdd yn cael ei
ddiffodd mewn amheuaeth a dychryn yn y llall. Felly yng
ngherdd XXII, ceir cysylltiad trosiadol gyda'r gerdd flaenorol a
soniodd am y *mots fràgils* trwy sôn amdanynt yn dyrchafu'r
bardd at y goleuni newydd. Codir oddi wrth y pydew o garchar
fesul gris, ac mae pob gris yn 'air' (*mot*) ond mae'r goleuni
newydd yn troi'n ddrycinog:

Pels esglaons
dels nostres mots
el cel es torna
a poc a poc
presó baixada, . . .[106]

(Ar hyd grisiau ein geiriau, mae'r nen yn troi'n garchar isel . . .)

Yn sydyn, er gwaethaf y dringo gobeithlon tuag at y goleuni,
teflir y bardd yn ôl yn bendramwnwgl i'r pydew:

i som de sobte
basarda de pou.[107]

(Ac yn sydyn cawn ein dychryn gan y pydew.)

Nid yw hyn yn gwymp diwrthdro, serch hynny – erys y *paraula*, geiriau'r ymddiddan a'r dialog, yn ffordd ymwared ac yn ddihangfa ddichonadwy:

> Per l'alta escala
> de les paraules,
> la llum pujàvem,
> alliberada: . . .[108]

(Ar hyd grisiau uchel y geiriau, dringo a wnaethom y goleuni a ryddhawyd . . .)

Gyda'r sicrwydd newydd sydd yn syfaen y *paraula* yng ngwaith Espriu, gellir symud yn olaf at ei ddefnydd o dri gair cysylltiedig, sef *cançó, cantic*, a *cant*, geiriau sydd ar un wedd o leiaf yn ffurfiau dyrchafedig ar y *paraula* ei hun. Mae'r *paraula*, fel y gwelsom, yn broses o ryddhau'r dialog, o greu'r amgylchiadau a fydd yn rhyddhau'r ddwy garfan o'u hofn y naill at y llall, ac yn sylfaen sicr y gellir adeiladu arni. Mae'r gân (neu'r emyn) yn ben draw i'r broses hon, yn amod sefydlu'r 'ddinas newydd', ac wrth gwrs yn arwydd o ddiwedd yr 'alltudiaeth'. Mae'n amlwg fod y geiriau hyn (a defnyddir *cançó* yn amlach o lawer na'r ddau arall) yn perthyn i draddodiad y Beibl lle sonnir am y 'gân newydd' a genir pan ddaw'r ymwared i Israel, neu pan ddaw'r apocalyps fel y sonnir amdano yn y Datguddiad. Mae'r cysyniad hwn wedi ei gysylltu'n agos ag ailgodi'r Deml, a dyma drosiad a ddefnyddir yn bur aml gan Espriu yn arwydd o'r Gatalunya atgyfodedig. Rhaid inni beidio ag anghofio ychwaith beth oedd pwysigrwydd y 'ddinas', sef Barcelona, yn y breuddwyd am ailgodi Catalunya drwy gydol yr ugeinfed ganrif. Un o'r cerddi enwocaf lle defnyddir y trosiad hwn yw 'Inici de càntic en el temple'. Mae hon yn gerdd hynod obeithlon sydd yn sôn yn benodol am yr awyrgylch newydd yng Nghatalunya. Dim ond y teitl sydd yn cyfeirio at y deml – sydd wedi ei hailgodi a lle mae ymgais newydd i ganu ynddi. Mae'r bardd yn credu y gellid bellach ystyried fod cyfnod newydd ar wawrio, ac mae'r gerdd ei hun yn llawn arwyddion o fywyd newydd:

> Ara digueu: 'La ginesta floreix,
> arreu als camps hi ha vermell de roselles.

Amb nova falc, comencem a segar
el blat madur i, amb ell, les males herbes.'[109]

(Meddech yn awr: 'Mae'r banadl yn blodeuo, ymhob man yn y caeau ceir y pabïau cochion. Gyda chryman newydd dechreuwn fedi'r llafur aeddfed, a chydag ef, y chwyn.')

Mae cenhedlaeth newydd wedi dod, un na wybu ddim am erchyllterau gwaetha'r rhyfel cartref, ac mae Espriu yn eu cyfarch (yn enwedig y cantorion newydd megis Raimon, a ganodd nifer o gerddi Espriu ei hun) ac yn dweud mor hir fu'r wawr cyn torri, cyn gweld llygedyn o olau yn y tywyllwch:

Ah, joves llavis desclosos després
de la foscor, si sabíen com l'alba
ens ha trigat, com és llarg d'esperar
un alçament de llum en la tenebra![110]

(Oh, gwefusau'r ifainc a ddatgloir ar ôl y tywyllwch, pe baent ond yn gwybod gymaint y buom yn aros y wawr, ac mor hir fu'r aros am godi'r goleuni yn y gwyll!)

Yng ngwaith Salvador Espriu, ceir ymdeimlad petrus o leiaf fod yr alltudiaeth ar ben ('potser l'exili és acabat', meddai mewn un gerdd – efallai fod yr alltudiaeth ar ben), a bod modd ailgodi'r deml. Eto mae ymweliad go-iawn ag Arenys de Mar yng Nghatalunya heddiw, neu ymweliad trosiadol â Sinera yn ei lenyddiaeth, yn gyfle i ystyried myth parhaol yr alltudiaeth yn hanes y cenhedloedd, ac efallai llwyddiant un genedl anhanesiol i fynnu bod dialog yn ei throi'n genedl real o'r newydd.

Nodiadau

[1] M. Escala, *L'Obra d'Espriu en el teatre català contemporani* (Barcelona, 1978), 21.
[2] F. Candel, *Los Otros Catalanes* (Madrid, 1965), 109.
[3] S. Espriu, *Ariadna al laberint grotesc* (Barcelona, 1975), 153.
[4] Ibid., 96.
[5] Ibid., 153–4.
[6] Ibid., 154.
[7] Ibid., 155.

8 Ibid.
9 Ibid., 156.
10 Ibid.
11 Ibid., 95.
12 Ibid., 96.
13 *Serra d'Or*, Mehefin 1978.
14 Ibid., 14.
15 J. M. Castellet, *Iniciación a la Poesia de Salvador Espriu* (Madrid, 1971), 238.
16 Ibid., 148; cyhoeddwyd *Setmana Santa* yn 1971.
17 *Obres Completes: La Pell de brau*, I, 355.
18 Ibid., 356.
19 Ibid., 357.
20 Savador Espriu, *La Pell de brau* (Madrid, 1968), 22.
21 *Obres Completes*, 358.
22 Ibid., 359.
23 Ibid.
24 Ibid., 360.
25 Ibid.
26 Salvador Espriu, *Primera història d'Esther/Antígona* (Barcelona, 1975), 76.
27 Ibid., 83.
28 *Obres Completes*, 488.
29 Dyfynnwyd yn Dienw, *Catalunya sota el règim franquista* (Paris, 1973), 134.
30 Ibid., 136.
31 Ibid., 137.
32 Ibid., 395.
33 *Obres Completes*, 360.
34 Ibid., 407.
35 Ibid., 408.
36 Ibid., 409.
37 Ibid., 361.
38 Ibid.
39 Ibid.
40 Ibid., 362.
41 Ibid., 363.
42 Ibid.
43 Ibid.
44 *Antígona*, 70.
45 *Obres Completes*, 363.
46 Ibid., 365.
47 Ibid., 367.
48 Ibid., 380.
49 Ibid.
50 Ibid., 413.
51 Ibid., 371.

52 Ibid., 399.
53 Ibid., 379.
54 Ibid.
55 Ibid., 381.
56 *Primera història d'Esther*, 12.
57 *Obres Completes*, 171.
58 Ibid., 170.
59 Ibid., 171.
60 Ibid., 172.
61 Ibid., 196.
62 Ibid., 129.
63 Ibid.
64 Ibid., 202.
65 Ibid., 206.
66 Ibid.
67 Ibid.
68 Ibid., 169.
69 Ibid., 173.
70 Ibid., 214.
71 Ibid.
72 Ibid., 213.
73 Ibid.
74 Ibid.
75 Ibid., 215.
76 Ibid.
77 Ibid., 254.
78 Ibid.
79 Ibid.
80 Ibid., 326.
81 Ibid.
82 Ibid.
83 Ibid., 212.
84 Ibid.
85 Gweler, er enghraifft, Roland Goetschel, *La Kabbale* (Paris, 1985).
86 J. M. Castellet, *Iniciación a la Poesia de Salvador Espriu* (Madrid, 1971), 238.
87 *Obres Completes*, 170.
88 Ibid., 192.
89 Ibid., 195.
90 Ibid., 196.
91 Ibid., 211.
92 Ibid.
93 Ibid.
94 Ibid.
95 Ibid., 213.
96 Ibid.
97 Ibid.

[98]Ibid.
[99]Ibid., 143.
[100]Ibid., 407.
[101]Ibid.
[102]Ibid.
[103]Ibid., 142.
[104]Ibid., 379.
[105]Ibid.
[106]Ibid., 380.
[107]Ibid.
[108]Ibid.
[109]Ibid., 142.
[110]Ibid.

6

D. Gwenallt Jones

Roedd y blynyddoedd rhwng y 1930au a'r 1950au yn gyfnod pan welwyd nifer o themâu'n cyfateb i'r 'ail argyfwng', neu argyfwng alltudiaeth, yn britho llenyddiaeth Gymraeg. Bu hinsawdd o argyfwng ac apocalyps yn nodweddu llawer o waith prif lenorion Cymru, a gymerai gyflwr eu gwlad yn bwnc canolog eu gwaith. Mae'r llenor David James Jones (neu'n fwy cyffredin, Gwenallt) yn enghraifft nodedig o hyn. Yn ei farddoniaeth ef mae alltudiaeth fewnol yn symbol cyffredin. Fel arfer fe'i cysylltir â phrif fannau ffydd y bardd, ond gellir gweld datblygu'r syniad o alltudiaeth genedlaethol yng nghyd-destun myth a chwedl hefyd.

Mae ffigur y ferch, sy'n symbol am gyflwr Cymru, yn ganolog i'r ddeubeth hyn – ac yn hyn o beth mae'r modd yr ystyrir y ferch yn ddadlennol wrth inni geisio deall gwaith a meddwl Gwenallt. Mae'r syniad o gynrychioli'r tir neu'r wlad fel merch neu wraig yn hen gyfarwydd, a bu'n nodwedd ar lawer o hen goelion crefyddol yr hen fyd Celtaidd. Er enghraifft, sonnir am yr adeg pan gyrhaeddodd y Gaeliaid Iwerddon yn eu cynhanes a'r modd y cyfarfu yr Arglwyddes Eriu â hwy, sef brenhines a duwies yr ynys.[1] Byddai cyflwr y wlad yn cael ei adlewyrchu gan y dduwies wrth iddi droi o fod yn forwyn landeg i fod yn wrach hyll pan fyddai'r wlad honno'n colli ei sofraniaeth a mynd yn ysglyfaeth i oresgyniad tramor neu i reolaeth gan frenin

D. Gwenallt Jones   235

annheilwng. Adferir harddwch y dduwies pan adferir rhyddid y wlad.

Mae Gwenallt, hefyd, wrth sôn am Gymru yn aml yn meddwl am y wlad mewn termau cyffelyb. Nid y ferch ysgafndroed 'ar ddisberod o'i gwrogaeth hen' (fel yng ngherdd Waldo i'r iaith) mohoni, ond un a fedr fod yn butain, yn hen wreigan neu'n ferch landeg, dlos ac afieithus, ac yn llawn gobaith am y dyfodol. Cyn edrych yn fanylach ar y Gymru fenywaidd hon yng ngwaith Gwenallt, hoffwn fwrw golwg ar y ffordd y byddai Gwenallt yn ymateb i'r ferch yn gyffredinol yn ei waith, gan fod cysylltiad rhwng hyn a'r modd y syniai am Gymru ei gyfnod. Y mae elfen o euogrwydd i'w chanfod yn rhai o'i gerddi cynharach yn ymwneud â rhyw a'r nwydau. Gellid tybio mai rhan o gynhysgaeth emosiynol yr oes oedd hyn yn bennaf. Yn ei awdl, *Y Mynach* (1926), fe welwn y darpar-fynach yn ymgodymu â'r nwydau cwbl ddaearol sydd yn ei rwystro rhag ymgyrraedd at Dduw:

> Gwell na llais y Pab oedd lliw y pabi,
> A synhwyrus hynt na seiniau'r santaidd;
> Nid eu byd henllwyd, ond bywyd tanlli,
> Enaid llon ydyw ffurf y cnawd lluniaidd.[2]

Y cyrff a ddychmygai'n llamu'n noethlymun sydd yn rhwystro'r mynach rhag canolbwyntio ar iawn bethau'r ffydd. Mae'r fath ymdrybaeddu ym mhleserau'r corff yn creu cwmwl o euogrwydd yn ei feddwl, a dyma'r tro olaf y cawn y fath ddarlun yng ngwaith Gwenallt:

> 'R oedd lliw fy mhechod yn ddwfn gysgodau
> Yng ngheinder y main, yng ngwyndra mynor;
> Euogrwydd nwyd drwy garuaidd nodau
> Y caniad, a'i wyll uwch cannaid allor.[3]

Caiff ei achub rhag yr anobaith y mae hyn oll yn arwain ato gan weledigaeth o'i gydnabod, Angela, a fu'n danbaid ei sêl dros ei ffydd:

> F'annwyl brudd, yn ufudd i'r nef, – heb fam,
> Heb fwyn dad na chartref;

> Yng nghaer gras heb dras, heb dref,
> Dyweddi Duw a dioddef.[4]

Mae'r purdeb morwynol hwn yn nodweddu'r ferch ddelfrydol yng nghanu Gwenallt, lle cysylltir merch fwy 'anianol' ei natur â nwydau dinistriol (hyd yn oed 'gwallgof' erbyn cyfnod ysgrifennu ei gerdd radio *Jezebel ac Elias*), a arweinia yn y pen draw at anhrefn. Yn wir, cysylltir y nwydau hyn yn ddieithriad bron â'r byd annynol, byd yr anifail a'r bwystfil, ac fel y dywed ei hun, 'Nwydau'r anifail nid â i'r Nefoedd'.[5] Darlun tebyg a gawn yn ei awdl, *Y Sant*, a gynigiwyd ar gyfer cystadleuaeth y gadair yn Eisteddfod Treorci yn 1928. Penderfynodd y beirniaid nad oedd neb yn deilwng y flwyddyn honno, a bu'n rhaid i Wenallt aros tan Eisteddfod Bangor yn 1931 cyn gweld ei gadeirio drachefn am ei awdl *Breuddwyd y Bardd*. Mae'r nwydau cnawdol eto'n ganolog i'r awdl *Y Sant*. Cyffes mynach a geir yma ac yntau'n olrhain ei frwydr fewnol â nwydau cnawdol, ei ymwrthod â'r bywyd piwritanaidd a sut y gadawodd gefn gwlad er mwyn rhoi rhwydd hynt i'w chwant a boddhau'i nwydusrwydd penrhydd. Yn y diwedd caiff syrffed ar fywyd y ddinas a thry ei olygon yn ôl at grefydd ac ireidd-dra cefn gwlad. Wrth ddychwelyd at fywyd delfrydol cefn gwlad, mae hefyd yn troi yn ôl i Gymru yn ei rhaid. Yn gryno, mae'r awdl hon yn lleisio rhai o themâu mwyaf canolog Gwenallt ynglŷn â lle'r genedl yn ei waith. Mae'r gerdd hefyd yn ddarlun rhyfeddol o glir o'r modd yr ymatebai Gwenallt yn llenyddol i'r gwragedd yn ei fywyd. Am ferched y mae a wnelo'r awdl yn bennaf. At y fam y mae'r darpar sant yn troi yn ei fachgendod cynnar, yn ddigon naturiol, ac eto mae'n nodedig ei fod, nid yn unig yn cysylltu'r fam â duwioldeb – 'A'm mam yn aml oedd yn mwmian emyn' – ond hefyd fel nawdd 'Rhag ofnau lu, rhag y chwilod duon / E gawn nawdd ei braich, sugno hedd o'i bron'. Mae dyfodiad chwaer fach yn fygythiad gan ei bod yn dwyn ei deganau a 'serch tad mwyn, swyn ei gusanau'. Am ryw reswm nad yw'n hollol eglur o'r cyd-destun, mae'r darpar-sant yn cael ei ddenu at boenau ac arteithiau'r seintiau. Dywedasai eisoes am ei bleser bachgenaidd yn chwalu cyrff trychfilod:

> Carwn wneud dolur i greaduriaid,
> Ceisio, a chwalu cyrff, coesau chwilod;

Dal iâr yr haf, a'i dolurio hefyd,
Ei gwanu â phin er dygnu ei phoenau:
Dychrynllyd im oeddynt, a gwynt eu gwaed.[6]

A oes awgrym o euogrwydd yn gysylltiedig â hyn? Ar ôl sôn felly, disgrifir y fam fel 'nawdd mewn ing, man hedd mewn angen', a hithau'n gysylltiedig â'r gwaredwr: 'Maddeuwr beiau yn angau'n hongian, / A'i iawn yn waed prudd yno hyd y Pren'. Yn betrus, gellir awgrymu fod yr awydd am dderbyn bywyd arteithiol y sant yn gysylltiedig ag euogrwydd na all ond Duw neu'r forwyn ei faddau iddo. Mae'n nodedig hefyd gymaint y mae Gwenallt yn pwyso ar ddelweddau bwystfilaidd, anifeilaidd er mwyn mynegi pwerau'r fall, nwydau rhywiol ac imperialaeth. Mae'r nwydau rhywiol yn mynd gyda hyn yn wrthbwynt i'w weddïau defosiynol; mewn hiraeth mae'n crio:

Rhag y drygioni, rhag dreigiau annwn,
Am olau Ei burdeb, ac aml bardwn,
A'i rym im hefyd rhag gorthrwm afiach
Y nwydau oedd yn bechodau un bach.[7]

Yng nghwrs amser, anelir y nwydau hyn at wrthrych serch. Mae merch yr Hafod yn esgus parod i'r bardd sôn am y modd y diddyfnir y darpar-sant oddi wrth ei fuchedd sanctaidd. Mae rhywioldeb yn mynd yn hollbresennol ac yn drech na'r llanc:

Y fun a'i llun ni'm gadai'n llonydd,
Ei chnawd oedd y llen, sglein y gobennydd,
A chwsg âi wrth ei cheisio, ac awydd
Nythu genau rhwng dwyfron noeth-gynnes;
Ein dau yn llawn grym, a'm gwrid yn llawn gwres, – . . .[8]

Mae'n arwyddocaol fod y bardd yn tynnu cymhariaeth rhwng y modd y ceisiai'r llanc chwalu'r chwilod, a'r modd y ceisiai, er methu, â chwalu drwg ei 'bechod'. Mae chwant a gwewyr serch yn ymgordeddu i danseilio diniweidrwydd sylfeini'r grefydd a ddysgodd ar lin ei fam:

Ei hwyneb, hirwyn wddf, a'i bron aeddfed;
Ar hyd ei blows biws rhedai blys bysedd;

Bwytawn ei chnawd braf yn y sagrafen,
Yfwn ei gwaed yn y meddw ddafnau gwin;
Yn sydyn yn nwyd emyn dôi imi
Filain wanc coch i'w thraflyncu hi.[9]

Bellach mae'r llanc yn ymwrthod yn llwyr â phob agwedd ar grefydd ei 'dduwiol fam'. Cleddir tristwch a nychdod 'yr Iddew o Dduw' a'r 'gorddüwch Iddewig'. Mae'r cyfeiriadau at Iddewiaeth eto'n cael eu hadleisio yn rhai o ysgrifau eraill Gwenallt. Daw Calfiniaeth dan ei lach am nychu'r delyn a diddymu'r 'ddawns iach o'r dolydd', heb sôn am y canu gwerinol uwchben y ddiod feddwol. Mae'r nwydusrwydd sydd yn cwrso ei waed yn golygu ei fod yn ymwrthod â chefn gwlad a'r bywyd sydd ynghlwm wrtho:

A drych hurtrwydd oedd aradr a chartref,
Y tir gwyw henllwyd lle trigai hunllef;
Arwain cart tom o fwg y domen,
A'r clai fel gelyn melyn ym mhob man.[10]

Penderfyna'r llanc chwilio am ramant yn nhiriondeb haf y dwyreindir. Mae byd a chrefydd ei fam y tu ôl iddo. Try ei sylw at wrthrychau benywaidd o fath gwahanol. Y model cyntaf o fenyweidd-dra sydd yn rhagflaenu'r ail adran ydyw Fenws, symbol a gaiff ei ddefnyddio yn ddiweddarach yn ei ganu. Yn arwyddocaol, mae'r bardd yn ei chyferbynnu hi â'r Iesu, sef y ddelwedd nodweddiadol o grefydd bore oes Gwenallt, y Crist llwydaidd, trist a diynni:

O! wychder llun, uchder llwch,
Rho harddwch in, a'r urddas
A laddodd Crist a'i drist dras; . . .[11]

Yn narlun Gwenallt, mae'r Crist crog marwaidd yn fodd i droi daioni'n undonog, nid rhyfedd ei fod am ddianc i stad lle gall ddweud:

Yn fy nydd, mi wnaf â nwyf
F'einioes, yn ôl a fynnwyf;
Noethlawn gorff, perffeithlun gwedd,
Bron, neu wyneb yw rhinwedd; . . .[12]

Mae'r dduwies bagan yn cynnig, yn lle marweidd-dra'r grefydd a wybu, 'nefoedd benrhydd anifail', ac yma y gwelir cysylltu anifeileiddiwch a nwydau chwantus mewn gwrthgyferbyniad â chrefydd 'Iddewig', wledig ac emynyddol ei ieuenctid.

Mae'r disgrifiad o'r ddinas a'i phobl, a fu'n dramgwydd i'r beirniaid yn 1928, yn loddest synhwyrus, lle rhoir lle blaenllaw i'r chwantau hudolus, digrifwch o bob math, a miri gorffwyll y ddinas benrhydd. Saif ffigur y ferch hudolus, baentiedig yn symbol llywodraethol drwy'r adran hon. Mae'r ddinas i'w chymharu â 'merch gain ei gwedd' yn eistedd ar y wlad wastad.

Cawn yr un polareiddio rhwng y blys nwydus a morwyndod eto yn un o gerddi *Ysgubau'r Awen*, sef 'Ann Griffiths'. Mae'r sôn am ieuenctid nwyfus Ann Griffiths cyn ei thröedigaeth wedi mynd yn ystrydeb, wrth gwrs. Diau fod Saunders Lewis yn nes ati wrth weld tröedigaeth Ann yn symbolaidd, fel cefndeuddwr rhwng dwy weledigaeth o Gymru: Cymru mam Ann y ddeunawfed ganrif, a'i phleserau naturiol, di-lol, gwerinol, a thraddodiadau Cymru'r ganrif ganlynol a'r Diwygiad Methodistaidd yn ei anterth, gyda phwyslais ar werthoedd y chwyldroad newydd a newidiodd gwrs hanes Cymru. Beth bynnag am hynny mae Gwenallt fel petai'n ymdrybaeddu yn yr elfennau puteinllyd (gan gofio'r modd y defnyddir y syniad o 'anffyddlondeb' yn y Beibl wrth gyfeirio at wrthgilwyr crefyddol a hefyd wrth gwrs y syniad o 'buteinio ar ôl eilunod') wrth sôn am ieuenctid yr emynyddes:

> Fe lusgodd d'ysbryd o'i buteindra rhad,
> A llygredigaeth rwydd dy droeog hynt, . . .[13]

Y briodas yn hanes Ann sydd yn hoelio sylw Gwenallt yw ei phriodas â'r Iesu (drwy ei thröedigaeth) yn hytrach na'i phriodas â Thomas Griffiths. Mae'r briodas hon yn adleisio'r Angela sydd yn 'ddyweddi Duw a dioddef'. Mae Ann, i Wenallt, yn dychwelyd at 'buteindra'r byd' er mwyn tywallt ysbryd ei 'phriodasol serch', ond byrhoedlog ydyw hyn hefyd gan iddi hithau, fel Angela, farw, ac awgryma Gwenallt fod ei 'hangerdd' dros ei chrefydd megis Angela ('Roedd Iesu'n ei hysu hi') wedi achosi ei marwolaeth.

Mae'r duedd i gofleidio'r ddau eithaf yn unig i'w gweld gliriaf, mae'n debyg, yn 'Fenws a'r Forwyn Fair', sydd hithau'n dod o gyfrol gyntaf y bardd. Unwaith eto cawn symudiad o'r naill eithaf i'r llall, gyda'r awgrym o ddatblygiad ac o waredigaeth. Yn y gerdd hon cawn ein hatgoffa o harddwch syfrdanol yr hen dduwies Roegaidd:

> Crynai pob calon wrol ger dy fron
> A mynnai'r hen yn ôl eu nwydau poeth;
> Cerfiodd celfyddyd â meistrolaeth cŷn
> Ddelw dy dduwiestod yn y marbl a'r maen,
> Ac yn dy deml ymgrymai gwanwyn dyn,
> Llefai morwyndod a phuteindra o'th flaen.[14]

Gwelwyd trawsffurfio'r temlau hyn, serch hynny, yn eglwysi Cristnogol, a lle bu'r ffyddloniaid yn ymgrymu i ddelwau a fawrygai'r nwydau, mae allorau'r cnawd bellach wedi rhoi lle i'r Groes. Y mae diweirdeb y Forwyn Fair wedi disodli anlladrwydd y dduwies baganaidd:

> Hi saif hyd byth lle gynt y safet ti
> Ac Iechydwriaeth rhwng Ei breichiau Hi.[15]

Mae'n arwyddocaol fod yr ail ddarlun yn cynnwys elfen o ffrwythlondeb a mamolaeth, elfennau sydd yn ddiffygiol yn y modd y cynrychiolir y nwydau. Mae Gwenallt fel pe bai'n canolbwyntio ar y fenyw wrth sôn am y nwydau rhywiol; ac ar ryw olwg y wraig sydd yn arwain dyn i ddistryw, er bod y bardd bob amser yn cynnig yr ochr arall i'r geiniog hefyd gan awgrymu bod modd cael achubiaeth drwy'r wraig yn ogystal.

O sôn am ddistryw a chwymp gellir crybwyll sylw Gwenallt am y puteiniaid a welir ganddo ym mhennod gyntaf *Plasau'r Brenin*: 'sylwodd Tomos ar dair neu bedair o buteiniaid yn sefyllian yn ymyl y mur uchel, gan ddisgwyl am ysglyfaeth y nos i'w rhwydi'.[16] Ond yn y gerdd fer 'Y Ddwy Efa' mae'r ddwy agwedd yn flaenaf, ac yn arbennig y symudiad o'r nwydusrwydd cyntefig at waredigaeth yr Efa newydd. Mae'r Efa gyntaf yn y gerdd fythig hon (yn dilyn yn dynn ar sodlau'r dehongliad Beiblaidd) yn cael y bai am gwymp dyn:

> Fe gysgodd Adda yn Eden,
> A thynnwyd o'i ystlys wraig,

Hi a werthodd ein diniweidrwydd
A rhoi ein had i'r ddraig.[17]

Mae'r modd y dychmygodd eni'r Efa newydd ar ffurf y mythos fel y'i ceir yn Llyfr Genesis. Mae'r atgyfodiad (neu'n drosiadol, Crist yn cysgu yn y graig, yn cyfateb i'r Adda cwsg) yn esgor ar 'y lanaf, perffeithiaf gwraig'. Mae'r greadigaeth newydd hon yn gyfrwng, medd Gwenallt, i adfer perffeithrwydd y dyndod. Mae'n werth nodi, efallai, sut y cysylltir pechod a nwyd ag anifail unwaith eto yn y gerdd hon.

Wrth gwrs, *Jezebel ac Elias* yw'r gerdd fwyaf ei hyd sydd yn darlunio'r wraig bechadurus, ond fel symbol o imperialaeth y sonnir am Jezebel gan mwyaf yn y gerdd hon. Beth bynnag am yr agwedd honno, erys y disgrifiad ohoni yn drawiadol am y modd y teimla ffieidd-dod tuag at yr elfennau trythyll ac anllad ynddi:

> Ei gwallt oedd fel aur trythyll, a'r llywethau
> Yn llifo fel tonnau llwynogaidd oddeutu ei thalcen;
> Y gwefusau gwancus, gafaelgar a gwallgof;
> Yn ei llygaid lliw – agor yr oedd llewyrch
> Y nwyd a reolai'r brenin a'r brodorion; . . .[18]

Mor wahanol y disgrifiad o'r Fam-forwyn a ddigwydd yn nes ymlaen yn yr un gerdd:

> Geneth gyffredin a gwraig gweithiwr,
> Mam heb gawell a heb gewyn ond bratiau
> I'w Baban yn y beudy oedd y Fam-Forwyn:
> Ac ar ei gwely gwair wrth yr ych a'r asyn
> Y wael wasanaethyddes a freuddwydiai mai ei Baban
> Fyddai'r ail Foses neu'r ail Elïas; . . .[19]

Yn y gerdd hon hefyd y mae Gwenallt yn dychwelyd at ei fetaffor am yr Efa newydd, neu yr ail Efa fel y geilw hi yma. Crëwyd dyn newydd ar lun yr hen Adda ond ar ei newydd wedd, sef Mab y Dyn, ond y tro hwn y mae'r bardd yn gweld yr Efa newydd fel symbol hynod ddiddorol o'r deyrnas dragwyddol, sydd ynddi hi ei hun yn estyniad ar yr hen syniad o'r tir neu'r diriogaeth fel merch neu dduwies:

A chyda Brenin y byd a'r bydysawd y mae Ei frenhines,
Yr ail Efa; yr Efa a ddaeth o'i ystlys gyda'r dŵr a'r gwaed:
A'r Efa hon yw Ei deyrnas dragywydd Ef.[20]

Yn y gyfrol *Eples*, gwnaethai Gwenallt y cysylltiad rhwng merch ac Israel yn ei fyfyrdod ar 'Y Swper Olaf'. Yn y gerdd honno gwêl y bardd y Swper Olaf fel gwledd briodas, lle ceir ysgariad a phriodas o'r newydd. Mae Israel fel dyweddi draddodiadol Duw yn colli bod yn wraig oherwydd ei hanffydd-londeb drwy droi at dduwiau eraill neu wrth droi oddi wrth ei duw oesol:

> Tynnai Israel oddi am ei bys ei modrwy briodas
> Pan werthai i'r duwiau ei chorff fel hwr,
> Ac ni fynnai gamu tros derfynau ei thiriogaeth
> I sôn wrth ei chwiorydd am ogoniant ei Gŵr.[21]

Mae'r Israel hanesyddol, felly, yn dilyn trosiad tra chyfarwydd a geir yn y Proffwydi, yn 'butain' oherwydd ei hanffyddlondeb crefyddol. Ceir enghraifft nodweddiadol o'r trosiad yn Llyfr Hosea, yn y cyfieithiad newydd: 'Dos, cymer iti wraig o butain, a phlant puteindra, oherwydd puteiniodd y wlad i gyd trwy gilio oddi wrth yr Arglwydd' (Hosea, 1.2). Cyffelybir yr Israel hanes-yddol i'r gwrthgiliad a'r amharodrwydd i ledaenu gwybodaeth am ei gwir grefydd, a dilynir Sant Paul yn y modd y sonnir am yr Eglwys Fore, Gatholig fel Israel newydd yn paratoi i groesi'r Môr Coch, ac ailactio felly fyth y genedl etholedig. Aiff Gwenallt gam ymhellach a gweld yr Eglwys fel priod newydd y duwdod; trosiad sydd hefyd yn gyfarwydd wrth ddilyn y dehongliad traddodiadol o Ganiad Solomon. Mae'n bwysig nodi yn y gerdd hon sut y mae Gwenallt yn glynu'n dynn wrth y trosiadau Beiblaidd am y wraig a'r genedl a chrefydd.

Pan ddeuwn at ymdriniaeth Gwenallt â Chymru hithau yn ei wahanol gasgliadau o gerddi, cawn ei fod yn hoffi synio am Gymru fel morwyn neu wraig, a phriodola'r un math o nodweddion, sydd iddo ef yn ymddangos naill ai'n ffafriol neu'n anffafriol, fel trosiad i fynegi ei deimladau emosiynol am gyflwr ei genedl, a hefyd rhoddir inni is-destun sy'n dadlennu teimladau Gwenallt (a llawer o ddynion ei genhedlaeth o bosibl) am ferched yn gyffredinol. Fel y wraig Geltaidd sydd yn digwydd droeon yn yr hen fytholeg Wyddelig, gall y wraig sydd yn sefyll dros y genedl ymrithio mewn sawl ffordd: fel morwyn dlos, fel mam ymgeleddus, neu fel putain neu hen wreigan ffiaidd. Wrth sôn amdani fel morwyn, y mae purdeb yn elfen o bwys, ond mae'r darlun hefyd yn argoel o ffrwythlondeb yn y dyfodol, yn arwydd o obaith. Dyna a gawn yn arbennig yn y gerdd 'Rhiannon'. Yn y gerdd hon defnyddir y chwedl enwog o Gainc Gyntaf y Mabinogi, a chawn ddarlun o wraig a gyhuddwyd ar gam. Mae Rhiannon yn cynrychioli Cymru, ond Cymru sydd yn dioddef sefyllfa o orthrwm. Mam gofidiau ydyw'r Rhiannon hon, y fam a ddioddefodd gam a hithau'n unbennes. Mae'r penyd a gafodd wedi parhau drwy ei hanes ers ei gorchfygu:

Ac yno yn Arberth drwy'r oesoedd ymhob rhyw dywydd
Y buost yn adrodd dy gyfranc ac yn goddef dy benyd hallt.[22]

Mae'r darlun yn dangos Rhiannon/Cymru yn cario'r holl rai a fu'n manteisio arni ar ôl y Ddeddf Uno a'r Chwyldro Diwydiannol:

Fe gariest ar dy gefn y gwestai a'r pellennig,
Gweision gwladwriaeth estron a gwŷr dy lys dy hun,
Sacheidiau o lo a gefeiliau o ddur ac alcam,
Pynnau o flawd a gwenith. Ni wrthododd yr un.[23]

Mae gan y fam Gymreig hon fab sydd yn cael ei feithrin a'i fagu gan bobl na ŵyr hi ddim amdanynt. Mae Pryderi yn cynrychioli cenedlaetholwyr a'r holl rai y mae'r wlad a'r iaith yn agos at eu calonnau. Ysgrifennodd Gwenallt y gerdd hon yn ystod y cyfnod 1943–1951, un o'r cyfnodau duaf yn hanes cenedlaetholdeb Cymreig yn yr ugeinfed ganrif. Cynrychiola Pryderi y potensial nas sylweddolwyd eto :

A phan olchir gwaed yr ellast a'i chenawon o'th wyneb,
Cei dy blentyn, Pryderi, i'th gôl ac i orsedd dy wlad.[24]

Ni ellir llai na meddwl hefyd am y darlun o Gymru a'i photensial (llawer mwy ansicr, a phesimistaidd) a geir yn y ddrama *Cymru Fydd* gan Saunders Lewis, lle bydd Bet o bosibl yn esgor ar blentyn Dewi (Cymru). Fel morwyn y gwelir Cymru yn y gerdd sydd yn dwyn enw'r wlad yn *Ysgubau'r Awen* (t. 26), fel y gellid disgwyl mewn cerdd lle mawrygir lle crefydd yn ffurfiant a pharhad y genedl Gymreig.

Yn y cerddi hynny lle disgrifir hi fel putain neu fel hen wreigan y gwelir agwedd meddwl Gwenallt ar ei ffyrnicaf o safbwynt Cymru fel gwraig. Ar y cyfan mae'r dicter hwnnw'n perthyn i gyfnodau'r cyfrolau cynharach. Nid yw'r condemnio'n unochrog, serch hynny, oherwydd gwêl bob amser orffennol y genedl fel cyfnod pan fu'r ferch yn 'wyryfol'. Mae'r gerdd 'Cymru' yn mynegi'r ddeuoliaeth honno:

> Er mor annheilwng ydwyt ti o'n serch,
> Di, butain fudr y stryd â'r taeog lais,
> Eto, ni allwn ni, bob mab a merch,
> Ddiffodd y cariad atat tan ein hais: . . .[25]

Yn aml gwelir Cymru yn ei ffurf wyryfol gynt yn nhermau brenhiniaeth (megis Rhiannon – yr unbennes wrthodedig) ac mae awgrym o bryd i'w gilydd o thema'r tir diffaith yn gysylltiedig â'r wraig buteinllyd. Gynt bu'n ffrwythlon ac yn frenhinol:

> Fe'th welwn di â llygaid pŵl ein ffydd
> Gynt yn flodeuog yn dy wyryfdod hardd, . . .[26]

Erbyn cyfnod llunio'r cerddi a geir yn *Gwreiddiau*, roedd Gwenallt yn llai chwannog i roi ei lach ar Gymru yn yr un modd:

> Do, fe fuom ni yn dy regi di ac yn dy chwipio;
> Yn dy alw yn boen, yn bitsh ac yn butain
> A dal fod dy gorff yn gancr ac yn grach: . . .[27]

Adeg llunio cerddi *Ysgubau'r Awen* nid oedd yn myfyrio ynglŷn â'r modd y cafodd Cymru ei hun yn y fath sefyllfa. Mae dymuniad i 'achub' Cymru (fel y byddid yn 'achub' puteiniaid, mae'n debyg), ond ni cheir ymgais i weld sut broses a arweiniodd at gyflwr y wlad. Ond, pan ddechreuodd edrych ar orffennol Cymru, cawn ddelweddau sy'n awgrymu morwyndod a mamolaeth yn derbyn sen a gorthrwm. Gwelir hynny ar ei wedd fwyaf diniwed yn y gerdd enwog 'Cymru' o *Ysgubau'r*

Awen. Cerdd yw hon sydd yn pwysleisio'r agweddau crefyddol ar ffurfiant y genedl. Yn y bôn mae Cymru'n ddaear-dduwies yn y gerdd hon, fel mam yn geni ac yn derbyn yn ôl:

> Gorwedd llwch holl saint yr oesoedd
> A'r merthyron yn dy gôl,
> Ti a roddaist iddynt anadl
> A chymeraist hi yn ôl.[28]

Mae'r fam hon yn wasanaethferch i'r Duwdod, ond er hynny mae arwyddion ei ffrwythlondeb yn amlwg drwy'r gerdd. Sonnir am 'gôl' Cymru, ei choed, ei fforestydd, ei thymhorau, ei chaeau ŷd a'i cheirch, a'i hagwedd ymgeleddus:

> Mae dy saint yn dorf ardderchog,
> Ti a'i ceri, hi a'th gâr,
> Ac fe'u cesgli dan d'adenydd
> Fel y cywion dan yr iâr.[29]

Mae gwyryfdod Cymru'n nodwedd fwy amlwg byth ar y darlun arswydus o Gymru a gyflwynir yn y gerdd Feiblaidd 'Cymru a'r Rhyfel' o'r gyfrol *Cnoi Cil.* Nid sôn am orffennol mythig y wlad a wneir yma, pan blannwyd hadau y Gristnogaeth yn y tir, ond ceir thema lawer nes at ganol myfyrdodau Gwenallt, hynny yw alltudiaeth a gorthrymder Cymru yn ei hymwneud â'r ymerodraeth Seisnig o gyfnod y Tuduriaid hyd at gyfnod llunio'r gyfrol, yn ystod yr Ail Ryfel Byd. Yn y darlun apocalyptaidd hwn, lle paratoir at ryfel a dinistr holl gyfundrefn ddiwylliannol y bobl, mae Cymru bellach yn 'wasanaethferch yr angau aliwn', neu wedi mynd yn forwyn fach i'r imperialaeth ronc newydd; sylwer hefyd ar y gair 'aliwn', sydd yn dwyn ar gof ieithwedd y cywyddwyr yn y bymthegfed ganrif wrth sôn am yr estron-genedl:

> Morwyn yng nghegin y Cesar yw Sulamees Ei arfog wely,
> Trosglwyddo cwpan y Cymun i ddal meddwdod ei boteli,
> Gwlad Dewi Sant a Theilo, Pantycelyn a Sant Tathan
> Wedi ei chlymu yn dynn rhwng dwy ffolen y Lefiathan.[30]

Yn y gerdd hon, sydd ymhlith y cyntaf a ysgrifennodd Gwenallt lle clywir y tinc proffwydol (yn ystyr yr Hen

Destament), mae'r bardd yn atgoffa'r Cymry am hen ormes a thrais a wnaethpwyd gynt i'w tadau. Ystyrir imperialaeth gynnar y Tuduriaid fel trais rhywiol ar wyryfdod y forwyn o Gymraes sydd yn cynrychioli Cymru ym meddwl Gwenallt:

> Datodwyd gwregys dy forwyndod gan y Tuduraidd buteindra,
> Ac ysigo dy fronnau pendefigaidd â phwysau tyn ei fileindra,
> A thithau ar wely dy warth yn adrodd o'r Beibl adnodau,
> A salm ac emyn yn hybu cywilydd dy holl aelodau.[31]

Yn yr un gerdd y cawn y syniad cyfarwydd am 'achub' Cymru:

> Ac fe sgrwbiwn dy gorff yn wyn, ei dom, ei fiswail a'i gaglau.[32]

Erbyn ysgrifennu *Jezebel ac Elias* (1955), cerdd radio Gwenallt lle mae'n taranu yn erbyn imperialaeth, mae'n dewis y cymeriad anllad Jezebel i ddarlunio'r imperialaeth ymhob oes. Mae'n ddiddorol gweld i ba raddau y disgrifir hi yn nhermau'r anlladrwydd gwrthwynebus sydd mor hoff ganddo. Mae ei gwallt yn drythyll, ei gwefusau'n wancus, a llewyrch 'y nwyd a reolai'r brenin a'r brodorion' yn ei llygaid. Mae hi'n gweini mewn defodau i gymell y 'gwanwyn â'r aberthau anllad' a sonnir amdani'n dawnsio '(d)dawnsiau synhwyrboeth'. Mae ei marwolaeth hefyd yn cyfateb o ran y ffieidd-dra a welir gan Wenallt ym mhethau'r synhwyrau:

> Gorweddai yn garped tan garnau'r meirch
> A daeth y cŵn pislyd i ysu ei chorff,
> Gan adael y benglog, y traed a'r cledrau, –
> Y traed fel teyrnged i'w dawnsio, y cledrau
> O barch i'w curo celfydd, a'r benglog am buteinio
> Israel.[33]

Er nad yw'n ei disgrifio mewn termau mor ddifrifol â phutain, mae'r gerdd 'Cymru' o *Ysgubau'r Awen* yn rhoi darlun bron mor ffiaidd o hen wreigan sydd wedi colli pob agwedd ar ei harddwch morwynol gynt. Mae'r drwg a wneir i Gymru, nid yn unig yn rhywbeth sydd yn effeithio ar ei llun a'i lliw allanol, ond hefyd ar enaid y wlad, a rhaid cofio fod Gwenallt, fel nifer o lenorion ei gyfnod, yn dueddol o briodoli 'enaid' i'r gymuned genedlaethol:

Mae'r cancr yn crino dy holl liw a'th lun,
A'th enaid yn gornwydydd ac yn grach,
Nid wyt ond hunllef yn dy wlad dy hun,
A'th einioes yn y tir ond breuddwyd gwrach.[34]

Nid yw'r darlun yn gondemniad pur. Erys gobaith am ailgodi'r wlad ar sylfaen y cofio am y gorffennol:

Dy ryddid gynt sydd gleddyf yn ein llaw,
A'th urddas sydd yn astalch ar ein bron,[35]

Nid yw Gwenallt bob tro wedi ystyried Cymru yn yr un termau anthropolegol. Nid merch mohoni bob amser i'w hachub ac i adfer ei ffrwythlondeb a'i phendefigrwydd coll, ac er bod y modd yr ystyrir y wlad yn cael ei drosglwyddo i ddelweddau eraill, yr un yn aml ydyw'r neges waelodol.

Mae thema'r alltudiaeth, fel y dywedwyd uchod, yn gallu bod yn ddelwedd bendant, weithiau'n un a dynnir o'r fytholeg gyfarwydd am hynt a helynt Israel a'r Iddewon. Gall fod yn ffordd o ddehongli delweddau eraill a fynega gyflwr darostyngedig gwlad arbennig, fel y gwelir yn aml yng ngwaith Gaston Miron. Ar un wedd mae'r modd y sonnir am Gymru fel putain neu hen wreigan yn cyfateb i thema'r tir diffaith (y wlad fel merch anffrwythlon, merch mewn diwyg negyddol yn ôl dull Gwenallt o weld y peth). Mae'r darlun o Gymru fel gwlad adfeiliedig yn perthyn i'r dosbarth hwn o gerddi am 'alltudiaeth'. Mae'n arwydd-ocaol fod y gerdd hon yn perthyn i gyfnod pan fu Gwenallt, yn ôl pob golwg, yn myfyrio uwchben gwahanol bynciau'n ymwneud â'r Mabinogi. Sylwer ar deitlau rhai o'i gerddi yn y gyfrol *Ysgubau'r Awen*: 'Y Twrch Trwyth', 'Adar Rhiannon', 'Iwerddon'. Mae 'Adar Rhiannon' a 'Gwlad Adfeiliedig' ill dwy'n disgrifio gwledydd a fu'n ysglyfaeth i drais ac anrhaith:

Mawr y cur yng Nghymru ac Erin,
Ac wedi'r anrhaith, mor ddiffaith yw'r ddwy,
Nid oes gŵr a dywyso eu gwerin,
Na bardd a rydd iaith i'w hanobaith hwy.[36]

Darlun digon tebyg a geir yn y gerdd 'Gwlad Adfeiliedig' oherwydd bellach diflannodd y bobl. Mae'n cyfeirio at effaith andwyol y dirwasgiad yn y 1930au, a'r hen gymdeithas wedi cilio fel y gwelir yn y llinellau cyntaf lle ceir adlais o gywydd enwog Iolo Goch i Sycharth:

Nid oes un grefft ar wrych, a hi'n fis Awst,
A'r bwlch sy'n llipa rhwng y ddeugae wyllt,
Mae rhaffau'r corryn ar bob dist a thrawst,
A'r rhwd yn bwyta clicied, clo a byllt.[37]

Mae'r 'tir diffaith' yn thema amlwg yn un o'r cerddi grymusaf gan Wenallt, lle gwrthgyferbynnir diffeithwch materol ac eneid-iol pobl y Deheudir yn ystod cyfnod y dirwasgiad mawr:

Dynion yn y Deheudir heb ddiod na bwyd na ffag,
A balchder eu bro dan domennydd ysgrap, ysindrins, yslag:
Y canél mewn pentrefi'n sefyllian, heb ryd na symud na sŵn,
A'r llygod boliog yn llarpio cyrff y cathod a'r cŵn.[38]

Cysylltir materoliaeth â diffeithwch y tir mewn rhai cerddi, fel petai'n cyflwyno fformiwla a fynnai fod ailgydio mewn Cristnogaeth a chenedlaetholdeb (yn hytrach na mamongarwch ac imperialaeth Brydeinig) yn gyfystyr ag ailffrwythloni'r tir. Mae 'Sul y Fferm' yn rhagflas o weledigaeth Gwenallt o ragor-iaethau anfaterol y Gymru ddelfrydol, ddiwylliedig. Mae'r bardd yn gweld fod dynion wedi 'dienyddio'r' pridd a dinistrio prydferthwch naturiol a chyfoeth cynhenid daear Cymru:

Ffeiriasom ein gwladwyr, ein ffermydd a'n tyddynnod
Am y Mamon diwydiannol a'r bara rhad,
Ac y mae peithiau pell yn anghenfil llychlyd
A'n diwylliant a'n crefydd mewn Sain Ffagan o wlad.[39]

Mae'r segurdod amaethyddol a ddisgrifir yn y gerdd yn cyfateb eto i thema'r tir diffaith, ond mae hefyd yn caniatáu i'r bardd ddarganfod mai un arall o nodweddion y materoldeb a ddaeth yn sgil imperialaeth ydyw hunanoldeb. Mae'r gerdd hon yn ymylu ar brydiau ar fod yn rhagflas o'i gerdd ddiweddarach, 'Y Ddaear', yn y gyfrol *Y Coed*, lle sonnir am 'y gemeg dramor yn diffrwytho'r pridd'.

Os gallwn haeru fod thema'r tir diffaith yn agwedd ar thema ehangach yr alltudiaeth, daw'r trosiad yn fwyfwy amlwg yn y cerddi hynny lle defnyddir ieithwedd a ffigurau Beiblaidd. Mae'n debyg mai'r ffordd rwyddaf o fynegi sefyllfa Cymru mewn perthynas â Lloegr a'r Ymerodraeth Brydeinig oedd cymharu Cymru â'r Iddewon yn hanes ymdeithiau ac alltud-iaethau'r genedl honno. Hyd yn oed pan fo'r bardd yn sôn am Lywelyn ein Llyw Olaf (a myfyrio wedyn ar rawd hanes Cymru yn y cyfamser) mae'r ddelwedd am alltudiaeth yn yr Aifft yn dod i'r amlwg. Gwêl yr alltudiaeth hon fel gwedd ar yr imperial-aeth Brydeinig a ddechreuodd gydag esgyniad y Tuduriaid i'r orsedd. Yn y gerdd 'Llywelyn ein Llyw Olaf' yn y gyfrol *Gwreiddiau* mae'r hen densiwn ynglŷn â glynu wrth yr ymerod-raeth neu dorri'n rhydd yn ailymddangos. Mae glynu wrth y gyntaf, ym marn Gwenallt, yn gyfystyr ag alltudiaeth:

> Deuwell oedd ganddynt drysorau'r Aifft Dudurllyd
> Nag adfer ei wladwriaeth ef yn y tir;
> A digiodd y gwaed i'r byw ar lan Irfon
> Ac aeth ei gelain ar ddifancoll yng Nghwm Hir.[40]

Mae'r un ddelwedd yn dod i'w feddwl wrth iddo drafod y milwyr o Gymry a aeth i ymladd yn ystod yr Ail Ryfel Byd. Gwrthgyferbynnir y gwladgarwch 'estron' â'r hyn a eilw 'eu gwir wladgarwch':

> Di, denant yn yr uffern estron, wasanaethferch yr angau aliwn
> A'th feibion yn gaethgludion mewn llynges, sgwadron a bataliwn,
> Ond cyfyd eu pwyll a'u hiwmor, eu hemynau a'u gwir wladgarwch
> Uwch brad a bryntni d'orthrechwyr, mochyndra eu Mamongarwch.[41]

Yn naturiol, yn ei bregeth o gerdd, *Jezebel ac Elias*, lle mae Gwenallt yn tynnu'n helaeth ar yr hanes yn Brenhinoedd II ar gyfer ei weledigaeth o bydredd imperialaeth, y cawn yr olwg gliriaf ar ei arddull Feiblaidd ac ôl patrymwaith y Beibl yn y modd yr edrychai ar Gymru. Mae'r alltudiaeth Iddewig yn awgrymu gweddill hanes yr Iddewon ar eu taith i wlad yr addewid. Fel yr Iddewon yn ffoi rhag eu halltudiaeth y gwêl Gwenallt grefydd Cymru o fewn cyd-destun 'megalopolis busnes y byd':

> Yr eneidiau unig yn cerdded trwy'r Môr Coch
> Ac yn crynu rhag taran a mwg y mynydd;

Crwydriaid yn cwyno trwy'r diffeithwch ac yn aml
Ar fin y dibyn: pererinion y Pebyll Piwritanaidd.
Y morwyr etholedig yn hwylio ar fôr tymhestlog.[42]

Agwedd arall ar hanes yr Iddewon yn croesi'r anialwch a geir yn yr un gerdd. Gellir cysylltu'r hanes am y llo aur â'r trosiad am buteinio a welsom gynnau. Rhoir ystyriaeth i Gymru fel yr Iddewon (cenedl etholedig) yn dilyn duwiau dieithr. Yn achos y gerdd hon, golyga hyn imperialaeth faterol:

O'u Horeb yng Nghymru, Mihangel ac Emrys
A ddaeth i lawr i ffrewyllu ei ffyniant hi;
Ffrewyllu'r llo ac addoli'r ddeulo
Ac arogldarthu ar yr uchelfeydd i'r duwiau dieithr:
Y genedl heb gof am ei chyfamod â Duw: . . .[43]

Cyfyd ymddieithrwch rhwng dwy genedl pan fo'r naill yn gormesu'r llall, boed hynny'n economaidd, yn ieithyddol, diwylliannol neu filitaraidd. Mae pob un o'r tri bardd a astudir yn ail ran y gyfrol hon yn ymwneud â'r pwnc hwn yn y bôn. Mae'r tri hefyd, er i raddau gwahanol yn achos pob un, yn ceisio mynd i'r afael â'r cyfathrebiad anodd sydd yn datblygu wedyn rhwng y ddwy genedl. Mae gan Saunders Lewis sylwadau treiddgar yn ei ysgrif wleidyddol a diwylliannol 'Weblai a St Emilion', a gyhoeddwyd am y tro cyntaf yn 1930 ond a gasglwyd gydag ysgrifau eraill yn y gyfrol *Canlyn Arthur* yn 1938. Mae'r ysgrif hon, fel llawer o ganu Gwenallt, yn gondemniad ar imperialaeth gyfalafol. Yn ei ymweliad â Weblai (sef Weobley ar y Gororau) gwêl Saunders Lewis fyd Seisnig sydd yn prysur ddiflannu, byd sy'n gytras â'r un math o fywyd a diwylliant ag a welsai yn St Emilion yn ardal gwinllannoedd Ffrainc:

Mi deimlwn fod calon Ffrainc yn curo'n iach, ond bod rhyw gancr yn cnoi perfedd Lloegr. Edrych yn eu hôl ac adrodd hen straeon a roddai lawenydd i famau Weblai; yr oedd pennau teuluoedd St. Emilion yn cadw'r gwin gorau i'w plant ei fwynhau ar eu holau.[44]

Yr hyn sydd gan Saunders Lewis mewn golwg yw'r syniad fod Lloegr wedi colli ei bywyd cenedlaethol iach wrth droi'n rym ymerodrol mawr. Tra bu Lloegr yn meithrin ei bywyd

cenedlaethol, parhâi'n rhan o Ewrop, meddai, ond gyda dyfod-
iad rhai fel Drake a Raleigh, a mawrygu eu campau, 'fe
fradychodd y Saeson eu gwlad eu hunain'.[45] Daeth Saunders
Lewis o hyd i holl naws ac anian yr hen Loegr yn Weblai (sylwer
ar y sillafiad 'canoloesol' Cymraeg, fel pe'n ceisio awgrymu byd
Seisnig y Gororau yng nghyfnod y Cywyddwyr). Un frawddeg
sydd yn ddigon i grynhoi holl feddwl Saunders Lewis ar y pen
hwn; sydd yn aralleiriad amlwg o adnod Feiblaidd: 'Enillasant y
byd, a chollasant Loegr.'[46] Mae'r adlais o'r adnod am y Deyrnas
wrth gwrs yn awgrymu'n gryf fod Lloegr wedi colli ei 'henaid'
cenedlaethol.

Mae Gwenallt hefyd yn ddigon grasol i dderbyn y bu i Loegr
fywyd cyn-imperialaidd unwaith, ond yn honni i chwiw
imperialaidd ei llusgo'n bendramwnwgl i fateroliaeth ronc:

> Yn ddiarwybod iddi hi ei hun y lluniodd Lloegr ei hymerodr-
> aeth, ac wedi ei llunio fe'i llyncwyd ganddi: . . .[47]

Cymaint ydyw grym dinistriol yr imperialaeth hon o safbwynt
Gwenallt nes peri fod unrhyw gyfathrebu rhwng y ddwy genedl
yn amhosibl. Bu gormod o drais a thraha i hyn ddechrau hyd yn
oed. Cymer Gwenallt agwedd dra hunangyfiawn sydd yn unol
â'i ddehongliad Beiblaidd o'r genedl a sancteiddiwyd a'r genedl
sy'n cynrychioli 'duwiau estron'. Tueddai Salvador Espriu at
safbwynt a dra-dyrchafai agor dialog gan na welai yntau obaith
i'r naill neu'r llall hebddo. Mae cerddi Gwenallt, lle sonnir am
Loegr neu'r Saeson, oll yn cynnwys cyfeiriadau at dueddiadau
ymerodrol Lloegr. Dyma'r imperialaeth economaidd sydd yn
manteisio ac ymelwa ar genhedloedd eraill nes eu troi'n hesb.
Cymerer y gerdd 'Y Saeson', er enghraifft:

> A than y pridd eich diwydiannol fall
> A'i cladd hi rhwng y sglaets a'r haenau glo,
> Fel twrch yn turio trwy'r dyfnderoedd dall
> A bwrw ei dwmpathau hyd y fro:
> Heb adael iddi, yn eich rhaib a'ch blys,
> Ond lludw a rhwbel, lloffion sofl ac us.[48]

Caiff yr iaith Saesneg (fel y Gymraeg yn ei thro) ei chysylltu â
gwerthoedd arbennig. Yn y gerdd ffug-gocosaidd, 'Rhieingerdd

y bardd yn y Grisialblas' yn *Jezebel ac Elias*, cysylltir yr iaith Saesneg â byd budrelwa a busnes, sy'n atgoffa rhywun o'r modd y cyfeirid at yr iaith fain weithiau fel iaith yr 'S':

A chain yw sain y Saesneg swel
Yn ei hymwthlais hi;
Mae iaith fasnachol y ddaear hon
Ar enau 'nghariad i.

A sicr wyf mai swanc yr iaith
Wrth hisian tros ei min
A roes i'w gwefusau'r parchus dro
A lliw a nicotîn.[49]

At ei gilydd, llwydda Gwenallt i ymbellhau oddi wrth unrhyw duedd i feddwl am Loegr neu'r Saeson fel pobl neu genedl (ac felly'n agored i ddialog ynghylch y berthynas rhyngddynt) drwy ddefnyddio ffigurau mytholegol yn drosiadau am yr ymerodraeth Seisnig. Rhaid derbyn, wrth gwrs, nad yw Gwenallt yn anelu ei feirniadaeth at y werin bobl Seisnig (nid yw'n sôn dim amdanynt), ond yn hytrach at y pwerau cyfalafol oddi fewn i'r genedl Seisnig. Daw'r rhan fwyaf o'r trosiadau o'r Beibl, sef yr anghenfilod: Behemoth, Lefiathan, y duw Mamon, a'r anghenfil o fytholeg Roegaidd, y Minotawros. Ceir dau gyfeiriad at y Minotawros. Daw'r cyntaf o gyfnod mwyaf gwrth-Seisnig Gwenallt, sef yr Ail Ryfel Byd, o'i gyfrol fechan o gerddi, *Cnoi Cil*. Mae'n myfyrio yma ar holl ystod hanes Cymru wrth ganu cerdd foliant i Syr John Edward Lloyd. Aeth y genedl yn ysglyfaeth i'r anghenfil gwancus:

Yn wyneb rhu, berw a chyrn barbaraidd
Y Minotawros totalitaraidd
Ba ryddid a fydd i'n cenedl bruddaidd?[50]

Mae pellen edau ei hanes yn rym achubol i'r genedl. Hyn a bair fod modd ailddarganfod ei ffordd allan o deyrnas 'yr hen gawr aliwn a dwrn-greulon'. Defnyddir yr un trosiad yn union yn y gerdd enwog 'Rhydcymerau'.[51] Gan adfer y trosiadau cyfarwydd eraill, sef anifeiliaid gwyllt (y cadnoid) a'r fforest sydd wedi tyfu dros olion yr hen ddiwylliant, fe ddatguddir yr anghenfil yn y canol sydd yn difa'r bywyd brodorol:

Ac yn y tywyllwch yn ei chanol hi
Y mae ffau'r Minotawros Seisnig;[52]

Mae'r Lefiathan yn anifail arall a gyflwynir droeon gan Wenallt wrth drafod Cymru yn ei pherthynas â grymoedd imperialaidd. Daw'r Lefiathan fel y clamp o anghenfil arall, y Behemoth, ill dau o Lyfr Job. Yn ôl Northrop Frye yn *The Great Code*, mae cysylltiad rhwng yr anghenfilod hyn yn y Beibl a'r cysyniad o alltudiaeth. Meddylir am y Lefiathan fel anifail mawr y môr:

> Y dydd hwnnw yr ymwêl yr Arglwydd â'i gleddyf caled, mawr, a chadarn, â lefiathan y sarff hirbraff, ie, â lefiathan y sarff dorchog: ac efe a ladd y ddraig sydd yn y môr.[53]

Mae Eseciel yn fwy manwl, a dehonglir Lefiathan yma fel Afon Nîl yn ogystal â'r môr:

> Eithr gosodaf fachau yn dy fochgernau, a gwnaf i bysgod dy afonydd lynu yn dy emau, a chodaf di o ganol dy afonydd; ie, holl bysgod dy afonydd a lynant wrth dy emau.

> A mi a'th adawaf yn yr anialwch, ti a holl bysgod dy afonydd: syrthi ar wyneb y maes, ni'th gesglir, ac ni'th gynullir; i fwystfilod y maes ac i ehediaid y nefoedd y'th roddais yn ymborth.[54]

Mae Frye yn honni fod Lefiathan a Rahab yn gallu sefyll dros Fabilon a'r Aifft:

> Metaphorically, a monster in the sea *is* the sea; hence the landing of the leviathan is much the same thing as the abolition of the sea of death in Revelations 21.1 . . . Now if Leviathan and Rahab are also Babylon and Egypt, it follows that Israel in Egypt, or the Jews in captivity in Babylon, have already been swallowed by the monster, and are living inside his belly: 'I will make mention of Rahab and Babylon to them that know me: behold Philistia, and Tyre, with Ethiopia; this man was born there.'[55]

'Topos' cyfarwydd ddigon ydyw'r syniad o'r alltudiaeth ysbrydol yn y Beibl. Mae disgyn i lawr gwddf y morfil yn dwyn Jona i'r meddwl, ac yntau'n proffwydo yn erbyn Ninefe, ac yn ôl Efengyl Mathew ymddengys fod Iesu ei hun yn meddwl am hanes Jona fel teip o'i Ddioddefaint ei hun:

Canys fel y bu Jonas dridiau a thair nos ym mol y morfil, felly y bydd Mab y dyn dridiau a thair nos yng nghalon y ddaear.[56]

Mae'r cyfnod ym mola'r anghenfil, felly, yn gyfnod o ddioddefaint ac alltudiaeth, ond pen draw'r profiad, yn ôl y topos Beiblaidd, yw dod allan wedyn wedi gweddnewid yn ysbrydol. Mae'r Lefiathan yng ngwaith Gwenallt yn symbol hylaw am unrhyw gyfundrefn wleidyddol fawr sydd yn llyncu cenhedloedd bychain megis Cymru. Saif hefyd am ddrygioni. Gwrandawn eto ar Frye:

> Behemoth and Leviathan are metaphorically identical with Satan; what is different is Job's perspective. We noted that the Biblical account of creation is ambiguous in the sense that darkness and chaos are at first outside the created order and are then dialectically incorporated into it . . . Hence Leviathan and Satan may be thought of either as enemies of God outside his creation, or as creatures of God within it.[57]

Er mai yn ei nofel *Plasau'r Brenin* y clywn gyntaf oll yng ngwaith Gwenallt am y Behemoth a'r Lefiathan, nid yw'r anifeiliaid hyn yn ymwisgo ag ystyr symbolaidd hyd nes y down at y gyfrol *Cnoi Cil*, lle mae'r Lefiathan yn mynd yn gyfystyr â phwerau dieflig y peirianwaith rhyfel:

> Morwyn yng nghegin y Cesar yw Sulamees Ei arfog wely,
> Trosglwyddo cwpan y Cymun i ddal meddwdod ei boteli,
> Gwlad Dewi Sant a Theilo, Pantycelyn a Sant Tathan,
> Wedi ei chlymu yn dynn rhwng dwy ffolen y Lefiathan.[58]

Nodwedd amlycaf yr anghenfil, sef ei dueddf i lyncu, yw'r nodwedd a feirniedir yn 'Sir Gaerfyrddin':

> A chloch yr Eglwys yn gwylio'r ffiniau rhag y Lefiathan Sosialaidd.[59]

Mae cyfrolau cyntaf Gwenallt yn tueddu i osod cyflwr Cymru yn eglur ger ein bron. Yn *Ysgubau'r Awen* yn bennaf y gwelir symboliaeth fenywaidd i ddynodi Cymru a symboliaeth y tir diffaith. Mae'r un ymwybod â hanes Cymru yn dod yn fyw o flaen ein llygaid erbyn cyfnod yr Ail Ryfel Byd. Dyma gyfnod 'Gorffennol Cymru', er enghraifft, yn y gyfrol *Cnoi Cil*. Wrth gwrs, fe wyddom, yn ôl tystiolaeth y bardd, mai achlysur ysgol haf yn Spidéal a ysgogodd yr ailfeddiannu hwn, ond oherwydd diffyg cysondeb rhwng 'dyneiddiaeth Dafydd ap Gwilym a diwinyddiaeth Pantycelyn', gallem ddychmygu fod y broses yn araf ar brydiau. Cafodd afael ar y gorffennol, serch hynny, a daw'r weledigaeth efengylaidd o sylfeini'r genedl yn eglurach na chynt erbyn cyhoeddi *Eples*, ac yn amlycach byth erbyn cyhoeddi *Gwreiddiau*. Agwedd ar ei ymwybod â hanes Cymru nas ceir yn y cyfrolau cynharaf yw'r feseianaeth genedlaethol a chrefyddol. Prin y gellir barnu fod ei gerdd i Saunders Lewis (tuag Ionawr 1937) yn mynd ymhellach na'i weld fel merthyr. Rhan anhepgor o'r swyddogaeth feseianaidd ydyw achubiaeth ac nid oes tystiolaeth fod Gwenallt yn meddwl am Saunders Lewis fel achubwr meseianaidd. Yn sicr, y cyfnod mwyaf 'meseianaidd' yng nghanu Gwenallt yw'r cyfnod mwyaf argyfyngus efallai, sef cyfnod *Gwreiddiau* (1951–9). Dylid nodi fod elfen gref o feseianaeth yn awdl gynnar Gwenallt, *Breuddwyd y Bardd* (1931). Ceir disgrifiad o hiraeth morwyn, sef Cymru, am ei brenin arwrol sydd yn alltud o'r wlad. Ond fel y dywed Pennar Davies amdani:

> Dywaid 'artist llym sadistig' wrthi nad oes obaith am ddyfodiad y brenin nac am barhâd ei wlad, ond daw proffwyd i bregethu gobaith – proffwyd a gleddir yn Neiniolen. Gwireddir ei broffwydoliaeth. Daw'r brenin yn ôl yn 'hafan Cydweli' a phriodi'r forwyn.[60]

Yn y gyfrol *Gwreiddiau*, cawn nifer o gerddi lle mae achubiaeth feseianaidd i'r genedl yn ganolbwynt. Ceir y ddau fath, sef meseianaeth seciwlar fel traddodiad Arthur os mynner, a'r feseianaeth fwy cyfarwydd a geir yn nhraddodiad yr Iddewon neu'r traddodiadau Cristnogol. Mae'r ail draddodiad yn ganolog i'r modd y credai Gwenallt y gellid adfer y genedl Gymreig. Nid yw'r agwedd feseianaidd bob amser mor bwerus â'r rhai eraill mwy seciwlar, er enghraifft. Cymerer yr Iesu a welir yn ei gerdd 'Y Genedl', lle mae 'afiechyd' Cymru yn cael ei wella drwy ddioddefaint y Meddyg gwyn:

> Lle y tynnwyd tan ei goleuni a'i distawrwydd
> Trwy'r canrifoedd hen gancr euog y saint:

Y mae'r Meddyg gwyn wrth yr atgas operasiwn
Yn theatr drugarog, atgyfodus Ei basiwn.[61]

Ond er gwaethaf hyn mae'r agwedd feseianaidd yn dod drosodd yn llawer mwy argyhoeddiadol pan dry at hen arwyr y genedl a'u cynysgaeddu â rhagorfraint proffwydi ac arweinwyr tyngedfennol.

Cerdd sydd yn ddiamwys o safbwynt ei grym meseianaidd yw 'Owain Glyndŵr'.[62] Yn y gerdd hon saif yr hen arweinydd am rywbeth amgenach nag arweinydd cenedlaethol sydd yn perthyn i hanes. Myn Gwenallt ei gynysgaeddu â naws fwy ysbrydol, sef ei weld fel ymgorfforiad o genedlaetholdeb Cymreig, ac o fynd yn rhywbeth ysbrydol fe dyf i fod yn beth tragwyddol ac achubol yr un pryd. Yn y gerdd hon hefyd cymerir yn ganiataol mai'r un peth yn y bôn yw'r ysbryd cenedlaethol drwy'r oesoedd. Mae'r gerdd (nad yw gyda'r gorau a luniodd y bardd, rhaid cyfaddef) yn adrodd y prif ddigwyddiadau ym mywyd Glyndŵr. Mae ei blasty yn Sycharth megis symbol o'r bywyd diledryw (ac yn hynny o beth yn tynnu ar hen drosiad y tŷ mewn llenyddiaeth Gymraeg o gyfnod Llywarch Hen hyd at Waldo, o leiaf) yn cael ei ddinistrio a'i losgi'n ulw a phlant yr arweinydd yn cael eu cludo i Loegr. Gellid dehongli hyn fel symbol o'r modd y dirywiodd bywyd Cymru, sef thema'r tir diffaith ac alltudiaeth y Cymry dros y ffin a'r alltudiaeth fewnol. Serch hynny, diweddir pob pennill â'r gosodiad di-blwc braidd:

> Ond fe gododd ymhen pedair canrif
> I gychwyn ei frwydr drachefn.[63]

Rhan o'r neges, wrth gwrs, yw fod ysbryd newydd yn cerdded y tir, ond nid yw'n ddigon, medd y bardd, i arbed Senedd-dy Glyndŵr rhag cael ei ddefnyddio at ddibenion tila a dibwrpas a hynny ynghanol ffraeon dibwys. Yr amser dyfodol a ddefnyddir i ddynodi fod gobaith am bethau gwell ar y gorwel:

> Ond fe gyfyd ymhen y canrifoedd
> I agor ei Senedd drachefn.[64]

Mae'r ysbryd cenedlaethol meseianaidd gryn dipyn yn fwy grymus yn ei gerdd 'Cwm Tryweryn', fel y gellid disgwyl.

Grymusir y gerdd hon gan y ffaith y cymysgir y cenedlaetholdeb Cymreig â'r dopoleg Feiblaidd, Hebreig. Mae Dafydd y Beibl yma yn cyfateb efallai i'r Dewi o Gymro sy'n ffigur meseianaidd mewn cerdd arall. Wedi galw'r awdurdodau yn Lerpwl a fynnai foddi'r cwm yn Goliath, geilw'r bardd am ymwared o'r un math ag a roddwyd i genedl Dduw:

> Tyred, Ddafydd, â'th gerrig o'r afon,
> A Duw y tu ôl i'th ffon-dafl,
> I gadw emynau Capel Celyn
> A baledi Bob Tai'r Felin
> Rhag eu mwrdro gan y dŵr yn argae'r diafl.[65]

Cymysgir eto yn ail hanner y gerdd yr elfennau Cymreig a'r rhai Hebreig, sydd yn pwysleisio cyffelybiaeth a wneir rhwng y genedl 'etholedig' a chenedl y dienwaededig. Lerpwl yma yw'r 'dienwaededig gawr'.

Geilw'r bardd ar sawl ffigur meseianaidd i achub y gymuned fechan hon (sydd wrth gwrs) yn symboleiddio Cymru, rhag cael ei chladdu o dan y don. Geilw ar Ddewi i ymbil ac eiriol ar ran y genedl, a Llywelyn ac Owain Glyndŵr i arwain eu byddinoedd i Gwm Tryweryn, ac mae'r bardd yn sicr na fedrai hyn ddigwydd pe bai Michael D. Jones yno i roi cymorth. Mae'r ffigurau hanesyddol ac arwrol hyn wrth gwrs yn elfennau yn yr ysbryd cenedlaethol. Hwn sydd yn cael ei adfer, neu fel hyn y deisyfir ei adfer er mwyn achub Cymru. Yn y gerdd 'Llywelyn Ein Llyw Olaf', a luniwyd i gofio Llywelyn wrth y gofeb yng Nghilmeri, mae symbol y gwaed mor amlwg nes ei fod yn atgoffa rhywun bron o symboliaeth gwaed Crist a'i werth sagrafennaidd. Os yw'r gwaed yn elfen barhaol fyw o bresenoldeb Crist yn yr aberth Catholig, ymddengys y gellir cymharu hyn â'r gwaed hollbresennol yn y gerdd hon. Cysylltir y gwaed ag annibyniaeth yn y pennill cyntaf:

> Mor adwythig oedd y bicell a drawodd ar antur
> Y Tywysog Olaf heb ei fyddin gref;
> Gwaedu i farwolaeth fel pelican trychinebus,
> A'i Gymru annibynnol gydag ef.[66]

Mae ei gorff yn mynd ar goll ond mae'r gwaed yn 'digio', medd Gwenallt, wrth fod yn well gan rywrai 'drysorau'r Aifft

Duduraidd' nag adfer y wladwriaeth goll. Mae elfen achubol yng ngwaed Llywelyn (yn symbolaidd) gan y gellir dod o hyd iddo (neu'r ysbryd cenedlaethol) yng Nghilmeri, ond nid gwaed Llywelyn yn unig, meddir, ond 'gwaed ei Gymru'.

Yn y gerdd 'Cymru' cyplysir eto y traddodiadau gwleidyddol Beiblaidd â thraddodiadau hanesyddol Cymreig. Cerdd yw hon am buro Cymru o'r llygredigaeth a ddaeth iddi ers colli ei hannibyniaeth, a chwilio o'r newydd am yr hen ffynhonnau cenedlaethol a lygrwyd gan ganrifoedd o ormes:

Ac ni a gloddiwn yn y dyffrynnoedd am y ffynhonnau rhedegog;
Ffynnon Moses a'r Macabeaid, ffynnon Glyndŵr ac Emrys
A'r ffynhonnau sydd â'u llygaid yng ngras ac iechydwriaeth Duw.[67]

Mae'r modd y traethir am yr hen arwyr hyn yn awgrymu tueddfryd meseianaidd cryf, gan y myn yr awdur eu bod yn ffigurau oesol fyw a gobeithlon. Mae eu dylanwad cyn gryfed ag erioed fel arweinwyr ac achubwyr eu cenedl, oherwydd eu bod yn cynrychioli traddodiad yr ysbryd cenedlaethol ymladdgar a phroffwydol. Fel y dangosodd Elissa R. Henken, mae patrwm yr 'arwr achubol' yn un cyffredin mewn barddoniaeth Gymraeg ers y cyfnodau cynharaf.[68] Dyna paham y gall Gwenallt ddweud wrth un fel Emyr Llew yn y carchar :

Fe fydd tri Llywelyn yn y carchar yn trigo
Gyda'i gilydd; ac fe fydd Owain Glyndŵr yn y gell.
Yno hefyd fe ddaw Michael Daniel Jones, yr Annibynnwr;
Emrys ap Iwan, y Methodist, a'r Eglwyswr, Arthur Price;
A'r golau yn y gell fydd llewyrch y Tân yn Llŷn.[69]

II

Er y gellir dweud fod pwnc iaith yn cael ei drafod yn helaethach yng ngwaith Miron ac Espriu, mae gan yr iaith Gymraeg swyddogaeth flaenllaw fel cyfrwng achubol ym marddoniaeth Gwenallt hefyd. Ymddengys fod yr iaith i Gwenallt yn gysylltiedig â'r syniad llywodraethol am le'r genedl ym mhatrwm rhagluniaeth. Yn benodol, gellir dweud fod yr iaith Gymraeg yn ennill gwerth a phwysigrwydd ysbrydol mawr iddo yn rhinwedd y ffaith i'r Beibl gael ei gyfieithu i'r Gymraeg. Daw bodolaeth y Beibl Cymraeg i ganol llwyfan ei farddoniaeth ar nifer o wahanol achlysuron. Sancteiddiwyd yr iaith, a thrwy hynny cafodd ei dyrchafu i wastad tragwyddol y byd ysbrydol ac argyhoeddiadau crefyddol. Yn ei nofel gyntaf, *Plasau'r Brenin*, lle mae'r prif gymeriad, Myrddin Tomos, yn alltud o Gymru mewn carchar ac ymhell o glyw'r iaith Gymraeg, y cawn rai o sylwadau cyntaf Gwenallt ynglŷn â'i safbwynt tuag at yr iaith o fewn fframwaith syniadol ei farddoniaeth, yn ogystal â sylwadau mwy cyffredinol ynghylch iaith. Mae'r carchar, er yn atgof am brofiad real iawn yn hanes Gwenallt, hefyd yn gweithredu fel symbol am alltudiaeth dyn oddi wrth wareiddiad Cristnogol a chefn gwlad a'i werthoedd. Mae Myrddin Tomos yn pwysleisio bwystfileiddiwch y carchar a'i gyntefigrwydd (dau air allweddol ym marddoniaeth Gwenallt) tra'n gweld cefn gwlad Cymru fel rhywbeth tragwyddol a diamser. Mae'r cysylltiad rhwng cefn gwlad a gwerthoedd crefyddol yn nodweddu llawer o ganu brogarol a gwladgarol y bardd, ond mae'r iaith Gymraeg hefyd yn rhan anhepgor o'r un gyfundrefn grefyddol. Mae cofio yn elfen bwysig yn y nofel hon, a hyn i raddau helaeth sydd yn sicrhau fod Myrddin Tomos yn medru cadw ei bwyll, ac mae gan yr iaith Gymraeg swyddogaeth dra phwysig yn y cyswllt 'achubol' hwn.

Yn ystod y dydd Sul cyntaf yn y carchar, sef y diwrnod mwyaf unig yn y carchar, meddai, mae'n cofio sut y byddai'n arfer mynd ar ddydd Sul i'r capel ac ymddiddan ar y ffordd â'i gymdogion o ffermwyr yn Llansadwrn. Wrth sôn am y capel gwledig cawn y cysylltiad cyntaf rhwng y Gymraeg a chrefydd:

> Hoffai wrando ar ddarllen pennod o'r Ysgrythurau ar ddechrau'r cyfarfod. Mor brydferth ac mor rymus oedd Cymraeg y Beibl yn nhawelwch capel ar fore Sul yn y wlad.[70]

Wedi i Myrddin Tomos gael ei roi yn y gell gosb (am edrych ar ferch y ceidwad), mae'r cofio eto'n fodd i achub ei bwyll. Aiff ei feddwl yn ôl at gefn gwlad a'i arferion amaethyddol, ond mae fel petai ymgais, o fwriad, i arddangos rhan anhepgor o'i hunaniaeth mewn sefyllfa argyfyngus a gelyniaethus. Dyna'r sôn am y 'bencydd beichiog', y 'ceirch gwndwn', y pwysi printiedig o

---

fenyn yn y 'giler' a'r maidd yn diferu o'r 'cawslestr tan y wring'.[71] Mae ymgolli felly yn y byd concrid, diriaethol, gwledig, drwy rym yr eirfa werinol, yn rhoi blas ar y cofio nes bod Sir Gaerfyrddin 'gerbron llygaid Myrddin Tomos fel gwlad yn llifeirio o laeth ac uwd',[72] fel y dywed yn gellweirus ddigon.

Daw darn o Sir Gâr i garchar Myrddin Tomos yn rhith Beibl Cymraeg â nod ac enw carchar Caerfyrddin arno. Bu Myrddin Tomos yn taer erfyn am y Beibl ac yn bygwth gwrthod cymryd bwyd oni chytunid â'i gais. Mae cael y Beibl yn yr iaith yn foddion achubiaeth i'r carcharor, nid yn unig am mai Beibl ydyw, ond hefyd am mai Beibl Cymraeg ydyw:

> Darllenodd Myrddin Tomos yn ystod ei dymor yn y carchar y Beibl drwyddo o glawr i glawr, bum gwaith. Darllenai'r Beibl gan amlaf yn uchel er mwyn cadw'r llais rhag llesgáu ac organau'r gwddf rhag gwywo. Dysgai lawer o adnodau ar ei gof ac ysgrifennai ar yr yslaten bob gair Cymraeg na wyddai ei ystyr a cheisio eu cofio fel y gallai edrych ar eu hystyr yn y geiriadur ar ôl cael ei ryddhau.[73]

Mae'r Beibl hefyd yn gyfrwng iddo gael ei gludo'n ôl i'w gynefin, sydd yn fath o gynefin delfrydol iddo. Mae yn y nofel benodau o atgofion am fywyd fferm yn Sir Gaerfyrddin. Mae'r Beibl a welai gartref ar y fferm hefyd yn symbol iddo o'r bywyd teuluol gan fod tad Myrddin wedi ysgrifennu'r dyddiadau pwysig ym mywyd y teulu ar y tudalen gwag. Cysylltir hyn oll â'r rhyddid a adawodd ar ei ôl, a dyna ydyw'r iaith y mae'r Beibl yn ei chysgodi yn atgofion y carchar hwn. Dyna iaith yr eangderau mawr, a rhyddid o'i gaethiwed:

> Llawenydd i'w glustiau a hyfrydwch i'w galon oedd gwrando ar Gymraeg y Beibl yn ei gell, iaith y gorffennol pell, iaith yr haul a'r awelon, iaith yr ehangder a iaith rhyddid.[74]

Cyfyd llawer o'r atgofion o brofiad Gwenallt ei hun fel y dengys ei gyfrol *Ffwrneisiau* yn yr adrannau ar ei addysg gynnar. Mae atgofion am yr iaith a'r realiti y mae'r iaith yn ei gario o'i mewn o'r pwys mwyaf yn y carchar gan fod y bywyd yno yn ddidoledig oddi wrth y byd go-iawn, ac o'r herwydd yn creu bygythiad iddo o safbwynt pwyll a hunaniaeth. Mae'r iaith Gymraeg iddo'n achubol oherwydd mae'n angori'r carcharor mewn cyd-destun hanesyddol olynol ac mewn cymdeithas solet (er mor ddelfrydol yw'r atgofion amdanynt): 'iaith y gorffennol pell'. Mae hefyd yn iaith cyd-destun gofodol dilyffethair: 'iaith ehangder a iaith rhyddid'.[75]

Ni ellir gorbrisio swyddogaeth atgofion ac iaith yn y broses achubol y mae Myrddin Tomos yn ymdrechu i fynd drwyddi. Nid yw ei gyd-garcharor, William Mainwaring o Landybïe, mor ffodus. Dryllir ei bwyll gan mor ffiaidd yw bywyd y carchar. Mae Myrddin Tomos yn digwydd mynd heibio i gelloedd y gwallgofiaid a gweld Mainwaring yn pwyso yn erbyn clwyd ei gell. Mae wedi ymgolli'n llwyr yn ei fyd ei hun heb gysylltiad â'r carchar na'r byd y bu'n byw ynddo o'r blaen. Mae'n hynod arwyddocaol fod Myrddin Tomos yn nodi nad oedd Bili Mainwaring bellach yn ei adnabod nac ychwaith (ac yntau Myrddin wedi ei gyfarch yn Gymraeg) yn deall yr iaith y cyfarchwyd ef ynddi. Ymddengys fod Gwenallt yn cysylltu'r iaith ag achubiaeth y person, achubiaeth yr hunan, a phwysleisio yn y modd hwn swydd waredigol yr iaith.

Yn y pen draw mae'r caethiwed yn dechrau gadael ei effaith ar feddwl a chorff Myrddin Tomos, yn arbennig felly o achos y mudandod a'r unigrwydd, heb sôn am orfod mygu'r nwydau naturiol. Mae'n gorfod gwneud ymdrech arwrol yn erbyn gwanychiad ei nerfau a'r ffaith fod ei gof yn dechrau pallu. Mae ei atgofion yn ddryslyd ac yn ddigyswllt, ond daw llinellau o farddoniaeth Goronwy Owen i'w feddwl, sef ychydig linellau o gywydd 'Y Farn Fawr'; hwyrach mai'r un llinellau ydynt â'r rhai a ddeuai i'w feddwl wrth iddo deithio i'r carchar yn Llundain. Mae pob dryll ieithyddol yn esgor ar ddryll arall. Yn y diwedd mae'r cyfan yn troi'n ddadl feddyliol rhyngddo ac ef ei hun ynghylch manion gramadeg, rheolau treiglo, rhediad y berfau 'canu', a 'bwyta', (efallai fel berfau'n mynegi pethau sylfaenol: bwyta fel gweithred sy'n digwydd o fewn cyd-destun cymdeithasol a chanu fel mynegiant sylfaenol o'r diwylliant Cymraeg). Mae'n troi wedyn yn olyniaeth o sgyrsiau cefn gwlad a chybolfa o weledigaethau gan gymeriadau llenyddiaeth Gymraeg. Mae'r ymdrech i gadw gafael ar reolau gramadeg yn gyfystyr ag ewyllysio cadw math o drefn ar ei bwyll a'i hunaniaeth gynhenid. O gael ei wahanu oddi wrth gynefin a ffynonellau ieithyddol, mae ei anghofrwydd yn mynd yn drech nag ef:

Doe y ganwyd ef o groth y gwacter mawr, ac yr oedd ar fin camu'n ôl eilwaith i'w gwacter hwnnw. Nid oedd ond bod dienw, dibersonoliaeth a digyfrifoldeb rhwng diddymdra pedwar mur. Ac, eto, o'r gwacter y dôi, weithiau, ond yn llawer anamlach na chynt, furmur atgofion hen fywyd a wrthodai fyned yn ango.[76]

Ffordd o fynd yn ôl i'w gynefin ydyw'r Gymraeg yn hanes Myrddin Tomos. Mae'n rhan o'i gynhysgaeth emosiynol, ac mae dychwelyd neu gadw a meithrin ei bersonoliaeth (hunaniaeth) yn dibynnu i raddau helaeth ar ei afael ar yr iaith drwy rym atgofion (barddoniaeth, emynau, geiriau tafodiaith, y Beibl, sgyrsiau). Cysylltir yr iaith â chrefydd yn bendant, ond nid yw eto'n rhan o'r weledigaeth ehangach gan Wenallt o'r Gymraeg yn ei chysylltiad deinamig â Christnogaeth a Chymru.

Perthyn llawer o ganu *Ysgubau'r Awen* i'r cyfnod 1933–39. Mae'r iaith ynghlwm wrth fywyd Llansawel yn 'Beddau', lle rhagwelir tranc iaith gyda thranc math arbennig o wareiddiad Cymreig:

> Piau'r bedd dan y drain?
> Gweryd ein hiaith gywrain,
> Cell ein gwareiddiad cain.[77]

Dilornir (yn arwynebol) yr un traddodiadau a'r iaith yn ei gerdd enwog 'Cymru' yn yr un gyfrol. Nid am y tro cyntaf yn ei farddoniaeth mae'n synio am yr iaith a'i thraddodiad fel baich y mae'n rhaid ei gario; roedd eisoes wedi sôn am y wlad 'yn cario ei hiaith fel cario croes' yn yr awdl *Breuddwyd y Bardd*. Dyma'r un syniad yn *Ysgubau'r Awen*:

> Dy iaith ar ein hysgwyddau megis pwn,
> A'th draddodiadau'n hual am ein traed.[78]

Erbyn cyfnod *Eples* (lle ceir cerddi'n perthyn i'r cyfnod 1943–51), deuwn at dinc a fydd yn gyfarwydd yng ngweddill canu Gwenallt cyn belled ag y mae'r iaith yn bod. Mae'r Gristionogaeth sagrafennaidd bellach wedi hen ennill ei phlwyf ym meddwl a chalon Gwenallt, ac nid yw'r iaith wedyn ynghlwm wrth fro a gwlad arbennig yn unig; fe'i cysylltir erbyn hyn â'r weledigaeth o Gymru fel creadigaeth ddwyfol a sanctaidd. Mae naws apocalyptaidd yn nodweddu nifer o'r cerddi yn y gyfrol hon, fel 'Amser' ac 'Y Calendr'. Cred Gwenallt yn ddisyfl yn realiti diwedd y byd a'r escatoleg Feiblaidd:

> Ac ar y diwedd fe fydd holl daith y canrifoedd,
> Holl dipiadau'r cloc, yn un patrwm plaen;
> Holl hanes dyn a Natur yn un adeilad cytbwys
> Yn sefyll yn sicr sad ar dragywydd gongl-faen.[79]

Fel un flwyddyn fytholegol (mewn termau Cristnogol) y gwêl Gwenallt hanes y ddynolryw lle mae'r diwedd yn agosáu a'r ŷd yn aeddfedu yn y meysydd. Mae'r gerdd 'Y Calendr' yn tynnu'n helaeth iawn ar ddigwyddiadau mythig y grefydd Gristnogol (Yr Efengyl yn hongian wrth hoel; y meirch apocalyptaidd yn yr wybr; Baban yn cogran mewn ystabl, y Croeshoelio, a'r Pentecost, y diwedd). Mae'n arwyddocaol fod Gwenallt yn dodi'r iaith hefyd yn y byd mythig hwn fel rhan anhepgor o'r Pentecost, sydd nid yn unig yn rhoi pris arni a pharch iddi, ond yn ei gosod mewn cyd-destun diamser:

> A ffraeth yw ffrwythlondeb y Pentecost,
> A'r Gymraeg yn un o'r tafodau tân.[80]

Yn hanesyddol, wrth gwrs, mae'r ffaith hon yn ddyledus yn bennaf i'r Esgob William Morgan, a daw Gwenallt yn ôl at y gwaith o gyfieithu'r Beibl ar nifer o achlysuron. Un o'r cerddi sydd yn sôn am hyn yw'r gerdd 'Yr Eryrod':

> Esgynnent hwy drwy awyr ein meidroldeb,
> Trwy gredo, dogma, diffiniad ac iaith
> I siarad â Duw ym maestrefi tragwyddoldeb; . . .[81]

Dyma'r eryrod sydd yn gallu bod yn 'niwsans mewn byd ac Eglwys', ond wrth sôn am ddau fath arall ar eryr y daw Gwenallt â'r iaith i mewn i'r drafodaeth. Yr eryr cyntaf ydyw eryr metal yr eglwysi sydd yn dal y Beibl o flaen llygaid y darllenydd. Ond mae'r bardd yn bendant wrth bwysleisio pwysigrwydd y cyfieithiad Cymraeg:

> Rhoed tithau yn yr Eglwys gan Yr Ysbryd Glân
> Yn ystlyswr cyson, call ac answyddogol,

Yn dal rhwng rhychwant dy adenydd dof
Gyfieithiad Cymraeg y Datguddiad Cristionogol.[82]

Dyma'r wedd hanesyddol, y cyfieithiad a ddaeth o law'r
Esgob William Morgan ac eraill yn yr unfed ganrif ar bymtheg a
welir yn wrthrych mewn capel ac eglwys. Ond dychwelir at yr
hyn sydd fel petai'n pwysleisio'r elfen anhanesiol a thragwyddol
pan sonia am 'frenin eryrod byd', sef Ioan yr Efengylydd (ei
efengyl ef wrth gwrs sy'n rhoi'r pwyslais ar y Gair).

Efe a'm cododd uwchlaw'r clyfar gysgodau;
Ei Gymraeg yn fy mwrw i lawr ag ergyd gordd
A chlirio'r dryswch rhamantaidd â bwyall ei adnodau.[83]

Yn yr adran hon o'r gerdd teimlir fod y Gymraeg yn perthyn i
fyd diamser, mythig y Beibl, ac yn awgrymu efallai werth trag-
wyddol yr iaith i'r awdur. Yn hyn o beth daw'r Gymraeg a'r *logos*
yn syndod o agos.

Yn ei gerdd o foliant i'r Esgob William Morgan mae'r
Gymraeg eto'n mynd yn destun myfyrdod yn ei gwisg Feiblaidd
ac efengylaidd. Mae hon yn gerdd lle gwelir yr iaith yn symud o
wastad hanesiol, bas a thafodieithol i fod yn gyfrwng y neges
dragwyddol, a mynd felly yn rhan anhepgor o'r neges honno.
Prin fod angen dyfynnu o'r gerdd hon gan ei bod mor gyfar-
wydd erbyn hyn. Yr hyn sydd yn arwyddocaol inni yw'r ffaith
fod Gwenallt yn codi'r iaith i'r gwastad mythig a diamser lle mae
'Y Tad, y Mab a'r Ysbryd yn parablu yn Gymraeg'.

Erbyn cyfnod cerddi olaf Gwenallt a gasglwyd yn y gyfrol *Y Coed*
(yn cynnwys cerddi 1960–69), rydym mewn cyfnod o argyfwng
dyfnach o safbwynt yr iaith yn ogystal â gweithgarwch cymdeith-
asol ar ei rhan. Yng nghyfnod carcharu'r ymgyrchwyr cyntaf dros
yr iaith (a'r rhain o bosibl yn coleddu safbwyntiau gwahanol
ynglŷn â dehongli hanes a safle iaith) nid oedd pall ar y modd y
syniai Gwenallt am gysylltiad yr iaith â'r grefydd Gristnogol. Wrth
gyfarch Emyr Llewelyn Jones (ar ôl ei garcharu) dywed:

Ti a weli y genedl, y genedl a greodd Duw,
Fel cenhedloedd eraill, i'w addoli a'i foli Ef.
O golli'r Gymraeg fe fyddai un iaith yn llai i'w foli;
O myn y genedl ei difa ei hun ni allai'r Arglwydd Iesu Grist

Ar Galfaria farw dros genedl goll; y genedl y rhoes Ef
Iddi ar hyd y canrifoedd Ei ffydd, Ei ras a'i iachawdwriaeth.[84]

Mae'n arwyddocaol na bu i Wenallt bwysleisio elfennau megis 'cydymdreiddiad' tir ac iaith a chwaraeodd ran bwysig yn namcaniaethau J. R. Jones. Bu'r olaf yn cyhoeddi erthyglau fel 'Y Syniad o Genedl'[85] a *Phrydeindod* (1966). Deil yn amhosibl i Wenallt beidio â gollwng gafael ar yr agweddau Cristnogol canolog ar ei weledigaeth o'r iaith a'r genedl. Ni chwery bro yr un rhan ddeinamig yn ei ganu ag a wna yng nghanu Waldo, er enghraifft; nid yw'r iaith yn ferch ddeniadol ar ddisberod y mae'n rhaid ei hachub (er y ceir y gyffelybiaeth merch/gwlad yn ei ganu). Yn hyn o beth mae llawer o'r ddysgeidiaeth ynglŷn â'r iaith yn perthyn i'r traddodiadau Almeinig am y *Volkgeist* tra bo Gwenallt yn tynnu'n helaethach, onid yn ddieithriad, ar y ffynonellau Beiblaidd a Hebraeg. 'Y Gymraeg, Y Gymru a'r Gristionogaeth' yw'r colofnau digyfnewid sydd i fod i gynnal Emyr Llewelyn yn ei gell, fel y buont yn cynnal Gwenallt hefyd.

Yn ail hanner cyfnod barddoni Gwenallt, ymddengys yr iaith, nid fel cwlwm rhwng y Cymry i sicrhau 'ailgodi bro', ond yn hytrach yn gwlwm rhwng ein byd hanesyddol llygredig a'r byd ysbrydol 'mythig'. Po fwyaf y neseir at weledigaeth apocalyptaidd Gwenallt o'r grefydd Gristnogol, mwyaf yn y byd y mae ei weledigaeth o'r Gymru ddelfrydol yn ymrithio o flaen ein llygaid. Yn y pen draw, bron nad ydym yn tybio nad ydyw'r Gymraeg yn bodoli i Wenallt ar wahân i'w swyddogaeth gysegredig fel cyfrwng addoli:

Diolch i Dduw am y Gymraeg,
Un o ieithoedd mwyaf Cristnogol Ewrob,
Un o dafodieithoedd y Drindod.
Ei geirfa hi yw'r Nadolig;
Ei chystrawen yn Galfaria;
Ei gramadeg yn ramadeg y Bedd Gwag;
A'i seineg yn Hosanna.[86]

Dichon y gellir rhoi cais ar esbonio'r duedd ym marddoniaeth Gwenallt i beidio â sôn am yr iaith fel cwlwm rhwng dynion. Adlewyrchiad ydyw'n rhannol o'r dirywiad mawr a fu yn hen batrymau byw'r cymunedau gwledig Cymraeg. Roedd sawr y ddaear a thrydar adar a holl synwyrusrwydd cefn gwlad yn bwysig dros ben i Fyrddin Tomos yn *Plasau'r Brenin*, a hynny yn gysylltiedig â'r byd Cymraeg a roes fod iddo. Gydag enciliad y byd hwnnw teimlai Gwenallt, fel sawl un, fesur o alltudiaeth neu ymddieithrwch. Yn ei gerdd 'Y Ddaear' yn ei gyfrol olaf, mae'n sôn am ffenomen ddigon cyfarwydd, ond sydd yn gwneud synnwyr i'r sawl a adnabu'r fath fywyd yn ei gyflawnder:

Trowyd y ddaear yn labordy mawr,
Troi'r beudy yn ffatri a'r fuwch yn gocos yn cnoi cul (*sic*);
Ac ni ddaw'r teirw ffroenuchel mwyach
I neidio'r fuwch boeth ar y buarth;
Darfu eu hen domenydd hwy,
Y mae'r gemeg dramor yn diffrwytho'r pridd.[87]

Sylwer mai rhywbeth 'tramor' yn y bôn ydyw'r dirywiad a ddisgrifia yma. Gynt yn yr hen ddyddiau, meddai, yr oedd y ddaear yn nes atom:

Mor agos oedd y ddaear gynt,
Mor agos â chymydog, ac yn siarad tafodieithoedd y Gymraeg; . . .[88]

Ond darfu am yr hen agosrwydd ac aeth cymydog yn beth annynol, a gwyddoniaeth wedi disodli'r hen werthoedd gwâr:

A throes y cymydog yn anghenfil pell;
Anghenfil â'i safnau hydrogenaidd
Yn barod i lyncu hwsmonaeth a gwareiddiad dyn.[89]

Ar ryw olwg, felly, mae darfod yr hen gymdogaeth a dulliau newydd o drin cymdeithas wedi gyrru Gwenallt i ddibrisio'r elfennau hanesyddol Cymraeg a chofleidio'r agwedd ddigyfnewid, fythig lle gellir cysylltu'r Gymraeg â byd y Beibl a chymeriadau'r Beibl.

Yn ogystal â dod â'r Gymraeg i'w ganu fel pwnc myfyrdod, mae iaith fel hanfod yn mynd yn rhan o'i ddull o ddehongli'r byd. Nid yw'n rhywbeth i synnu ato dan law bardd mor fedrus wrth drin yr iaith â Gwenallt. Ceir termau fel cystrawen, gramadeg, seineg fel agweddau, nid yn unig ar fframwaith iaith ei hun, ond hefyd yn agoriad i ddehongli fframwaith y byd.

Nodiadau

[1] P. Mac Cana, *Celtic Mythology* (London, 1983), 121.
[2] T. H. Parry-Williams (gol.), *Awdlau Cadeiriol Detholedig 1926–1950* (Dinbych, 1953), 5.
[3] Ibid., 6.
[4] Ibid., 3.
[5] Ibid., 6.
[6] D. Gwenallt Jones, *Y Mynach a'r Sant* (Aberystwyth, 1928), 30.
[7] Ibid., 32.
[8] Ibid.
[9] Ibid., 33.
[10] Ibid., 34.
[11] Ibid., 36.
[12] Ibid.
[13] D. Gwenallt Jones, *Ysgubau'r Awen* (Llandysul, 1939), 82.
[14] Ibid., 93
[15] Ibid.
[16] D. Gwenallt Jones, *Plasau'r Brenin* (Aberystwyth, 1934), 8.
[17] D. Gwenallt Jones, *Eples* (Llandysul, 1951), 42.
[18] Gwenallt Jones, *Gwreiddiau* (Llandysul, 1959), 56–7.
[19] Ibid., 75.
[20] Ibid., 78.
[21] *Eples*, 52.
[22] Ibid., 25.
[23] Ibid.
[24] Ibid.
[25] *Ysgubau'r Awen*, 72.
[26] Ibid.
[27] *Gwreiddiau*, 45.
[28] *Ysgubau'r Awen*, 26.
[29] Ibid., 27.
[30] D. Gwenallt Jones, *Cnoi Cil* (Aberystwyth, 1942), 20.
[31] Ibid., 21.
[32] Ibid.
[33] *Gwreiddiau*, 61–2.
[34] *Ysgubau'r Awen*, 86.
[35] Ibid.
[36] Ibid., 19.
[37] Ibid., 24.
[38] Ibid., 28.
[39] *Eples*, 18.
[40] *Gwreiddiau*, 37.
[41] *Cnoi Cil*, 20.
[42] *Gwreiddiau*, 63–4.
[43] Ibid., 67.
[44] Saunders Lewis, *Canlyn Arthur* (Llandysul, ail argraffiad 1985), 43.

[45] Ibid., 44.
[46] Ibid.
[47] *Gwreiddiau*, 68.
[48] *Ysgubau'r Awen*, 90.
[49] *Gwreiddiau*, 66.
[50] *Cnoi Cil*, 19.
[51] *Eples*, 21.
[52] Ibid.
[53] Eseia 27.1.
[54] Eseciel 29. 4–5.
[55] N. Frye, *The Great Code: The Bible and Literature* (New York, 1983), 190.
[56] Mathew 12.40.
[57] Frye, op. cit., 194.
[58] *Cnoi Cil*, 20.
[59] Gwenallt Jones, *Y Coed* (Llandysul, 1969), 11.
[60] A. Talfan Davies (gol.), *Gwŷr Llên* (1948), 58.
[61] *Gwreiddiau*, 36.
[62] Ibid., 43.
[63] Ibid.
[64] Ibid., 44.
[65] *Gwreiddiau*, 39.
[66] Ibid., 37.
[67] Ibid., 46.
[68] Elissa R. Henken, *National Redeemer: Owain Glyndŵr in Welsh Tradition*, (New York, 1996), pennod 2, 'The Pattern of the Redeemer-hero'.
[69] *Y Coed*, 16.
[70] *Plasau'r Brenin*, 64.
[71] Ibid., 74.
[72] Ibid.
[73] Ibid., 83.
[74] Ibid.
[75] Ibid.
[76] Ibid., 110.
[77] *Ysgubau'r Awen*, 23.
[78] Ibid., 86.
[79] *Eples*, 46.
[80] Ibid., 47.
[81] Ibid., 60.
[82] Ibid., 60–1.
[83] Ibid., 61.
[84] *Y Coed*, 17.
[85] J. R. Jones, 'Y Syniad o Genedl', *Efrydiau Athronyddol*, 1961.
[86] *Y Coed*, 53.
[87] Ibid., 38.
[88] Ibid.
[89] Ibid.

Diweddglo

Dichon na roddwyd y sylw dyladwy bob amser i lenyddiaeth ethnig a llenyddiaeth ieithoedd llai-eu-defnydd dros y blynydd-oedd, ac ni fu modd inni weld eu cenadwri ganolog oherwydd anawsterau ieithyddol ac anawsterau caffaeliad testunau. Bu athrawiaethau gwleidyddol yn faen tramgwydd amlwg mewn sefyllfa lle rhoddid pwyslais digyfaddawd ar undod ac unffurfiaeth wleidyddol. Y canol fu'n llywodraethu'n meddyl-iau, ac anghofiwyd bod pob ffin hefyd yn diffinio. Credaf fod modd inni symud o'r safbwynt a welai'r llenyddiaethau hyn yn gynhyrchion ethno-ganolog ac ymylol eu diddordeb wrth inni geisio eu hystyried fel dosbarth neilltuol a chyffrous mewn efrydiau llenyddol. Yn y gyfrol hon ceisiwyd dangos tebyg-rwydd rhwng llenorion a chymdeithasau ar adegau argyfyngus yn eu bywyd cenedlaethol ac anhanesiol. Dewiswyd ardaloedd a all ymddangos yn wahanol iawn, ond maent yn debyg oher-wydd iddynt fyw dan fygythiad beunyddiol. Collir iaith a diwylliant, collir hunaniaeth mewn sawl rhan o'r byd. Wrth ddewis Cymru, Catalunya a Québec, cafwyd cyfle i weld sut yn union y bydd cymuned ieithyddol yn ymateb i sefyllfa lle gorfodir iddi fyw mewn gwlad ac iddi hanes imperialaidd.

Nid hap a damwain yn sicr yw'r ffaith fod modd gweld cyffelybiaethau trawiadol rhwng y tri llenor a ddewiswyd i'w trafod yn y gyfrol hon. Dylai fod yn glir fod prosesau hanesyddol ac ieithyddol yn creu ymwybod colectif dynol a rennir gan y mathau o gymdeithas y rhoddir sylw iddynt yma.

Ni ddylai'r gwahaniaeth yn arddull ac ieithwedd beirdd yr 'argyfwng' cenedlaethol ein synnu wrth gymharu eu cynnyrch hwy â'r hyn a geir yn llenyddiaethau'r ieithoedd 'mawrion'. Math o 'contre-discours' neu ieithwedd wrthwynebol yw ieithwedd llenor fel Gaston Miron, er enghraifft, neu ieithwedd grefyddol Gwenallt. Saif (neu safai) fel gwahanfur cadarn rhwng y llenor a'i gymdeithas ar y naill law, ac ieithwedd grym a chymathiad ar y llall. Os na fu themâu'r math hwn o lenyddiaeth yn ffasiynol yn y gorffennol, mae lle i gredu bod sawl agwedd ar lenyddiaeth yr ieithoedd mawr yn agosáu at y themâu fu'n gyfarwydd yn y llenyddiaethau lleiafrifol.

Hwyrach y bydd sylweddoli hyn yn fodd i ailystyried rhai agweddau ar lenyddiaeth Cymru a dyrchafu ei statws i rywbeth nad yw'n ethno-ganolog nac yn unigryw i Gymru, ond yn hytrach ei gweld mewn cyd-destun rhyngwladol lle gellir gwerth-fawrogi'r gyd-berthynas rhyngddi a llenyddiaethau mewn ieithoedd eraill. Tair llenyddiaeth a thri llenor a ddewiswyd ar gyfer yr astudiaeth hon, eithr ni ddylid tybio mai i'r tair llenyddiaeth hyn yn unig y perthyn y nodweddion a'r cyffelyb-iaethau a nodwyd. Ystyriaf fod Gaston Miron, Salvador Espriu a Gwenallt ymhlith goreuon beirdd cenedlaethol yr oesau, ond ni ddylid anwybyddu cyfraniad sawl llenyddiaeth arall a gyfan-soddir mewn ieithoedd a ddibrisir at ein dealltwriaeth o effeithiau argyfwng a dirywiad ieithyddol ar hunaniaeth y gymdogaeth a'r llenor. Ceir nifer o'r themâu a drafodwyd yn y gyfrol hon yn llenyddiaethau Llydaw, Iwerddon, Ocsitania, Acadie, a Gwlad y Basg, er enghraifft. Mae bardd megis Bleimor (Yann-Ber Kalloc'h) ar ddechrau'r ugeinfed ganrif yn Llydaw yn lleisio thema'r feseianaeth genedlaethol yn ei gerddi o ffosydd Gwlad Belg mewn modd sy'n dwyn ar gof rai o syniadau Catholig cenedlaethol Québec yn yr un cyfnod. Mae dirywiad y Llydaweg fel iaith gymunedol wedi arwain rhai beirdd yno fel Per-Jakez Hélias yng nghanol yr ugeinfed ganrif i droi'r iaith yn fath o 'wlad' drosgynnol wrth weld ei filltir sgwâr yn diflannu. Digon hawdd fyddai crybwyll enghreifftiau tebyg o lenyddiaeth Ocsitaneg o'r 1960au a'r 1970au yn enwedig gwaith llenorion o bwys fel Robert Lafont ac Yves Rouquette. Er bod dylanwad digwyddiadau 1968 ym Mharis ar waith Lafont, mae modd ei weld yntau fel cynrychiolydd y trydydd argyfwng lle gwelwn lenor yn gorfod ceisio creu y sylwedd cenedlaethol yn ei feddwl gan fod yr hyn a fu'n sylwedd wedi cilio (dros dro efallai). Ni all yr un llenor gwerth ei halen beidio ag ymateb i newid iaith yn ei gymdogaeth. Ond mae'r ymateb yn gallu dibynnu ar nifer o ffactorau. Os edrychir ar lenyddiaeth Wyddeleg Dún na nGall (Donegal) yn yr ugeinfed ganrif gellir canfod fod ymateb llenorion fel y ddau frawd enwog Séamus Ó Grianna a Seosamh Mac Grianna yn hollol wahanol, er eu bod ill dau wedi ceisio ymateb yn eu gwaith i'r ffaith ddi-ymwâd fod y gymdeithas Wyddeleg a'i thraddodiadau yn wynebu argyfwng tostaf ei bodolaeth. Yn wahanol i'r genhedlaeth o lenorion o'u blaen, fel Peig Sayers a Tomás O Criomhthain, bu'r ddau frawd a'u cenhedlaeth yn rhan o'r newid byd. Er mai *athrú an tsaoil* oedd thema mawr y genhedlaeth gyntaf o lenorion clasurol y Gaeltacht,[1] gweld y byd a'r iaith yn ymgilio a wnâi'r llenorion hyn o'u safle disymud. Bu'r brodyr Grianna ymhlith y rhai a fagwyd yn y Fro Wyddeleg ond a orfodwyd i ennill eu tamaid yn y ddinas. Bu eu halltudiaeth yn bersonol, ond gellir honni fod y gymdeithas y daethent ohoni ei hun yn byw alltudiaeth. Safai'r ddau lenor rhwng y ddau fyd heb berthyn yn hollol i'r naill na'r llall. Ymateb Séamus yn ei waith llenyddol oedd delfrydu byd ei blentyndod uniaith mewn cyfres hir o nofelau a storïau byrion lled-hunangofiannol. Ceisiai ysgrifennu yn null yr hen storïwyr traddodiadol, ac mewn llawer ystyr nid y cymeriadau yn ei nofelau sy'n bwysig ond y gymdeithas ddinewid a'i thraddodiadau gwerinol megis yn parhau'n ddi-fwlch dros y canrifoedd. Yn rhai o'i weithiau lle'r ymdrinir yn fwy uniongyrchol â digwyddiadau gwleidyddol yn Iwerddon, pwysleisir elfennau gwerinol ond meseianaidd fel y proffwydoliaethau llafar sy'n sôn am ddyfodol Iwerddon Aeleg. Cwbl wahanol oedd safbwynt Seosamh ei frawd yn ei nofelau a'i storïau yntau. Ei ymateb oedd codi ei bac yn llythrennol a mabwysiadu bywyd a moesau'r llenor modernaidd. Yn un o'i nofelau ymdrinir â'r sylweddoliad chwerw fod gagendor am-hontadwy bellach rhwng y Gael (Gwyddeleg eu hiaith) a'r Gall (Saesneg eu hiaith) yn Iwerddon. Teimlai hefyd fod agendor rhyngddo a'i bobl ei hun ers iddo dderbyn addysg goleg a cheisio dychwelyd i fro ei eni.[2] Mae'r ddau beth hyn sydd yn naturiol yn gysylltiedig yn arwain, dybiaf i, at feddylfryd yr alltud neu'r dieithryn nad yw bellach yn medru peidio â chodi ei bac.

Gellir meddwl, o bosibl, fod y llenor sydd yn gweithio o fewn y trydydd argyfwng wedi cyrraedd pen ei dennyn diwylliannol gan mai ychydig o wir obaith sydd, yn ôl pob golwg, i rai ieithoedd lleiafrifol ailgodi pen fel ieithoedd y gymuned ddaearyddol. (Gellir dadlau y bydd dyfodol iddynt ym myd y We.) Mae un gwahaniaeth mawr rhwng yr ail argyfwng a'i bwyslais ar 'ddiwedd yr alltudiaeth' a'r trydydd lle na welir ond chwalfa hen gymdeithas a'i hiaith, sef y pwyslais ar obaith neu gyfundrefn syniadol lle mae deinameg gobaith yn ein gyrru at ryw nod. Diau fod hyn yn un o syniadau modernedd, yn rhannol, a'i bwyslais ar gynnydd ac optimistiaeth. Nid cyddigwyddiad hwyrach fod y syniad meseianaidd mewn gwleidyddiaeth a llenyddiaeth yn cyd-daro ag oes aur cynnydd. Os chwythodd y syniadau hyn eu plwc, a gollodd y cenhedloedd hwythau eu deinameg? Nid hawdd erbyn heddiw fyddai dychmygu bardd yn ysgrifennu yn null Gwenallt, Miron ac Espriu a disgwyl derbyn yr un croeso ag a gawsant yn ystod ail hanner yr ugeinfed ganrif, ac eto erys eu gwaith yn glasuron y syniad cenedlaethol ar eu gwedd hoywaf. Mae'n arwyddocaol fod Miron, Espriu a Gwenallt oll wedi cael eu geni mewn cartrefi a roddai bwys ar grefydd ac mewn cymdeithasau a gredai mewn cynnydd. Ond ni ellir gwadu na fu tro ar fyd. Os teg disgrifio'r cyfnod hwn fel un ôl-fodernaidd, i ba raddau y mae hyn i'w deimlo yn llenyddiaethau'r hen genhedloedd lleiafrifol? A oes y fath beth â llenyddiaeth genedlaethol ôl-fodernaidd sy'n ymgodymu â pharhad mewn byd diffiniau ac amwys ei hunaniaeth? Soniodd un o sylfaenwyr athronyddol ôl-foderniaeth fel hyn wrth ystyried y safbwynt fu'n tra-llywodraethu yn Ffrainc er enghraifft:

On voit que ce 'peuple' diffère du tout au tout de celui qui est impliqué dans les savoirs narratifs traditionnels, lesquels, on l'a dit, ne requièrent nulle déliberation instituante, nulle progression cumulative, nulle prétension a l'universalité: ce sont là des opérateurs du savoir scientifique. Il n'y a donc pas à s'étonner que les représentants de la nouvelle légitimation par le 'peuple' soient aussi des destructeurs actifs des savoirs traditionnels des peuples, perçus désormais comme des minorités ou des séparatismes potentiels dont le destin ne peut être qu'obscurantiste.[3]

Dyna fu athrawiaeth sylfaenol y Chwyldro Ffrengig, ac mae'r un athrawiaeth yn y bôn yn gweithredu mewn unrhyw wladwriaeth sy'n tynnu ei hysbrydoliaeth o'r chwyldro hwnnw.

Ond daeth tro ar fyd mewn sawl maes gan gynnwys y llenyddol. Mae'n weddol glir erbyn hyn fod nifer o'r nodweddion a gysylltir ag ôl-foderniaeth wedi bod yn rhan o lenyddiaeth ers peth amser, ond i'w harwyddocâd fod yn llai amlwg mewn cyfnod pan fu syniadaeth wahanol yn cael goruchafiaeth. Os rhywbeth, mae rhai o'r agweddau hyn yn fwy amlwg yn hanes llenyddiaeth leiafrifol lle bu pwyslais oesol ar yr amwys a'r ffiniau annelwig. Bu Hubert Aquin yn Québec yn gynnar yn y 1960au yn trafod amwysedd tost ei bobl o fewn fframwaith nofel ysbïwyr, lle defnyddiai'r awdur gyfeiriadaeth a chonfensiynau'r *genre* yn chwareus ac yn ddyfnddysg. Sonnir yn aml am ffantasi (neu agweddau arni fel ffantasi fympwyol) fel un o'r agweddau ar y nofel ôl-fodernaidd, ac ymddengys fod dadlau o hyd a ddylid cynnwys y 'realaeth hudol' fel a gafwyd yn wreiddiol yng ngwaith cynifer o nofelwyr o Dde America fel rhan o'r un tueddiad. Mae'n bosibl ei bod hi'n arwyddocaol fod yr awdur Catalaneg, Pere Calders, ymhlith y cyntaf i gyd i fabwysiadu'r dull hwn o ysgrifennu.[4] Yn ei waith mewn alltudiaeth ym Mecsico ar ôl y rhyfel cartref yn Sbaen ac wedyn yng Nghatalunya, defnyddiodd arddull ffantasïol a hynod chwareus mewn cyfnod pan oedd llenydda a chyhoeddi mewn Catalaneg bron yn amhosibl. Yn ei waith ef, mae realaeth newydd y gormeswr yn ffantasi ar ôl gwanwyn byrhoedlog gwladwriaeth Gatalanaidd y 1930au. Er iddo fynnu mai cyflwr dyn yn y byd oedd ei brif ddiddordeb, ni ellir gwadu mai tynged drasig ei bobl yn union ar ôl y rhyfel cartref fu'n ysbrydoliaeth i lawr o'i realaeth hudol ond hynod ddigrif.

Mae amwysedd rhywiol hefyd yn gallu bod yn nodwedd ar yr ymdeimlad fod ffiniau bellach yn fwy amwys nag a fuont. Mae barddoniaeth Gaston Miron yn defnyddio delweddau rhywiol yn ei ymgais i fynnu fod Québec yn 'ailgyfannu'. Fel y gwelsom yn y drafodaeth uchod, byddai'r bardd hwn yn cynysgaeddu rhai geiriau ag ystyr erotaidd nerthol er mwyn annog ei bobl i adennill hyder. Er gwaethaf yr elfennau gwrywaidd yn ei waith, ceir hefyd elfennau eraill llawer mwy amwys lle gwelir y gwrywaidd a'r benywaidd yn ymdoddi'n endid newydd.[5] O bosibl mae'r cyfeiriad yma at rywioldeb yn fodd inni gofio pwysigrwydd beirniadaeth ffeministaidd a'i pherthynas â chenedlaetholdeb. Gwelsom yng ngwaith Gwenallt bwysigrwydd y wraig fel symbol o'r genedl. Er bod hyn yn gyfarwydd iawn mewn sawl llenyddiaeth, gwelsom fod agweddau tra cheidwadol ac eto'n drawiadol y tu ôl i ddefnydd Gwenallt o'r ddelwedd hon, ond rhaid ystyried hyn oll yn erbyn cefndir ymerodrol hanner cyntaf yr ugeinfed ganrif a'i ragdybiaethau ymerodrol a rhywiaethol. Cafwyd cyfeiriadaeth at wallgofrwydd mewn beirniadaeth ffeministaidd o bryd i'w gilydd (er enghraifft y drafodaeth yn seiliedig ar *Jane Eyre*, a *Wide Sargasso Sea* gan Jean Rhys[6]) ac mae hon hefyd yn thema gymharol gyson na fu'n bosibl ei holrhain yn y gyfrol hon. Gellir crybwyll nifer o weithiau o'r tair llenyddiaeth a drafodwyd, neu lenyddiaethau lleiafrifol eraill. Mewn llenyddiaeth Lydaweg, ceir clasur bychan Roparzh Hemon, *Mari Vorgan*, sy'n nofel symbolaidd am y mudiad cenedlaethol yn Llydaw yn hanner cyntaf yr ugeinfed ganrif; gwelir y prif gymeriad yn araf golli ei bwyll. Mae un o'r prif nofelau Catalaneg ar ôl y rhyfel cartref *La Plaça del Diamant* yn trafod cwymp Barcelona yn nhermau gwallgofrwydd dros dro arwres y nofel. Mae Gaston Miron wedi trafod agweddau ar wallgofrwydd personol a 'chymdeithasol' (sef profiad ymddieithrwch), nid yn unig yn ei farddoniaeth ond hefyd yn gwbl agored mewn cyfweliadau.[7] Yng ngwaith y bardd cyfoes Gwyddeleg, Cathal Ó Searcaigh, defnyddir y syniad o wallgofrwydd ac alltudiaeth dros dro mewn nifer o gerddi yn ei gyfrol *An Bealach 'na Bhaile*.[8] Mae'r cymeriad chwedlonol, Suibhne Geilt, neu Sweeney Wyllt, yn ymddangos fel cysgod dros nifer o'r cerddi yn y gyfrol honno. Fel cymeriad mae'n ymwneud â'r syniad o unigrwydd, alltudiaeth a cholli pwyll ar ôl profiad dirdynnol. Crybwyllir nifer o enwau lleoedd yn y testun o'r Oesoedd Canol, *Buile Shuibhne*, y gellir eu hadnabod fel lleoedd yn Donegal, sef cynefin y bardd; ond lleoedd yw'r rhain sy'n gysylltiedig â llethrau a mynyddoedd yr ardal. Yng ngwaith Ó Searcaigh, mae'r profiad o adael ei fro a dychwelyd, a'r profiad ingol o orfod dod i delerau â'r newid ynddo a'r newid yn ei fro, yn cael ei grisialu yng nghymeriad Suibhne, ar goll mewn alltudiaeth ac yn wallgof am sbel. Dod i delerau â newid byd (dirywiad iaith a thraddodiad) yw'r broses a ddisgrifir yn y gyfrol honno, ac yn yr ystyr honno mae'n ein hatgoffa o'r trydydd argyfwng. Ond mae elfennau yng ngwaith Cathal Ó Searcaigh sydd yn ei wneud yn gynnyrch oes ôl-fodernaidd, sef y modd y derbynia amwysedd ffiniau – rhywiol, gwleidyddol, ieithyddol – ac eto yn aros yn weddol ddiddig ei fyd.

Diau y byddai'r rhan fwyaf o feirniaid ôl-fodernaidd yn edrych yn bur amheus ar gyfanwaith beirdd fel Gwenallt, Espriu a Miron, gan weld yn eu gwaith fersiwn o *telos*, lle gwelir diweddglo a phwrpas pendant. Ond ar yr un pryd, mae gwaith y tri yn amlwg yn ymwrthod â'r metanaratif sy'n gosod un fersiwn o'r gwirionedd, sef metanaratif Prydeindod, Ffederaliaeth Ganadaidd, neu unrhyw fetanaratif ymerodrol.[9] Mae'n bosibl y bydd gwahaniaeth barn ymhlith beirniaid ôl-fodernaidd ynglŷn â phwysigrwydd y genedl. Er mwyn deall ôl-foderniaeth a llenyddiaeth y cenhedloedd llai, rhaid mynd ati i gymharu a thynnu gwers, fel yr awgrymwyd yn ddiweddar yn Québec wrth drafod y nofel ôl-fodernaidd yno a'i pherthynas â dadleuon ffeministiaeth a beirniadaeth ôl-drefedigaethol.[10]

Erys cwestiwn sylfaenol iawn ynglŷn â pharhad unrhyw ddiwylliant mewn gwladwriaeth ganolog neu led-ganolog. Mae dadl Francis Fukuyama[11] fod 'hanes wedi dod i ben', hynny yw fod trefn ryddfrydol-ddemocrataidd bellach yn mynd i fod yn norm drwy'r byd, yn sialens a ddylai fod o ddiddordeb i bob llenor o Gymro neu Gymraes. Beth bynnag am y farn honno, mae llenyddiaeth yn mynd i adlewyrchu'r bygythiadau oesol i gymunedau lle defnyddir iaith nad yw'n iaith y mwyafrif tra pery llenyddiaeth, ac os derfydd am lenyddiaeth yn y ffurf yr ydym yn gyfarwydd â hi, caiff yr un bygythiadau eu mynegi mewn ffurfiau celfyddydol eraill na fedrwn am y tro efallai eu dychmygu. Ai tynged y gwledydd bach 'anhanesiol' fydd dal yn yr un rhigol a gorfod ymgodymu mewn llenyddiaeth â themâu parhad er mwyn 'cadw'r chwedlau'n fyw'? Ond anghofir yn hawdd fod y themâu hyn yn rhai oesol a chyffredinol i'r ddynolryw ac yn yr ystyr honno codir eu statws a dyrchefir eu gwerth er mwyn deall llwybrau'r cenhedloedd yn y byd.

Dim ond codi cwr y llen a wnaed yn yr astudiaeth hon. Mae llenyddiaeth ddiwladwriaeth, a ninnau'n pwysleisio cymeriad unigryw cymuned a'i hawl i'w hunaniaeth ddiwylliannol ei hun, yn gyfrwng, mewn cywair sydd yn fynych yn arbennig o ddwys a phoenus, i leisio gwerthoedd dynol am ddyfodol gwâr. Gall hyn ein hatgoffa o'r hyn a ddywedodd Isaac Bashevis Singer yn ei araith wrth dderbyn Gwobr Nobel am Lenyddiaeth yn 1978 ac yntau'n sôn am arwyddocâd mwy cyffredinol Yiddish, yr iaith y bu ef yn cyfansoddi bron y cyfan o'i waith ynddi yn Efrog Newydd ymhell o'i gynefin, ac iaith hefyd a oroesodd yn ei waith ef er gwaethaf galanas y gwersyll difa:

Ni lefarodd Yiddish ei gair olaf eto. O'i mewn ceir trysorau na ddatgelwyd i lygaid y byd. Hi oedd iaith merthyron a seintiau, breuddwydwyr a Chabalistiaid – mae hi'n gyfoethog o ran ei hiwmor, a llawn atgofion na fedr y ddynol-ryw byth eu hanghofio. Mewn ffordd drosiadol, Yiddish ydy'r iaith ddoeth a diymhongar sy'n eiddo inni oll, ieithwedd y ddynoliaeth ofnus a gobeithiol.[12]

Nodiadau

[1] Gweler ymdriniaeth Alan Titley â'r thema yn *An tUrscéal Gaeilge* (Dulyn, 1991), Pennod 6 *et passim*.
[2] Gellir cymharu hyn â phrofiad cyffelyb a ddisgrifir mewn cyd-destun Gaeleg gan Iain Crichton Smith, *Towards the Human* (Edinburgh, 1986).
[3] Jean-François Lyotard, *La Condition Postmoderne* (Paris, 1979), 53.
[4] Gweler Amanda Bath, *Pere Calders: Ideari i Ficció* (Barcelona, 1987).
[5] Mae Gaston Miron yn egluro hyn yn llawnach yn ei gyfweliad â Claude Filteau yn Claude Filteau, *L'Homme rapaillé* (Montréal, 1984).
[6] Gweler yn arbennig S. Gilbert a S. Gubar, *The Madwoman in the Attic* (London, 1979), lle trafodir ffigur y wraig wallgof yn y nofel fel symbol i fynegi'r modd yr atelir y benywaidd. Gellid hefyd ystyried gorffwylledd o safbwynt hunaniaeth a chenedligrwydd yn y ddrama Gymreig *House of America* (1988) gan Edward Thomas.
[7] Ibid., 122.
[8] Cathal Ó Searcaigh, *An Bealach 'na Bhaile* (Conamara, 1993).
[9] Am ddadl ehangach gweler, er enghraifft, Jerry Hunter a Richard Wyn Jones, 'Beirniadaeth ôl-fodern', *Taliesin*, Gaeaf 1995.
[10] Janet M. Paterson, *Moments postmodernes dans le roman québécois*, 130 *et passim*. Dylid hefyd ystyried safbwynt beirniadol rhai fel Tony Davies a Nigel Wood, *A Passage to India* (Buckingham, 1994).
[11] Francis Fukuyama, *The End of History and the Last Man* (New York, 1992).
[12] I. B. Singer, *Nobel Lecture* (New York, 1978), 9.

Mynegai

Hébert, Anne, 32, 58–62, 130, 132
Hélias, Per-Jakez, 10, 17, 271
Hélias, Pierre-Jacques, *gweler* Per-
Jakez Hélias
Hémon, Louis, 23, 29
Hemon, Roparzh, 8, 9, 16, 275
Historia Regum Britanniae, 101
Homme rapaillé, L' (Gaston Miron), 14,
128, 146, 128–9
hunaniaeth
amwys, 11–14
syniad llywodraethol, 18–19, 20
gweler Catalunya, Cymru, Québec;
Espriu, Gwenallt, Miron

Islwyn, Aled, 125
Iwerddon, 1, 9, 39, 67, 248, 271, 272

Jezebel ac Elias (D. Gwenallt Jones), 237,
242, 247, 250–1
jocs florals, 66, 67, 68, 75, 80, 87
Jones, Bobi, 104
Jones, D. Gwenallt, *gweler* Gwenallt
Jones, Michael D., 106, 107, 258
Jones, J. R., 14, 120, 123, 266
Jones, R. Tudur, 14, 104, 111
joual, 53, 153

Keineg, Paol, 11, 17
Khleif, B., 17

Laberge, Albert, 30
Lafont, Robert, 11, 271
Laia (Salvador Espriu), 172
Lawrence, Esyllt T., 184
'Le Damned Canuck' (Gaston Miron),
157
Lebesque, Morvan, 13
Lefiathan (fel symbol), 254–5
'Les Siècles de l'hiver' (Gaston Miron),
147, 150
'Les Années de déréliction' (Gaston
Miron), 141–6, 154, 156
Les Hores (Salvador Espriu), 208, 209,
212, 213, 214, 218, 221, 222, 223
Lewis, Saunders, 8, 9, 109, 111, 190,
240, 244, 251, 252, 256
Lyotard, Jean-François, 273
Lloegr, 252–3
Lloyd, Syr John Edward, 253
Llull, Ramon, 18

Llwyd, Alan, 17

alltudiaeth fewnol, 121–4
Llydaw
hunaniaeth, 13–14
meseianaeth, 271
Llyfrau Gleision, 104
'Llywelyn ein Llyw Olaf' (D. Gwenallt
Jones), 250, 258

Mab Darogan, 101, 103
Mabinogi Mwys (Pennar Davies), 109,
114
Mac Grianna, Seosamh, 272
Maillet, Antonine, 6
March, Ausiàs, 18, 65
Marcotte, Gilles
yn trafod barddoniaeth Ganadaidd-
Ffrengig, 133
yn trafod gwaith Anne Hébert, 59,
131–3, 142, 154
yn trafod y nofel Ganadaidd-
Ffrengig, 56–8, 132
Mari Vorgan (Roparzh Hemon), 8, 9,
275
Maria Chapdelaine (Louis Hémon), 23,
29
Marx, Karl, 3
Mazzini, 18, 19
Menaud, maître-draveur (Félix-Antoine
Savard), 29
merch fel symbol o genedl, 116–17
meseianaeth, 18–21
gweler hefyd Salvador Espriu, D.
Gwenallt Jones, Gaston Miron
'Mewn Dau Gae' (Waldo Williams),
119
Michelet, Jules, 18, 19
Miron, Gaston 9, 11, 14, 15, 18, 20, 32,
117, 141, 152, 248, 271, 273, 274
alltudiaeth fewnol, 129–31, 136,
146–7, 162
altérité, 149, 159
apocalyptiaeth, 130, 138, 145, 165
delweddau Cristaidd, 135–8, 140
dirywiad iaith, 154, 157–8
dylanwadau, 131
escatoleg, 129, 137, 138–9
grym y gerdd yn ei waith, 18, 144,
159–68
meseianaeth, 137, 140–1, 146, 248
mudandod fel thema, 156–8
rhywioldeb a'r gerdd, 161
vertige, 132, 134
ymdaith hir fel thema, 166